Lukas Hartmann

Abschied von Sansibar

Roman

Diogenes

Ich verließ meine Heimat als vollkommene Araberin und als gute Mohammedanerin, und was bin ich heute? Eine schlechte Christin und etwas mehr als eine halbe Deutsche.

Emily Ruete,
›Briefe nach der Heimat‹

Der ist in tiefster Seele treu, der die Heimat liebt wie du.

Theodor Fontane,
Spruch auf Emily Ruetes Grabplatte

An Seine Hoheit, Sultan Bargash ibn Said ibn Sultan. Friede sei mit Dir, mein Bruder. Ich bitte Gott und Dich, dass Du nicht Dein Gesicht von mir abwendest, bevor Du diesen Brief gelesen hast. Du solltest Dein Herz nicht gegen mich und meine Kinder verhärten. Du solltest nicht denken, dass ich in Europa in schlechtem Ansehen stehe. Das Gegenteil ist der Fall.

Da saß er, wie jeden Nachmittag seit seiner Ankunft. Er liebte den Blick hinaus auf den See und zu den Bergen. Für den Balkon, oben im vierten Stock, war es im März noch zu frisch. Aber er hatte den Sessel nahe ans Doppelfenster gerückt, das eine Sicht von der Rigi bis zum Pilatus erlaubte. Draußen ging ein leichter Wind. Der See war mit Kräuselspuren überzogen, Wolkenschatten glitten darüber hin. Wenn die Sonne durchbrach, wurde das Wasser zum blendenden Spiegel, und zugleich erschienen in der halbseitig beschatteten Fensterscheibe Züge seines Gesichts, in denen er sich kaum erkannte. Man will so schwer ans Altwerden glauben. Er musste sich vorsagen, dass er fast achtzig war, es blieb ihm nicht viel Zeit. Über dem See und dem Blaudunkel der Berge schoben sich Wolken in- und auseinander, als folgten sie unwillig den Befehlen eines Regisseurs. Er schloss die Augen und sah nun nicht mehr den See vor sich, sondern die Wüste frühmorgens, eine Dünenlandschaft, scharf geteilt in Licht und Schatten, jemand ritt auf einem schneeweißen Esel der Sonne entgegen. Wie oft war er in Wüsten gewesen. Die Briten hätten in Palästina ein wirksames Bewässerungssystem entwickeln müssen, seine Idee vom Baumwollanbau in großem Stil hätte die Konflikte zwischen Juden und Arabern verringert. Ein Träumer war er gewesen, das hatten ihm oft genug die Mutter und die Schwestern vorgeworfen, ein kränklicher Junge, und nie war er zu der Bedeutung gelangt, die er angestrebt hatte.

Vier Uhr schon meldeten die Glockenschläge der Hofkirche, von denen die Fensterscheibe erzitterte; seine Finger, die das kühle Glas berührten, spürten die Vibration. In der Ferne zeigte sich das Nachmittagsschiff, das mit rauchendem Schornstein auf die Anlegestelle vor dem Hotel Schweizerhof zuhielt. Das war sonst das Zeichen, sich wieder an den Schreibtisch zu setzen. Heute tat er es nicht. Neben anderen Briefen lag dort einer, den er gestern erhalten hatte. Die Sterbeurkunde war fast zehn Monate durchs zerstörte Deutschland geirrt. Er hatte es geahnt, nun kannte er die Wahrheit: Seine Schwester Antonie war am 24. April 1945 gestorben, im Bombardement britischer Flugzeuge, das kurz vor Kriegsende die Kleinstadt Bad Oldesloe bei Hamburg zerstört hatte. Die Engländer, deren Landsmann er aus eigener Wahl geworden war, hatten seine Schwester, die halbarische Deutsche, getötet. Was für eine himmeltraurige Ironie!

Antonie, für ihn lange nur Tony. Das Mädchen mit dem blaukarierten Schürzenkleidchen hatte er über alle Maßen geliebt, es hatte ihn, obwohl nur ein Jahr älter als er, getröstet, wenn die Mutter an dunklen Wintertagen mit niemandem reden wollte und im Bett noch unter zwei Decken fror. Eine dritte breitete der kleine Junge bisweilen über sie, seine eigene, und in ihrem Zustand bemerkte sie es nicht einmal. Später wurde ihm Antonie fremder, sie heiratete Brandeis, den chauvinistischen Wichtigtuer, dann verschwand sie für lange Jahre mit ihm in der Südsee, im deutschen Kolonialgebiet. Nach der Kristallnacht, 1938, hatte er sie nicht mehr gesehen, auch Rosalie nicht, die jüngere Schwester. Eine auseinandergebrochene Familie wie hunderttausend andere in diesem unseligen Europa. Als der Krieg zu Ende war, wollte er zumindest erfahren, ob die Schwestern noch lebten. Er hatte, von London und der Schweiz aus, Briefe an ihre Vorkriegsadressen geschrieben, an die Besatzungsbehörden, an die Suchstellen. Und nun war eine Antwort eingetroffen, eine endgültige.

Es gab Tage und Wochen, da war Tony seine wichtigste Stütze gewesen. Der Vater fehlte ja im Haushalt; von ihm kannte er nur die Fotografien, die in schmalen Goldrahmen auf dem Kommodenaufsatz standen. Wie inständig hatte Tony die Geschwister ermahnt, nicht laut zu sein, wenn die Mutter an ihrem Heimweh litt, wie oft hatten sie versucht, ihr Lachen zu zügeln, wenn die Lebenslust in ihnen durchbrach! Die Wohnungen, an die er sich erinnerte, waren düster. Man stieß sich an den Möbeln, so eng standen sie in den kleinen Zimmern. Die Zärtlichkeitsanfälle der Mutter, wenn sie endlich wieder aufstand, man glaubte zu ersticken in ihren Umarmungen. »Ihr seid mein Ein und Alles«, immer wieder dieser Satz in ihrem harten und dennoch singenden Deutsch. Er kann ihn sich halblaut vorsagen: »Ihr seid mein Ein und Alles«, und gleich ist wieder diese Beklemmung da, auch nach siebzig Jahren. Er möchte die Zärtlichkeit erwidern, hat Angst davor, lässt die Arme hängen. »Mein Said! Mein Said! Was bist du für ein stiller Junge!« Die Gesichter der Dienstmädchen, die sich vor das der Mutter schieben und zu einem einzigen werden, keines mehr würde er wiedererkennen. Was er anschauen wollte, war IHR Gesicht: so blass oft, diese lange schmale Nase (eine Prinzessinnennase, sagte er sich später), und wie konnte ihn schon die Andeutung eines Lächelns froher machen. Tony brachte ihr Tee ans Bett. Den schwachen Kaffee, den man in Deutschland trank, mochte sie nicht: »Eine Brühe. Das nennt man doch Brühe, ja?« Manchmal fragte er sich, ob Tony ihr glich, ob sie werden wollte wie die Mutter, denn sie ging ebenso leise durch die Zimmer, hielt den Kopf ein wenig schief, ein wenig gesenkt, genau wie sie. Rosa indessen, die Kleine, kämpfte um Aufmerksamkeit, sie war draller als Tony, drängte sich in den Vordergrund, wo es ging. Die Mutter wies sie zurecht, dann weinte sie in hohen, durchdringenden Tönen.

Er, Said, weinte nie laut, ihm liefen einfach die Tränen über die Wangen. Bei jedem Umzug durchnässten Tränen den Hemdkragen. Die Dienstmädchen tadelten ihn deswegen. Tony trocknete ihm mit ihrem Taschentuch das Gesicht; kleine Taschentücher mit Spitzenbesatz hatte sie, die sie sorgsam auseinander- und wieder zusammenfaltete. Diese Sorgfalt stets.

Said war vier, als sie von Hamburg wegzogen, ein undeutliches Bild von der Eisenbahnfahrt nach Dresden, Ge-

rumpel, Rauchgeruch, der barsche Ton des Schaffners. Öl-
sardinen wollte Said nicht essen, hartes Brot auch nicht, man
musste ihn streng ermahnen. So wenig Licht in der neuen
Wohnung. Eine alte Dame kam häufig zu Besuch und hob
ihm das Kinn hoch, sie nannte die Mutter beim Vornamen:
Emily, sie war eine Baronin, eine Gönnerin, das verstand er
später. Tony brachte Said das Alphabet bei, das sie selbst
von einem der Kindermädchen gelernt hatte, sie sang ihm
das ABC-Lied vor, und Rosa sang es mit, aber voller Fehler.
Die Mutter hatte wenig Geduld, wenn sie Said etwas beibringen sollte, sie hatte ja selbst Mühe mit dem Schreiben,
manchmal schrieb sie etwas in rätselhaften Zeichen und von
der falschen Seite her. Das waren Zeiten, in denen sie hoff-
nungsvoll wirkte, gar überschwenglich. Wenn Emily sang,
klang es fremd, Schleiftöne, Kehllaute; man verstand nicht,
worum es in ihren Liedern ging. Um Liebe, sagte sie einmal,
um nichts als um Liebe.

Sie ging nicht gerne in Kirchen, die Geschwister aber, alle
drei, liebten es, im Kerzenglanz der Frauenkirche vom Or-
gelspiel umbraust zu werden. Dort drin saßen sie an hohen
Feiertagen, unter einem steinernen Himmel. Als sie auch
Dresden verließen, vermisste Said am meisten diesen Weih-
nachtsglanz. Das Bild in einer Illustrierten, das er kürzlich
gesehen hatte, zeigte eine Ruine mit eingestürzter Kuppel.
Er, Rudolph, wie er sich seit langem nannte, hatte es kommen sehen, er hatte gewarnt vor der neuen Schlächterei, doch
die Wand an Ignoranz, an Fanatismus und Überheblichkeit
war undurchdringlich gewesen. Wer hätte je gedacht, dass
einmal Tausende von Bomben über Deutschland nieder-
regnen würden?

Said, Rudolphs erstes Ich, begriff schon als Achtjähriger vieles. Die Mutter musste sparen, auch die Wäsche besorgte sie nun selbst und zeigte den Kindern halb lachend, halb empört ihre rot geschwollenen Hände. Im kleinen Rudolstadt, wo sie sich nun niederließen, war alles billiger zu bekommen. Schon in Dresden hatten die Leute anders gesprochen als in Hamburg, und hier sagten sie »nisch« statt »nicht« und sangen beinahe beim Reden, und Emily meinte, sie müsse die deutsche Sprache noch einmal neu erlernen.

Sie hatte Geheimnisse, die Mutter, die Geschwister versuchten sie, nachts in ihrem Zimmer, flüsternd aufzudecken. Emily kam von weither, aus Afrika, eigentlich hieß sie Salme oder Salima, das wussten sie, und es gab Leute, die sie deswegen auf der Straße anstarrten oder stehen blieben und mit erzwungener Freundlichkeit grüßten.

Die drei gingen jetzt zur Schule. Der tägliche Gang durch die Gassen von Rudolstadt schweißte sie zusammen gegen die Spottlustigen und Neugierigen, die ihnen nachliefen, sie umringten und fragten, warum sie keinen Vater hätten und die Mutter sich verstecke. Sie waren klug und fleißig; den Rückstand aufs Schulpensum holten Tony und Said rasch ein, und Rosa, die Jüngste, kam gerade in die erste Klasse. Ein älterer Junge wollte sich ihnen anschließen. Er roch schlecht, sein Vater war Gerbermeister, doch er war begabt im Zeichnen, der Begabteste weit herum. Er konnte Gesichter so zeichnen, dass man sie auf dem Papier wiedererkannte, und in der zweiten oder dritten Schulwoche forderte er die Geschwister auf, ihm Modell zu stehen, nur eine halbe Stunde, ihre Mutter sei doch eine Prinzessin, die Zeichnung wäre dann eine schöne Erinnerung an die Prinzessinnenkinder.

»Ach was, du bist meschugge«, sagte Tony, solche Wörter hatten sie in Dresden gelernt. Und alle drei schüttelten den Kopf und ließen ihn stehen. Der Junge rief ihnen nach: »Sie ist sowieso eine Negerprinzessin, das sagen alle. Da braucht ihr euch nüscht drauf einbilden.« Und als ob jemand sie herbeigehext hätte, standen plötzlich zwei Mädchen neben ihm und übertönten ihn noch mit ihrem »Es ist wahr, was er sagt, es ist wahr!« – »Nicht wahr, ganz falsch!«, schrie Tony zurück. Rosa packte Saids Hand und ließ sie nicht los; kein Wort mehr wechselten sie, bis sie zu Hause waren, und dort erzählten sie, durcheinanderredend, der Mutter, was geschehen war, und fragten sie, weshalb die Schulkinder auf eine so dumme Idee kämen. Prinzessinnen hatten doch, wie im einzigen Märchenbuch, das sie besaßen, eine durchscheinende Haut und lange blonde Haare, und sie trugen Kleider aus Seide mit goldenen Bändern. Zum Zerspringen schlug Saids Herz, als die Mutter in Tränen ausbrach und sagte, doch, es sei wahr. Von Geburt sei sie eine Prinzessin, ihr Vater habe als Sultan über die Insel Sansibar geherrscht. Wegen Heinrich habe sie auf ihr Prinzessinnenleben verzichtet und ihre Heimat verlassen, das werde sie den Kindern später genau erzählen, aber nicht jetzt, sie müssten älter werden, um das alles zu begreifen. Dem fügte sie das vertraute »Ihr seid doch mein Ein und Alles« hinzu, zog sie an sich und wollte sie nicht mehr loslassen. Im Redestrom der Mutter schwammen fremde Wörter mit und falsch betonte, ihre Sätze brachen ab, erstickten in Schluchzern. Es war so schmerzhaft, ihr zuzuhören, dass die Kinder mit ihr zu weinen begannen, erst leise und wimmernd, dann lauter. Es schien Said, von der Mutter habe jemand einen Schleier weggezogen, und sie zeige sich so, wie er sie gar nicht sehen wollte. Er schaute sie jetzt mit neuen Augen an, suchte nach Merkmalen der königlichen Abkunft in ihrem schmalen Gesicht, und Rosa fragte plötzlich, warum sie denn, wenn doch die Mama eine Prinzessin sei, so wenig Zuckerzeug bekämen. Es war der Tag, da Said seine Unbefangenheit gegenüber der Mutter verlor; sie wiederzugewinnen, gelang ihm nie mehr. Und jetzt, im Alter, fragte er sich, ob er überhaupt je erfasst hatte, wer sie in ihrem Innersten war.

Hatte es geklopft? Rudolph fuhr zusammen, horchte nach hinten, zur Tür hin, ohne sich vom Fenster zu wenden. Es klopfte wieder, etwas stärker und fordernder. War es der Kellner? Oder Herr Sarasin, der versprochen hatte, mit ihm eine Partie Schach zu spielen? Der Hotelarzt? »Herein«, murmelte Rudolph, so leise, dass man ihn draußen im Flur unmöglich hören konnte. Dennoch ging die Tür, Schritte näherten sich, Männerschritte wohl, erst hallend auf dem Parkett, dann vom dicken Teppich gedämpft. Jemand stand hinter ihm und grüßte, und noch immer drehte Rudolph sich nicht um, obwohl die Spiegelung in der Scheibe undeutlich jemanden zeigte, den er zu kennen glaubte.

»Nehmen Sie sich einen Stuhl«, sagte er, »setzen Sie sich neben mich.«

Geräusche verrieten, dass der Stuhl beim Schreibtisch hochgehoben, weggetragen, neben seinem Sessel abgestellt wurde; zugleich ertönte das Tuten des ankommenden Kursschiffes. Rudolph hörte den raschen Atem des Besuchers, sein Gehör war besser als sein Sehvermögen, fast noch das des jungen Mannes, der im Taktschritt der Soldaten, die er kommandierte, jede Abweichung erkannt und getadelt hatte.

»Was wollen Sie?«, fragte er und erschrak über die Müdigkeit in seiner Stimme.

Der Besucher ließ sich Zeit, bis er antwortete: »Ich möchte mich mit Ihnen unterhalten, Herr Said-Ruete.« Den Namen hob er hervor, als handle es sich um einen Adelstitel.

»Diesen Doppelnamen zu führen«, sagte Rudolph, »hat mir der Hamburger Senat auf mein Gesuch hin gestattet, schon 1906.«

»Ich weiß.« Der Besucher rückte den Stuhl ein paar Zentimeter näher. »Es gibt aber vieles in Ihrem Lebenslauf, was ich mir nicht erklären kann.«

Rudolph deutete ein Lachen an. »Meinen Sie denn, dass ich mir selbst diese Achterbahn erklären kann?«

Das Kursschiff hatte inzwischen angelegt, nur wenige Passagiere stiegen aus. So kurz nach dem Krieg und um diese Jahreszeit gab es kaum Touristen in Luzern.

»Trotzdem«, sagte der Besucher, »Sie können ja versuchen, auf meine Fragen zu antworten.«

Rudolph schwieg. Neue Geräusche, Papier knisterte, ein Streichholz wurde angestrichen, Zigarettenrauch stieg in seine Nase. Der Blick ging durchs Fenster, weit hinaus, zu den Wolken, zum Schiff, das nun menschenleer vor dem Quai schaukelte. Mehr wollte er nicht sehen.

»Ich muss Sie bitten, die Zigarette auszumachen«, sagte er. »Meine Lungen sind angegriffen.«

Der Besucher bat um Entschuldigung, erhob sich, kam nach einer Weile wieder, er hatte wohl den Aschenbecher gefunden, der unbenutzt auf dem Clubtisch lag. Olga, die aufsässige Tochter, hatte die brennende Zigarette immer ins Klosett geschnippt oder in ein Glas Wasser getaucht; das kurze bösartige Zischen, das dabei entstand, klang Rudolph noch in den Ohren. Jetzt hatte sie einen amerikanischen Journalisten geheiratet. Ihre zweite Ehe. Unsinnig der Versuch, die eigenen Kinder an Fehlern zu hindern. Auch der Sohn, Werner, wollte nun in die USA auswandern.

Vom Besucher war nichts mehr zu hören, er regte sich nicht, aber er war noch da.

»Wer sind Sie?«, fragte Rudolph unvermittelt. »Was wollen Sie von mir?«

»Sie können mich auch wegschicken, ich gehe sogleich, wenn Ihnen das lieber ist.«

Rudolph schwieg, blickte hinaus. Zwei Wolken mit halbkugelförmigen Auswüchsen schoben sich übereinander, als wollten sie sich paaren.

»Bleiben Sie«, murmelte er. »Ich bin oft genug ohne Gesellschaft.«

»Wenn ich bleibe, Herr Said-Ruete, dann erzählen Sie.«

»Wovon?«

»Von sich.«

»Und wohin soll das führen? Ich stand zeitlebens zwischen den Fronten. Ich wollte die Gegensätze versöhnen und bin mit allen meinen Vorhaben gescheitert. Ist das erzählenswert?«

»In Ihrer Mutter waren doch die Gegensätze viel schneidender, viel schmerzhafter als für Sie.«

»Ich habe sie weitgehend übernommen. Aber über meine inneren Kämpfe spreche ich nicht. Die sind abgeschlossen.« Rudolph streckte sich, spürte den Widerstand der Polsterung im Rücken.

»Nun gut«, sagte der Besucher. »Dann widmen wir uns doch den äußeren Stationen Ihres Lebenswegs. Sie hätten Sultan werden können, Sultan von Oman und Sansibar.«

Rudolph war nahe daran aufzubrausen. »Das ist eine naive Annahme. Sogar wenn Bismarck alles getan hätte, um mich als Thronfolger durchzusetzen, wäre es ihm nicht gelungen. Die Briten hätten es verhindert.«

»Sie würden Ihre Stellung als Premier-Leutnant nie eintauschen gegen den Thron in Sansibar, haben Sie Bismarck gesagt.«

»Woher wissen Sie das? Er war schon nicht mehr Kanzler, als ich ihn traf, er bedauerte, dass Deutschland zugunsten von Helgoland auf Sansibar verzichtet hatte. Himmelschreiend nannte er den Vertrag mit England.« Rudolph atmete schneller, er spürte Stiche in der Brust, legte die Hand darauf. »Aber lassen wir das. Ich mag mich nicht ereifern.«

»Warum haben Sie denn«, fuhr der Besucher fort, »mit knapp dreißig die Offizierskarriere aufgegeben?«

»Weil mir der militärische Alltag immer mehr missfiel. Der Drill, das Herumschreien. Dass es im Wesentlichen darum geht, töten zu lernen. So ist es doch. Sie hätten meinen Schwager Troemer fragen sollen, den Mann meiner Schwester Rosa, er war als General in Verdun, sprach danach kaum noch ein Wort.«

»Nach Ihrem Abschied vom Militär wurden Sie Eisenbahninspektor in Ägypten, danach Direktor der deutschen Orientbank. Das sind doch erstaunliche Brüche in Ihrem Leben. Wie kam es dazu?«

»Ich war offen für Neues, ich suchte die Herausforderung.

Und ich hatte die Hoffnung, auf solche Weise dem Frieden zu dienen.«

»Das qualifizierte Sie aber nicht für diese Stellen. Wichtiger war wohl doch, dass Sie über die richtigen Beziehungen verfügten.«

»Wie Sie meinen. Sie unterschätzen meine Lernfähigkeit.«

»Mag sein. Überraschend auch, dass Sie eine Jüdin aus reichem Haus heirateten.«

»Ich habe aus Liebe geheiratet, nicht aus Geldgier, wie damals einige dachten.«

»Immerhin konnten Sie sich nach den vier Jahren in Kairo ein Leben als Privatier leisten. Das verdankten Sie vermutlich der Mitgift Ihrer Frau.«

Rudolphs Hände öffneten und schlossen sich, als würden sie etwas kneten. »Ihre Fragen werden zudringlich, Herr Unbekannt. Ich beantworte sie nicht.«

»Es war keine Frage, Herr Said-Ruete, es war eine Vermutung. Und sie geht noch weiter, wenn Sie gestatten. Der Onkel Ihrer Frau war Ludwig Mond, einer der reichsten Industriellen Englands. Man darf annehmen, dass er seine Nichte mit einem Legat bedacht hat, er sorgte ja, wie man weiß, gut für seinen Familienclan. Was sonst hat Ihnen denn ermöglicht, bei Ihrem Nomadenleben all die Jahre hindurch stets in den besten Hotels abzusteigen?«

Beinahe hätte Rudolph sich nach dem Besucher umgewandt. Doch er beherrschte sich, bloß die Wörter kamen überstürzt, in unterdrücktem Zorn aus seinem Mund. »Wollen Sie mich in die Ecke des Erbschleichers und Profiteurs drängen? Es wird Ihnen nicht gelingen. Wissen Sie denn, wie viele jüdische Emigranten meine Frau und ich in London unterstützt haben? Wissen Sie, wie viel Geld ich in meine Reisen steckte, um zwischen Zionisten und Palästinensern zu vermitteln? Natürlich habe ich auch meine Mutter unterstützt. Das habe ich aber nie an die große Glocke gehängt.«

Der Besucher blieb gelassen, ja kühl. »Darüber weiß ich nur ungenau Bescheid. Deshalb bin ich da.«

»Gehen Sie jetzt«, sagte Rudolph und bemühte sich, seinen Atem zu beruhigen. »Was immer Sie beabsichtigen, Sie werden sich ohnehin erdichten, was Sie wollen.«

Der Besucher stand auf. »Vielleicht komme ich wieder, ich bin hartnäckig. Oder benachrichtigen Sie mich, wenn Sie es wünschen.«

Rudolph sah einen Schatten, der einen Moment lang die Scheibe verdunkelte, das durchscheinende Oval eines Gesichts, er hörte sich entfernende Schritte, diskreter als die fremde Stimme mit ihrem harten Akzent.

»Ihr Name«, sagte Rudolph halblaut, »wie war doch gleich Ihr Name?«

Doch da war es schon zu spät für eine Antwort. Die Zimmertür wurde sanft geschlossen, und plötzlich war Rudolph nicht mehr sicher, ob er einem Wachtraum erlegen war und der Dialog bloß in seinem Kopf stattgefunden hatte. Der Himmel wurde trüber, man ahnte die Dämmerung. Ende März hatten die Kastanienbäume längs der Seepromenade schon klebrige Knospen; noch würde es Wochen dauern, bis die Blätter aus ihnen drängten und rötliche Blütenkerzen die Kronen sprenkelten. Das Verhör, dem er sich widersetzt hatte, klang in ihm nach. Er hatte dem Unbekannten gegenüber die Mutter beiseitegeschoben, und doch kreisten in diesen Tagen seine Gedanken viel zu oft um sie, um die Rätsel ihrer fahrlässigen Liebe, ihrer Flucht aus Sansibar, ihrer späteren Bitterkeit. Dabei hätte er sich, gestern oder vorgestern schon, um Therese kümmern sollen, die, ein paar Kilometer entfernt, im Kurhaus Sonnmatt lag. Wenigstens eine Weile ihre Hand halten, dazu ist man verpflichtet nach vierundvierzigjähriger Ehe. Er hatte sich zu abgespannt gefühlt für die Fahrt im Taxi, zugleich wich er ihr aus, denn es fiel ihm schwer, in den verlebten Zügen der Ehefrau letztlich sich selbst zu erkennen, und es fiel ihm noch schwerer, den direkten Blick aus ihren blassen Augen zu ertragen.

Seufzend stemmte er sich in die Höhe, versuchte, den Schmerz in der Schulter zu ignorieren und die Steifheit bei den ersten Schritten *mannhaft* – dieses Wort ging ihm absurderweise durch den Kopf – zu überwinden.

Es war Zeit für den Nachmittagstee. Er mochte die Eclairs, die am Dienstag serviert wurden, das Durchbeißen der Brühteigkruste, die kühle Vanillecrème auf der Zunge. Den käfigartigen Fahrstuhl mied er. Zu Fuß die Treppe hinunter, die Hand am Geländer. Der rote Teppich, der über die Stufen des offenen Treppenhauses lief, hatte ein rundum laufendes Muster, das auf manchen orientalischen Teppichen zu sehen war. Es umfasse den Raum des Paradieses, hatte ihm einst Konsul Schröder in Beirut erklärt. Rudolph selbst stellte sich nach dem eigenen Erlöschen das große Vergessen vor; die Sehnsuchtsvorstellungen von Christen und Muslimen, was nach dem Tod sein werde, waren in ihm lange schon verblasst. Mit Unwillen bemerkte er, dass ihm seine Hose zu weit geworden war; er hatte in den letzten Wochen an Gewicht verloren, und jetzt schlug der Stoff um die Oberschenkel hässliche Falten. Aber vielleicht musste er den Gedanken aufgeben, immer noch so perfekt gekleidet zu sein wie bei all den Einladungen in den Londoner Jahren, wo er bisweilen sogar mit Ministern ins Gespräch gekommen war. Sie hatten allerdings seine wohlerwogenen Ratschläge nie befolgt und auf seine schriftlichen Eingaben kaum je oder dann mit Floskeln geantwortet.

Am Ecktisch im Blauen Salon saßen schon Madame Bloch aus Zürich und Dr. Weizmann aus Turin, dazu kamen, nachdem Rudolph sich gesetzt hatte, Herr Sarasin aus Basel und der Amerikaner James Peacock, ein in München stationierter Besatzungsoffizier, der hier seinen Urlaub verbrachte. Man begrüßte sich, erkundigte sich gegenseitig nach dem Befinden. Sarasins übliche Erwiderung bestand darin, die Augenbrauen hochzuziehen und zu seufzen, während Madame Bloch unentschlossen den Kopf mit dem üppigen Silberhaar wiegte, als gäbe es darauf keine Antwort. Das Hotel war nur zu einem Drittel besetzt, was immerhin das Stimmengewirr im Salon verringerte. Der Chef de Service, ein kleinwüchsiger Bündner, der von Tisch zu Tisch wieselte, klagte über die desolate Wirtschaftslage so kurz nach dem Krieg; ausländische Gäste seien immer noch eine Seltenheit, ganz anders als in den frühen Dreißigern, wo der Schweizerhof meist ausgebucht gewesen sei.

»Darunter waren ja auch viele vermögende Juden«, bemerkte Madame Bloch nahezu sachlich, »sie machten hier Zwischenstation, solange die Schweiz sie noch hereinließ.«

Darauf gab es am Tisch nichts zu sagen; man widmete sich dem Darjeeling-Tee, den der Kellner einschenkte, zerteilte mit den Messerchen die Eclairs, die auf dünnen Porzellantellern serviert wurden. Ein Hotel wie der Schweizerhof bekam genügend Vollmilch zugeteilt, obwohl für die meisten Lebensmittel auch im kriegsverschonten Land immer noch strenge Rationierung galt. Rudolph bemühte sich, deswegen kein schlechtes Gewissen zu haben. Es war richtig, dass die Behörden den Tourismus anzukurbeln versuchten; dazu gehörte der Anschein von Luxus, dessen Verlockung er, der Enkel des großen Sultans Said ibn Sultan, immer wieder erlegen war.

Von Ausflügen war nun die Rede, die man unternehmen könnte, sofern das Wetter sich stabilisiere. Auf den Pilatus wäre Rudolph gerne wieder einmal gefahren, fürchtete aber, dass seine zunehmende Kurzatmigkeit das nicht zuließ. Er dachte zurück an die Sommeraufenthalte in Luzern mit Therese und den Kindern, an den überwältigenden Blick vom Pilatusgipfel aus. Wie ein Raubvogel wollte man sich in die Tiefe stürzen, dem Blau des Sees entgegen, und dann die Flügel ausbreiten und dahinschweben zwischen Himmelblau und Wasserblau, gefahrlos über allen Klüften. Das Gebiet rund um den Vierwaldstättersee war für ihn das Herzstück Europas, nicht nur wegen Schillers Tell-Mythos, dem man in der preußischen Kadettenanstalt heuchlerisch gehuldigt hatte, nein, die Innerschweiz zeigte en miniature, was Europa ausmachte, Täler und Höhen, fließendes und stehendes Wasser, Baukunst durch viele Jahrhunderte; und von oben gesehen gab es im Vielgestaltigen eine friedfertige Einheit, die vorausnahm, was aus dem zerrissenen und verwüsteten Kontinent jetzt werden musste. Diese Vision, so unwahrscheinlich sie anmutete, milderte immerhin ein wenig die Resignation, die ihm seit Tagen durch die Glieder kroch.

Ob die Tischgesellschaft, fragte Herr Sarasin, die Zeit bis zum Dîner eventuell mit einer Partie Bridge überbrücken möchte. Madame Bloch stimmte sogleich zu, die Herren zögerten, Rudolph gab an, er lege sich lieber noch eine Weile hin, er habe heute am Schreibtisch seine Augen überanstrengt.

»Schreiben Sie denn so viel?«, fragte Herr Sarasin.

Rudolph stand mit Anstrengung auf. »Ich versuche, Familienmitglieder ausfindig zu machen.«

»Das tun heutzutage viele, Herr Said-Ruete«, sagte überraschend der schweigsame Dr. Weizmann. »Man kann, weiß Gott, von einer neuen Zerstreuung der Völker sprechen.«

Rudolph nickte, er ging zwischen den Tischen hindurch zum Ausgang. Schwerfällig kam er sich vor, um Jahre älter, als er hätte sein wollen. Eben setzte der Pianist am Flügel mit seinem Spiel ein; er kam aus dem Osten, er hieß Silberstein und nickte Rudolph zu, als spiele er zu dessen Ehren. Wie jeden Abend fing er mit einer Mazurka von Chopin an, die Rudolph aus dem Tritt brachte. Silberstein – erstaunlich, wie viele Namen Rudolph nun schon kannte – würde später Schubert-Ländler spielen, ungarische Tänze, Lieder ohne Worte von Mendelssohn, zwischendurch Improvisationen, die ins Jazzige gingen. Der Mann, kahlköpfig, mit einer Narbe auf der Stirn, hatte eine schwierige Vergangenheit, das stand in seinem Gesicht, aber Rudolph wollte sie nicht kennenlernen, zu vieles aus der eigenen Vergangenheit umstellte ihn in diesen Tagen. Tony war ihm nun wieder nähergerückt. Wie hatte sie wohl in ihren letzten Jahren ausgesehen, die Schwester? Ihre Züge waren schon vor der Trennung von Brandeis hart geworden. Am Grab der Mutter, auf dem Friedhof Ohlsdorf in Hamburg, hatten sich die Geschwister, im März 1924, noch einmal getroffen, da hatte er mit einem kleinen Schrecken entdeckt, dass weiße Strähnen Antonies Haar durchzogen; seine hatten sich ohnehin längst gelichtet, und Tony hatte gesagt, sie wolle dereinst auch hier, auf der Familiengrabstätte der Ruetes, beigesetzt werden. Zu dieser Zeit waren Emilys Briefe bereits zum Vorschein gekommen, in Rosalies Haus, in dem sie in Jena gestorben war. Alle drei hatten sie inzwischen gelesen. Er hatte zu Lebzeiten der Mutter nichts gewusst von diesem Manuskript. Die Briefe, in akkurater Handschrift verfasst, waren an eine unbekannte Adressatin gerichtet, eine namenlose ehemalige Gefährtin aus Sansibar, und nie abgeschickt worden. So aufgewühlt war Rudolph von der Lektüre, dass er tagelang nichts essen mochte und mit aller Kraft dagegen ankämpfte, sich in Said zurückzuverwandeln, in den hilflosen kleinen Jungen, der im ersten Rudolstadter Winter fast gestorben war. Was hatte die Mutter ihnen alles verschwiegen! Und wie oft musste sie sich ihr Lächeln, ihre Trostworte abgerungen haben, wenn doch alles grundiert gewesen war von diesem uferlosen Heimweh nach der Insel Sansibar!

2

Sogar der Herrscher über Deutschland und seine Familie nehmen Anteil an meinem Schicksal und lassen mir guten Rat zukommen. Der Herrscher selbst hat meinem Sohn Said die Gunst gewährt, deutscher Offizier zu werden. Meine Töchter Thawka und Ghaza sind ebenfalls wohlauf; uns fehlt nichts außer der Möglichkeit, Dich zu sehen.

Im Halbschlaf, auf dem Sofa. Wohin sinkt, wohin driftet er jetzt? Kühle kommt durchs offene Fenster. Aber der Kopf, tief ins Kissen gesunken, ist heiß, und der Hals tut weh, es brennt, es sticht innendrin, das Gefühl, alles sei geschwollen, die Zunge füllt den Gaumen aus, man sollte schlucken und kann nicht. Das Atmen ist eine Qual, er hört ein Röcheln, es ist sein eigenes. Vom plötzlichen Hustengebell krümmt er sich zusammen, er spuckt Schleim, vermischt mit Blut. Die Mutterhand auf seiner Stirn, und wie durch einen Schleier sieht er den gewellten braunen Lampenschirm mit der Spitzenbordüre, über das Braun krabbelt eine Fliege. Dann das bärtige Gesicht, das sich vor alles Übrige schiebt, eine mürrische Männerstimme: »Diese Nacht wird er kaum überleben.« Er versteht, dass der Satz ihm gilt, dem Schwerkranken. Wird er sterben? Dann hätte er die schrecklichen Halsschmerzen nicht mehr, wie sehr wünscht er sich das! Wieder der Lampenschirm, sanft erleuchtet jetzt, die Fliege fehlt. Süßlicher Geschmack im Mund, es bricht aus ihm heraus, ein Blutstrom, sagt man ihm später. Schreckensrufe, es wird geputzt um ihn herum, das Kissen gewechselt, das Laken. Wer macht das alles? Jetzt kann er die Augen länger offen halten, die Mutter ist da, nahe bei ihm. Aber richtig umarmen und küssen darf sie ihn nicht, wegen der Ansteckung, das weiß er doch, er ist achtjährig und sehr vernünftig, und die Schwestern dürfen auch nicht zu ihm. »Mama«, murmelt er und hält sich an ihrem Blick fest. »Mama« sagt er sonst nie, obwohl die anderen Kinder, die deutschen, ihre Mütter so nennen, »Bibi« will sie heißen, der Vater hat sie so gerufen, doch jetzt geht ihm nur dieses »Mama« über die Lippen, und sie schüttelt leicht den Kopf, lächelt, aber mit nassen Augen, und ihm scheint, dass allein ihr inständiger Blick seine Schmerzen lindern kann. Oder hat sie ihm dies alles, fragt sich Rudolph, später erzählt? Haben ihre nie abgeschickten Briefe seine Einbildungskraft beflügelt? »Meine Seele rang mit dem Allmächtigen um die Rettung eines kaum noch atmenden Kindes«, schrieb sie. »Das Kind schlug die Augen auf und erkannte mich.« Ja, er war wohl knapp am Tod vorbeigegangen; wie leicht, beinahe schwerelos hatte er sich gefühlt, als die Schmerzen endlich verschwanden.

Schwache Erinnerungen an die Zeit der Rekonvaleszenz. Er durfte wochenlang nicht hinaus, las die Abenteuer des Freiherrn von Münchhausen, den *Schweizerischen Robinson*, *Gullivers Reisen*, lauter Bücher, die Emilys Gönnerin, die Baronin, ihm noch in Dresden geschenkt hatte. Wenn die Dämmerung kam, glaubte er manchmal, er sei mit der gestrandeten Familie Wyss auf der tropischen Insel und nicht in Rudolstadt; er wäre gerne der tüchtige Fritz gewesen, der alle Gefahren bestand, und nicht der geschwächte Said, der schon nach ein paar Schritten außer Atem kam. Über der Lektüre vergaß er, dass nun auch die Mutter das Bett hütete, vielleicht war sie einfach erschöpft nach den durchwachten Nächten. Das Dienstmädchen wagte sich mit dem Essen wieder zu Said herein, er galt nicht mehr als ansteckend, zwei, drei Schulkameraden versahen ihn mit Hausarbeiten.

Das war aber noch nicht das Ende des Unglücks. Kaum stand Emily wieder auf den Beinen, erkrankten die Schwestern an Scharlach. Er hörte Rosa im Nebenzimmer wimmern, die Mutter klagen, von Tony kam kein Laut. Der Arzt weigerte sich, über die Schwelle zu treten. Dieses Haus sei verwünscht, hörte Said ihn sagen, man müsse den Jungen weggeben, bis die Mädchen die Krankheit überwunden hätten, er sei viel zu anfällig, habe keine Abwehrkräfte. Die Mutter gehorchte, sie gab ihn zum Lehrer Werth in Pension. Für zwei Monate? Oder länger? Es schien Said eine endlose Zeit. Nur wenige klare Erinnerungen. Das Gästebett unter der Treppe, mit einer spanischen Wand vom Wohnzimmer abgetrennt, sein Platz unten am Tisch. Der pausbäckige Werth war ein Pedant, stand das Abendessen nicht Schlag sechs Uhr auf dem Tisch, geriet er in üble Laune. Said behandelte er vorsätzlich von oben herab; es gewähre, stellte er klar, einem Jungen im Deutschen Reich keinerlei Vorrechte, von einem orientalischen Königsgeschlecht abzustammen. Seine zwei Söhne, etwas jünger als Said, zogen den fremden Namen spöttisch in die Länge: Saaaiid, sonst ließen sie den Pensionär in Ruhe, luden ihn aber auch nicht zu ihren Zinnsoldatengefechten ein. Immerhin legten sie den Schulweg zu dritt zurück; meist schritt Werth mit durchgestrecktem Rücken fünfzig Meter vor ihnen her. Raufereien blieben Said, dieses Schutzes wegen, erspart. Freundlicher zu ihm war Frau Inge, die Hausmutter. Sie sorgte dafür, dass er das verlorene Gewicht wieder zulegte; vom abendlichen Haferbrei häufte sie immer noch eine zweite Portion auf seinen Teller und streute großzügig Zimt und Zucker darüber. Und wenn Werth daran erinnerte, dass man von Frau Ruete, die ja in beengten Umständen lebe, nur ein geringes Kostgeld verlange, brachte seine Frau ihn mit einem missbilligenden »Ach was!« zum Schweigen. Nicht zu bremsen war Werth allerdings, wenn er seine Begeisterung über das aufstrebende Deutsche Reich ausdrückte. Er glaubte, in Said, dem Halbfremden, einen willigen Zuhörer gefunden zu haben, und lieh ihm seinen großen Atlas aus, damit er nachverfolgen könne, wie aus dem Stückwerk von kleinen und mittleren Herrschaften ein Ganzes geworden sei, das Deutsche Reich, das nun gleichberechtigt im Konzert der Weltmächte mitspiele. Dazu spitzte Werth seine Lippen und pfiff leise die ersten Takte von »Heil dir im Siegerkranz«, das man in der Klasse allmorgendlich im Stehen sang. Wenn Said sich unbeobachtet fühlte, blätterte er im Atlas bis zu Afrika vor, wo die Farben zeigten, dass noch gar nichts deutsch war. Er fand Sansibar an der Ostküste und staunte, wie klein die Insel aussah, enttäuschend klein, kaum größer als eine längliche Rosine; der jetzige Sultan, der sein Onkel war, herrschte über ein winziges Reich, sogar ganz Afrika war nicht größer als Deutschland zwanzig Seiten weiter vorne.

Und doch gefiel es Said, sich nach Sansibar zu träumen, sich die Palmen vorzustellen, von denen die Mutter erzählte, die steinernen Häuser am Meer. Nie hätte er gedacht, dass er sechs Jahre später dort in einem deutschen Kriegsschiff vor Anker liegen würde, den Uferstreifen vor Augen, die Rufe des Muezzins im Ohr.

Es wurde Nacht in seinem Hotelzimmer. Ein paar helle Streifen noch über der Rigi, Abglanz des vergangenen Tages. Nach dem eigenen Raum, dem ganz und gar ihm gehörigen, hatte er sein Leben lang gesucht. Lag er im Orient, lag er im Okzident? Stets hatte er sich im Zwischendrin wiedergefunden, im Graubereich des Weder-Noch. Kein Deutscher mehr und doch vom Deutschtum geprägt. Kein wirklicher Brite, obwohl der Pass ihn zu einem machte. Kein Araber, bei weitem nicht, und doch die Sehnsucht, als solcher zu gelten.

In den Wochen beim Lehrer Werth hatte er, am Fenster sitzend, oft die winterlichen Wolkenbilder draußen betrachtet, aufgeplusterte Formen, die bei starkem Wind übereinander herfielen, einander wegschoben oder von unsichtbaren Kräften zerzaust wurden, ein aufregendes Schlachtengetümmel am Himmel. Wie unschuldig waren doch die Phantasien von Jungen, die später im Morast der Schützengräben fürs Vaterland starben. Tony spielte lieber mit Puppen, einer nähte sie, mit Emilys Hilfe, ein knöchellanges orientalisches Kleid und nannte sie Fatima.

Ihr sinnloses Ende in Bombentrümmern, er kam davon nicht los. Was für eine Barbarei, am Ende des Kriegs die Zivilbevölkerung gleichsam hinzurichten! Die Grenzen zwischen dem Guten, dem Notwendigen und dem Verwerflichen hatten sich da schon längst verwischt. Und er, Rudolph, hatte sich herausgehalten aus dem Blutvergießen, hatte beide großen Kriege in neutralem Gelände überdauert. Dabei war er für die Soldatenlaufbahn bestimmt gewesen. Hatte ihn Feigheit geleitet? Klugheit? Widerwillen gegenüber jeglicher Kriegsgewalt? Er knipste die Lampe am Kopfende des Sofas an. Ihr warmer Schein schuf einen Trostraum, schon immer hatte er Tisch- und Bettlampen mehr gemocht als die Kronleuchter in den Palastsälen Londons, wo er, der Sohn der Prinzessin, sich hätte zu Hause fühlen wollen.

Ein Blick auf die Uhr zeigte ihm, dass er das Dîner inzwischen versäumt hatte. Er würde sich eine Bouillon bringen lassen, mehr brauchte er nicht, dazu ein Glas Burgunder, vom leichteren. Er zog die Glocke. Ans Bankkonto, dessen rasches Schrumpfen ihm Therese vorgehalten hatte, wollte er nicht denken, es blieb noch genug; der Hauptzweck seines Lebens bestand nicht darin, den Kindern möglichst viel zu vererben. Sollte er jetzt noch Therese anrufen? Sie schlief bestimmt schon um diese Zeit, so matt, so kraftlos war sie geworden. Eine zunehmende Lungenschwäche wie bei Emily, seltsam, dass die Dinge sich manchmal wiederholen. Nein, den Anruf verschob er auf morgen, es war ohnehin kompliziert, über die Schaltzentrale des Hotels die Verbindung zur Sonnmatt herzustellen. Besuchen würde er sie erst am Wochenende, er war ja selbst auch krank, nicht besorgniserregend, wie der Hotelarzt ihm versichert hatte. An Rheumatismus starb man nicht, aber zum Herz musste er Sorge tragen, er durfte sich nicht überanstrengen.

Das Zimmermädchen kam, eine Innerschweizerin, deren

Dialekt er kaum verstand. Er bestellte seine Suppe. Das Mädchen nickte, es zündete die Kerze auf dem Schreibtisch an, zog die dunkelgelben Samtvorhänge, schlug die Bettdecke zurück. Rudolph hatte es aufgegeben, mir ihr ein Gespräch anzufangen.

Er war für die Soldatenlaufbahn bestimmt. Was daran hing, hatte ihn geprägt und dann in die Rebellion getrieben. Ein wenig Mondschein stahl sich ins Zimmer, die Wolkendecke war aufgerissen, die Uhrenkette auf dem Nachttisch glänzte. Seit knapp drei Jahren lebte die Familie in Berlin, die Mutter hoffte, ihr Einkommen durch Arabischunterricht aufzubessern. Wann war das? Nach 1880, wenn er richtig rechnete. Vier winzige, ärmliche Zimmer im Erdgeschoss, kaum ein Lichtstrahl im Hinterhof, Said besuchte das Kaiser-Wilhelm-Gymnasium; er war ein stiller und fleißiger Schüler, verbarg angstvoll seine Abstammung. Dann kam er in die Kadettenanstalt Bensberg, das ehemalige Jagdschloss, das, spartanisch ausgestattet, 400 Jungen Platz bieten musste. Erst lange hinterher begriff er, welche Not die Mutter dazu gezwungen hatte, ihn für eine Freistelle anzumelden. Den preußischen Drill mochte sie nicht. Aber ihr Sohn würde, sagte man ihr, auf solche Weise Fuß fassen in der Gesellschaft, zu einer angesehenen Stellung kommen, in der Armee oder in einem Amt. Bekannte, vor allem Onkel Johann, der Bruder des verstorbenen Vaters, hatten Emily geraten, direkt an den Kaiser zu schreiben und die vornehme Abkunft des Jungen herauszustreichen. Das hatte Erfolg, Said wurde aufgenommen. Noch wusste er nicht, was auf ihn wartete, er war dreizehn, schwächlich nach den überstandenen Krankheiten. Die Musterung bescheinigte ihm trotzdem eine ausreichende Gesundheit, und eigentlich hatte er durchaus eine Neigung zum Militärischen, er konnte die großen Schlachten der Preußen der Reihe nach aufsagen, und für den Sieg bei Sedan gegen die schmählich unterlegenen Franzosen begeisterte er sich Mal für Mal. Um Said den Abschied zu erleichtern, beschloss Emily, mit den Töchtern eine Zeitlang in einer billigen Pension in Köln, unweit von Bensberg, zu bleiben; so konnte Said doch alle vierzehn Tage, beim sonntäglichen Urlaub, mit der Familie zusammen sein.

Ein stürmischer Herbsttag. Die Mutter begleitet ihn durch die Allee bis zum Anstaltsportal, Said trägt den Koffer mit den erlaubten Sachen, er stellt ihn ab, um sich die nassen Blätter von Schulter und Mütze zu wischen. Er weicht ihrem Abschiedsblick aus, die Tränen der Mutter erträgt er nicht. Hat nicht sie darauf gedrungen mitzukommen? »Kwa heri«, sagt sie und wiederholt den Abschiedsgruß kaum hörbar: »Kwa heri.« Er saugt mit einem scharfen Geräusch die Luft ein und wendet sich von ihr ab, der wachhabende Offizier treibt ihn zur Eile an. Und danach all die Schrecknisse. Das größte: der lange Schlafsaal mit den zwei Bettreihen, so stellt er sich ein Gefängnis vor. Man liegt da, schutzlos, der grobe Stoff des Nachthemds reibt an der Haut, diese Unruhe stets, die vielen Laute in der Nacht, Wimmern, Keuchen, Schnarchen, lautes Furzen unter Buh-Rufen und Gelächter, die Ruhe-Befehle der Aufsicht; man sehnt sich nach dem Zuhause und darf es nicht zeigen. Der Schrankappell morgens und abends, bei dem man stocksteif dasteht, keinen

Finger rühren darf. Die verstopfte Ablaufrinne des Pissoirs mit dem beißenden Gestank, der einem überall in die Nase steigt, sogar in den Klassenzimmern. Der Kaffee mit den Hautfetzen verdorbener Milch. Wie sehnt er sich nach dem gewohnten Tee! Die Morgenparade im Schlosshof, bei jedem Wetter, man trägt dazu den viel zu großen blauen Kadettenrock mit den Messingknöpfen, der sich bei Regen vollsaugt und auf einem lastet wie eine Rüstung. Das Befehlsgeschrei der Unteroffiziere. Alles muss auf den Zentimeter genau ausgerichtet sein. Irgendwo mit der Schuhspitze, mit dem Ellbogen von der schnurgeraden Reihe auch nur geringfügig abzuweichen, bedeutet scharfen Tadel, regungsloses Strafestehen. Demütigungen überall, zu jeder Zeit. Nur im Unterricht atmet Said freier, besonders in den Fächern, die von Zivilisten erteilt werden. Er bewährt sich im Englischen, in Erdkunde. Seine Schrift wird als vorbildlich bezeichnet, deswegen gilt er als Streber. Dabei geht es allen Kadetten darum, so schnell wie möglich die Leutnantsepauletten zu bekommen. Das ist ein Weg von sechs Jahren, die zwei letzten in der zentralen Anstalt in Lichterfelde. Said versucht sich nachts vorzustellen, wie er diese Jahre hinter sich bringen kann, es gelingt ihm nicht. Er friert oft im Bett, die Hände müssen aus hygienischen Gründen über der Decke liegen; wer dagegen verstößt, dem werden die Hände für drei Nächte an die Bettstatt gefesselt. Zum Glück ist Saids Bettnachbar zur Linken ein gutmütiger Kerl, etwas pummelig, schwerfälliger noch als Said auf der Hindernisbahn. Zu den Aalglatten, die sich überall durchmogeln und sich gegen Anfeindungen zu wehren wissen, gehören sie beide nicht. Nach dem Lichterlöschen flüstern sie manchmal miteinander, er und Bernd, erzählen sich von zu Hause, von den Geschwistern, von ihren Lieblingsbüchern. Seinen Vater stellt Said als Kaufmann dar, der erfolgreich im Gewürzhandel tätig sei, so lügt er ihn sich ins Leben zurück. Aus den wenigen Fotos, die es von Heinrich Ruete gibt, versucht er einen lebendigen Menschen zu machen. Eine Aufnahme zeigt die junge Familie, noch ohne Rosa: Said, knapp einjährig, in steifem Röckchen auf Emilys Knien, daneben der Vater mit Tony, ein bärtiges Gesicht mit undurchschaubarem Ausdruck, streng gescheiteltem Haar.

Saids Mutter komme aus Sansibar und sei eine geborene Prinzessin: dieses Gerücht kursiert unter den Kadetten, wird aber von der Leitung nicht bestätigt, man billigt Said keine Sonderstellung zu. Bernd ist als Einziger eingeweiht, es schmeichelt ihm, mit dem Sohn einer Prinzessin befreundet zu sein. Er will ja später in den auswärtigen Dienst, nach Afrika, wie der Forscher Gustav Nachtigal; in einem der neuen deutschen Schutzgebiete will er Konsul werden. So viel Schneid traut man Bernd gar nicht zu, er hat ihn vom Vater, der als Schiffsarzt in der Welt herumkam.

Der Sonntagsurlaub alle zwei Wochen, ein Leuchtpunkt, auf den der triste Anstaltstrott hinstrebt, und dann doch wieder eine Qual. Said fährt nach Köln, herausgeputzt, kein Fädchen am Rock, die Mutter und die Schwestern holen ihn am Bahnhof ab, bestürmen ihn mit Fragen. Er weiß kaum etwas zu erzählen, immer wieder ihr »Du bist so bleich«. Todmüde ist er jedes Mal, schläft in der Pension den halben Sonntag durch. Dass die Mutter bei ihm sitzt und ihn streichelt, müsste er, als werdender Mann, zurückweisen, er tut aber, als merke er's nicht, auch nicht, dass sie ihm zärtliche

Worte auf Suaheli zuflüstert, deren Sinn er bloß erraten kann. Er nimmt sich vor, die Sprache eines Tages zu erlernen, sein Vater hat sie fließend gesprochen, er war ja schon als Lehrling in Sansibar. Wenig will die Mutter von Heinrich erzählen, gar nichts davon, wie sie sich kennenlernten, wie sie flüchtete und Christin wurde. Es wühle zu viel auf, rechtfertigt sie sich. »Iss jetzt, mein Said!« Rote Grütze mit Sauerrahm setzt sie ihm vor, die mag er, und doch krampft sich der Magen nach den ersten Löffeln zusammen. Rosa lacht ihn an mit rotverschmiertem Mund, Tony blickt ernst. Und dann deutet die Mutter an, dass sie vielleicht bald schon nach ihrer Heimat segeln wird, mit Erlaubnis der Obrigkeit. Warum denn? Um ihr Erbe einzufordern, darauf nämlich habe sie ein Recht, und bekäme sie's, wären ihre Sorgen zu Ende. Da herrscht nun eine Weile Ausgelassenheit am Tisch. »Wir wollen mit!«, ruft Rosa. Sie malen sich die lange Reise aus, nennen die Zwischenstationen, Alexandrien, Port Said, Aden. Said weiß inzwischen, dass Sansibar größer ist, als er einst gemeint hat, 2650 Quadratkilometer, so steht es im Kolonialatlas, er hat es auswendig gelernt. Und wichtig ist die Insel als Handelsstützpunkt. England und Deutschland wetteifern um die Vorherrschaft in Ostafrika. Mit Kopra- und Gewürzhandel hatte auch Saids Vater zu tun. Den Sklavenhandel, der Sansibar reich gemacht hat, haben die Europäer dem Sultan verboten, darin sind sich das Deutsche Reich und England einig: Menschen wie Tiere zu kaufen und zu verkaufen, ist ein Unrecht. Mit der Mutter spricht er nicht darüber, sie meidet dieses Thema.

Um fünf Uhr nachmittags schon muss er sich losreißen, beim Gang von der Bahnstation zur Anstalt mag er die Beine kaum heben. Ginge er nicht mitten in einer Schar von Rückkehrern, würde er sich hinsetzen und Wurzeln schlagen, alles jetzt, nur nicht der Abendappell, nicht das Hissen der Fahne. Aber man gehorcht der Pflicht, man tut das Vorgeschriebene, man ist ja auch stolz auf dieses Deutschland. Bernd zu sehen, freut Said. Auch er sei bleich, hätten Bernds Eltern gefunden, der ewige Gemüseeintopf ernähre die Kadetten zu wenig, man brauche in diesem Alter viel Fleisch. Nachts stellen sie sich Berge von Koteletts vor, Schweinelenden, ganze Schinken, da haben sie doch etwas zum Lachen, so wie vor ein paar Stunden am kleinen Esstisch in der Pension. Hätten sie's einmal zum Leutnant gebracht, sagt Bernd, sei die Kost bestimmt reichhaltiger. Das ist eine Aussicht, die Said Auftrieb gibt; mit schlechtem Gewissen denkt er daran, dass seine Mutter kein Schweinefleisch isst. Beim Einschlafen rinnen plötzlich Tränen aus seinen Augen, er kann auch nicht vergessen, dass die Mutter mit den Schwestern bald nach Berlin zurückkehren wird. Das hat sie ihm ganz zuletzt und verstohlen gesagt, auf der Schwelle schon: Er müsse sich auf eine größere Distanz zwischen ihnen einstellen, aber inzwischen habe er sich ja ans neue Leben gewöhnt. Nein, antwortet ihr Rudolph viele Jahre später, er wird sich nicht daran gewöhnen, nie, er wird sich bloß dem Rhythmus dieses Lebens beugen, weil er keine andere Wahl hat.

Das letzte Mal nach Bensberg kamen die Mutter und die Schwestern zu einer Theateraufführung zu Ehren des Kaisers. Wochenlang hatten die Kadetten, auch in der Freizeit, Szenen aus Schillers *Fiesco* geprobt. Die wenigen Frauenrollen übernahmen ein paar der Jüngsten, die den Stimmbruch noch vor sich hatten, eine Quelle ewigen Gelächters während der Proben. Die beiden Deutschlehrer, die Regie führten, rivalisierten offen miteinander. Der eine war Zivilist, der andere Hauptmann, der eine schliff an der Deklamation, der andere an der Wirksamkeit der Massenauftritte. Die Handlung begriff Said nie ganz; ob Fiesco, der Graf von Lavagna, nun für die Republik oder die Monarchie einstand, konnte ihm niemand schlüssig erklären. Dennoch hatte er gehofft, eine wichtige Rolle zu bekommen. Den intriganten Mohren aus Tunis indessen hätte er nicht spielen wollen, auch wenn es Mitschüler gab, die witzelten, dafür wäre er doch von Natur aus geeignet. Schließlich musste er sich damit begnügen, Statist zu sein, ein Bürger Venedigs in viel zu engen Hosen, der die Bühne in festgelegten Schrittfolgen betrat und wieder verließ. Während der Aufführung versuchte er die Mutter und die Schwestern im halbdunklen Zuschauerraum zu erkennen. Vergeblich, er sah nichts als schummrige Flecken, die sich kaum vom Hintergrund abhoben. Er versäumte darüber seinen Abgang und wäre um ein Haar in Andrea Doria hineingestolpert, der sich mit seinem skrupellosen Neffen stritt. Said verbeugte sich am Schluss mit der Reihe der Statisten; der Beifall war dünn und brandete erst auf, als die Hauptdarsteller, Hand in Hand, vorne an die Rampe traten.

Im Festsaal trafen sich danach die Kadetten mit ihren Familien. Gratulationen schwirrten durchs Gedränge, es war drückend heiß. Die Erwachsenen tranken Sekt aus Kelchgläsern, die erhitzten Schauspieler durften, zur allgemeinen Erheiterung, davon nippen; für einmal zeigte sich die Anstaltsleitung spendabel. Was wollte man der Mutter noch sagen, wenn man wusste, dass sie am übernächsten Tag nach Berlin zurückfahren würde, in die alten Verhältnisse, und wenn ringsum ein solcher Stimmenlärm herrschte? Er genierte sich, als sie ihm über die Wange strich, ihm ins Ohr sagte, wie gut er ausgesehen habe, und rückte demonstrativ von ihr ab. Andere Mütter trugen kostbarere Kleider und doppelte Perlenketten. Auch die Schwestern, die sich freundschaftlich an seinen Arm hängten, wirkten schäbig im Kreis der Eingeladenen. Man sah in schmerzhafter Deutlichkeit, dass sie nicht zu den Vermögenden gehörten, trotz der vornehmen Abstammung. Es zu etwas bringen, das war Saids Vorsatz, aufsteigen – aber wohin? Ahnte er schon damals, dass ihn die militärische Laufbahn in eine Sackgasse führen würde? Er: ein Major, ein General? Unvorstellbar. Am Drill konnte man ersticken, ob man sich ihm unterzog oder ihn selbst befahl.

Keine Umarmungen, als sie sich verabschiedeten, nur ein männlicher Händedruck. Er würde die Mutter nun bis zum Weihnachtsurlaub nicht mehr sehen. Noch nie fühlte Said sich im Schlafsaal so allein, so verraten wie in dieser Nacht. Dabei wusste er doch, dass Emily nicht anders konnte. Er wusste, dass er dazu beitrug, ihre Haushaltsausgaben zu vermindern, er wusste, dass ein Junge in seinem Alter sich von ihrem Schürzenzipfel loszureißen hatte. Doch immer wieder zählte er die Jahre, die Monate, die Wochen ab, die er noch in Bensberg verbringen musste.

Auch diese Nacht im Schweizerhof, dreiundsechzig Jahre später, schien ewig zu dauern. Was für eine Finsternis! Was für ein irrlichterndes Panoptikum in seinem Kopf! In solchen Nächten waren die vielen Stimmen, die ihn heimsuchten, nicht mehr auszuhalten, schlimmer als alle Gelenkschmerzen, die ihn tagsüber plagten. Er stand mit Vorsicht auf, tappte barfuß, ohne Licht zu machen, zum Fenster. Kaum zu erahnen die Schwärze der Berge, schwarzsamten der See, mit eben noch sichtbaren Silberfäden, ein kleiner Trost das Licht von der Rigi. Er öffnete das Fenster, ließ die kühle Luft über sein Gesicht, seine Brust streichen. Das Gluckern der kleinen Wellen vom Schiffsteg, überdeutlich in der Stille. Befremdlich das Wiehern eines Pferds von weither. Das ganze Haus mit seinen hundert Zimmern schien lautlos zu atmen, mit ihm, gegen ihn.

Unvermittelt dachte er an die Tage, als sie im Kriegsschiff vor Sansibar lagen. Es war die verstörendste Zeit seines Lebens. Emily, von der Vergangenheit überwältigt und wieder zu Salme geworden. Seit er in Luzern war, verging kaum ein Tag oder eine Nacht, da er nicht dorthin zurückkehrte, aufs Schiff vor Sansibar, in dieses gläserne Zeitgefäß, in dem sich alle Strebungen seines Schicksals fingen und brachen. Wenn er noch lange hier stand, würde er sich erkälten. Zurück ins Bett sollte er jetzt. Ein erstickter Aufschrei, der durch die Wand drang, gleich wieder Stille, da hatte jemand nebenan einen Alptraum. Rudolph schloss das Fenster, seine Fußsohlen waren eiskalt.

3

Ich möchte, dass Du etwas verstehst, mein Bruder: Die Engländer wollen Deine Macht beschneiden, und sie können es kaum erwarten, Dir Sansibar wegzunehmen, so wie sie Ägypten in Besitz genommen haben. Du lebst in Sansibar und begreifst nicht, was sich in Europa ereignet. Zur Zeit, als ich ihre Sprachen nicht verstanden habe, blieben auch mir ihre Absichten verschleiert. Aber jetzt spreche ich Deutsch und Englisch ebenso gut wie Arabisch und durchschaue, was sie anstreben.

Gerannt mit den anderen bin ich, zum dritten Mal diese Woche, es nimmt kein Ende mit den Angriffen. Langsam wieder zu Atem kommen. Der Schmerz in den Beinen. Ich war draußen, zum Einkaufen, das muss ja sein. Wie spät war es, als die Sirenen zu heulen begannen? Man verliert das Zeitgefühl hier drin. Wohl bald Mittag. Zu dunkel, um die Uhr zu sehen. Jemand betet, Klagelaute, leises Weinen von Kindern. Wie viele sind wir hier? Etwa zwanzig, schätze ich. Bad Oldesloe ist jetzt voller Menschen, Soldaten am Bahnhof, Durchreisende, die nach Kiel oder Hamburg wollen, Wehrmachtshelferinnen, russische Kriegsgefangene, für Hilfsdienste eingesetzt. Auf den Gleisen Güterzüge, die

nicht mehr weiterkommen, ein Lazarettzug mit Verwundeten und Rot-Kreuz-Schwestern. Ich wollte bloß irgendwo
Kartoffeln ergattern, vielleicht zwei, drei Eier. Dieser Angriff hier wird schlimm, man spürt es. Warum jetzt noch?
Unser Land liegt ohnehin am Boden, man darf es nur nicht
laut sagen. Das Sirenengeheul wollte nicht enden, alle begannen zu laufen. Der Himmel sehr klar, ich habe das Geschwader gesehen, das sich näherte, es müssen hundert oder
mehr Flugzeuge sein. Ich bin zu einem Haus gerannt, nahe
bei der Wurstwarenfabrik, ein junger Mann hat mir zugeru-
fen, da gebe es einen Luftschutzraum. Mein schlechtes Knie
gab nach, ich knickte ein, der Mann stützte mich, er zog mich
hinter sich her. Wo ist er jetzt, ich muss ihm danken. Die
ersten Markierungsbomben sah ich einschlagen, der Wind
hat die Rauchwolken verweht. Beinahe fiel ich die Treppe
zum Bunker hinunter, aber das ist ja nicht viel mehr als ein
alter Keller, vollgepfercht jetzt. Eine einzige Petrollampe.
Die Decke mit Balken verstärkt, die Mauern rissig. Man hat
mir einen Platz zugewiesen, auf einer der Bänke, wo die
Alten sitzen, zu denen ich ja auch gehöre. Einer schließt mit
Mühe die Tür. Die Luft wird schnell stickig, man ringt um
Atem. In Hamburg sei es noch schlimmer, so hört man von
allen Seiten, die Innenstadt ein einziges Trümmerfeld. Es ist
ja vielleicht ein Glück, dass ich weggezogen bin. Keine Jüdin zwar, aber eine arabische Mutter, das führt zu Schikanen,
Gott sei Dank nicht zur Deportation.

Es ist alles so elend geworden. Seltsam, ich kehre auch
jetzt wieder zu Brandeis zurück wie so oft in den letzten
Wochen. Warum nicht zur Mutter, zu Said, zu Rosa? Aber
Gedanken sind nicht zu zähmen, Brandeis war mein Ver-

hängnis. Was wäre aus mir geworden ohne ihn? Wie widersinnig diese Heirat. Ich habe ihn aus Trotz genommen, gerade, weil so viele mir davon abrieten. Wie ich von ihm loskam, das habe ich vor einem halben Jahr auf meiner alten Schreibmaschine getippt, nebst anderem, was den Tod meines Vaters betrifft. Ich habe es für mich geschrieben, vielleicht auch für meine beiden Töchter. Werden sie es je lesen? Oder ist meine Wohnung getroffen worden? Ist das dünne Papier jetzt schon verbrannt?

Der Empfang damals beim deutschen Konsul in Beirut: das war der Anfang, 1897. Rosa und ich mussten seit Jahren mit der Niedergeschlagenheit unserer Mutter leben, mit ihrem Klagegesang, den sie so oft anstimmte: »Das Deutsche Reich hat mich fallen gelassen! Und nach Sansibar kann ich nicht zurück!« Ich wollte ihre Lebenstragödie nicht zu meiner machen. Und trotzdem hat sie mich infiziert. Schon nur diese Verpflichtung, so lange bei ihr zu bleiben, statt eigene Wege zu gehen. Fühlte ich Mitleid? Eher Unmut bei aller Zuneigung, Ironisierung, ein versteckter Zwiespalt ihr gegenüber. Ich begriff erst später, wie unermesslich ihr Heimweh gewesen sein muss. Damals wollte ich einfach weg, weit weg, trotz meines schlechten Gewissens, und da betrat, im Januar 1898, Eugen Brandeis die Bühne; Eugen hieß er für mich nur in der ersten Zeit, danach kaum mehr.

Brandeis also, auf Dienstreise mit undurchsichtigem Auftrag, bei Konsul Schröder eingeladen wie wir, zusammen mit anderen Beiruter Deutschen. Die Szene steht mir noch genau vor Augen. Zwei, drei Briten gehören zu den Gästen. Es gibt so etwas wie eine gespannte Freundschaft zwischen den beiden Nationen, immerhin ist der Kaiser der Enkel der

Queen Victoria. Auf die Mutter haben wir eingeredet, dass sie nicht alle Deutschen in den gleichen Topf werfen darf. Darum kommt sie mit auf den Empfang, ich denke: auch den Töchtern zuliebe, mit scharfem Auge für allfällige Bewerber. Ich bin schon fast dreißig, Rosa zwei Jahre jünger. Kein Mann, der sich um mich bemühte, hat mir bisher wirklich gefallen, ich wünsche mir, ganz naiv, einen Beau von hoher Intelligenz. Und zugleich einen Mann, der mich packt und davonträgt.

Brandeis ist eher klein, er wirkt ungewöhnlich dunkel mit seiner Barttracht; später wird er sich mit einem imposanten Schnurrbart begnügen. Er ist, als wir den Salon betreten, das Zentrum einer kleinen Gruppe, die er mit Anekdoten unterhält. Trotzdem fällt sein fragender Blick gleich auf mich, er bittet den Konsul, uns miteinander bekannt zu machen. Küsst mir, ganz der Gentleman, die Hand. Trinkt aus dem Whiskyglas. Deutet an, über die Geschichte meiner Mutter Bescheid zu wissen. Meiner Schwester gefällt er zum Glück nicht sonderlich, das merke ich gleich, sonst würde sie empfindlich reagieren. Er ist charmant, er wird unwiderstehlich, als er den Abenteurer hervorkehrt. Ich mag langweilige Männer nicht, das hat mir ja lange an meinem Bruder missfallen. Said war ein Jahr bei uns in Beirut, wortkarg wie zuvor als Kadett, man konnte ihn kaum zum Lachen bringen. Und später hat er sich in einen Prediger verwandelt, der uns ausufernd erklärte, wie man die Welt verbessern muss.

Brandeis drückt mir ein Glas mit Minzlikör in die Hand, lotst mich hinaus auf die Terrasse, wo uns große Oleanderkübel vor den Blicken der anderen Gäste schützen. Das Rauschen des Meers, Möwengekrächze, er redet gestikulierend auf mich ein, seine Stimme ist melodiös und rauh zugleich. Ich mag ihren weichen süddeutschen Klang und erfahre bald, wie bunt, wie gefährlich sein bisheriges Leben gewesen ist. Die ganze Welt scheint er gesehen zu haben, er hat an der Front in zwei Kriegen gekämpft, er hat auf Haiti Handel getrieben und den Panamakanal mitgebaut, er ist in deutschen Diensten Berater des Königs von Samoa gewesen, Kaiserlicher Kommissar in der Südsee, Richter in Deutsch-Neuguinea. Und jetzt?, frage ich gebannt, nein, hingerissen. Eine wichtige, aber geheime Position im Berliner Kolonialamt nimmt er ein, er ist oft unterwegs, mit der Aussicht auf weitere Beförderungen. »Das Fernweh«, sagt er, »kann ich mir nicht abgewöhnen.« Er ist kühn genug, dann und wann rasch mein Handgelenk zu berühren. Ich ziehe es zwar jedes Mal diskret zurück, aber nicht so energisch, dass er keine neue Annäherung versucht. Ich frage – ja, doch! – nach seinen Prinzipien, er antwortet, man müsse sich, wo man das Recht auf seiner Seite habe, mit Unbedingtheit durchsetzen, er habe gelernt, dass gerade Eingeborene eine harte Hand zu schätzen wüssten. Er sei noch ungebunden, bemerkt er beiläufig, auf die Dauer sei dies kein Zustand. Dabei mustert er mich eindringlich, was mich zu der einen oder anderen spöttischen Bemerkung provoziert. Die Frau an seiner Seite, sage ich, müsse wohl Nomadin sein. »Sind Sie das nicht in Ihrem Innersten?«, fragt er überraschend zurück. Und fügt hinzu, wie er sich seine Künftige vorstelle: in allen Haushaltsdingen bestens bewandert, auch unter erschwerten Verhältnissen. Es ist unverschämt, wie er mich taxiert und in seiner Hausfrauenskala einzuordnen versucht, und doch treibt es mir einen angenehmen Schauer über den Rücken. »Ich sehe mich als Gefährtin eines Mannes und nicht bloß als seine Dienerin«, erwidere ich, und zu meinem Erstaunen nickt er gravitätisch: Dies auch, dies auch, gewiss, und Streit unter Gleichberechtigten – wie kommt er darauf? – könne man nicht immer vermeiden, er pflege die besseren Argumente zu respektieren.

Da haben meine Mutter und Rosa uns endlich hinter dem Oleander erspäht, sie treten heraus auf die Terrasse, das Gespräch gleitet ins Unverbindliche, wobei Emily mich so forschend ansieht wie vorhin Brandeis. Man bewundert die Abendstimmung, das türkisfarbene Meer. Brandeis schwingt sich auf zu geradezu lyrischen Beschreibungen der Palmenstrände in der Südsee, auch das habe ich ihm nicht zugetraut.

»Er interessiert sich sehr für dich«, sagt mir Rosa zu Hause, beinahe vorwurfsvoll. »Nimm dich in Acht vor ihm, in ihm steckt etwas Brutales.«

»Ach was!«, fertige ich sie mit einem Lachen ab. »Das ist ein Draufgänger, mehr nicht.«

Die Zeit dehnt sich im Bunker. Wie lange sitzen wir schon da? Das Dröhnen der Flugzeugmotoren durch die Mauern hindurch, es kommt näher, verklingt, kommt wieder näher. Einschläge, Explosionen, gedämpft erst, dann wie hallende Schläge auf Holz und Metall. Die Sitznachbarin redet vor sich hin. Es beginnt, nach Urin zu riechen. Seltsam ist es, keine Angst zu haben, wenn man Angst haben müsste. Man verschließt sich einfach. Man wird ruhiger. Man steigt in die eigene Vergangenheit zurück.

Sie sah Brandeis noch bei zwei anderen Gelegenheiten, ehe er nach Berlin zurückreiste. Was er in Beirut genau getrieben hatte, blieb ihr ein Rätsel. Möglicherweise verhandelte er mit dem osmanischen Gouverneur über neue Eisenbahnlinien, die der deutschen Industrie Aufträge einbringen sollten. Auch später sah sie nie wirklich in sein Inneres, er jedoch behauptete, was in ihr vorgehe, könne er lesen wie eine übergroße Schrift. Beinahe nichts brachte sie so gegen ihn auf wie diese Anmaßung. Er versprach, ihr zu schreiben, und sie wusste gar nicht, ob sie das wollte und überhaupt antworten würde. Merkwürdigerweise träumte sie von ihm, in ihren Träumen hatte er eine verschmitzte, dann wieder gütige Miene, sein sonst stark behaarter Handrücken war glatt, als hätte er ihn für sie rasiert. Seine Briefe waren launig, in gewandtem Stil abgefasst, sie kreisten um das kulturelle Leben in Berlin. Im dritten bat er sie um ihre Hand; höflicherweise bekam ihre Mutter mit gleicher Post ebenfalls einen Brief, in dem er seine Absichten bekundete. Er sei, schrieb er, zum Kaiserlichen Gouverneur der Marshall-Inseln in der Südsee ernannt worden, er wünsche sich eine Gattin, die ihn bei seinen Aufgaben unterstütze. Antonies Jawort würde bedeuten, dass sie für die Trauung unverzüglich nach Berlin reisen und danach so bald wie möglich mit ihm in See stechen müsse. Im Beiruter Haushalt gab es einen kleinen Aufruhr. Rosa war kategorisch dagegen, dass die Schwester sich so überstürzt an diesen eitlen Parvenü band und mit ihm auf die andere Seite der Erdkugel verschwinden wollte. Die Mutter hielt sich zurück. Brandeis, sagte sie, sei ihr nicht restlos sympathisch, aber immerhin bürge seine Ernennung für gesicherte Verhältnisse. Die Schwestern liehen auf dem

Konsulat einen Atlas aus, suchten die stecknadelkopfgroßen Marshall-Inseln in den Weiten des Pazifiks. Diese Distanzen! Antonie verbrachte eine schlaflose Nacht. Gegen Morgen beschloss sie, den Antrag anzunehmen. Ihr war bang, aber sie wollte es tun. Warum? Ein Dutzend Gründe waren ineinander verstrickt. Sie war ein Kind zwischen den Welten, nomadisch vielleicht doch. Die seltsame Anziehung, die Brandeis auf sie ausübte, spielte eine Rolle, der Drang, aus diesem Dreifrauenkäfig auszubrechen, vielleicht noch die größere, gewiss auch die Sehnsucht, eine Familie zu gründen. Aber mit diesem Mann? Er war dreiundzwanzig Jahre älter als sie, auch dies rieb ihr Rosa unter die Nase. Sie machte Brandeis zu einem ältlichen Schreckgespenst, umso entschiedener widersprach ihr Antonie. Sie schickte ihm ein Telegramm: ANTRAG ANGENOMMEN, ABER HEIRAT IN BEIRUT. VON HIER AUS WEITERREISE DURCH SUEZKANAL. Seine Antwort kam einen Tag später: EINVERSTANDEN. BIN IN VIER WOCHEN BEI DIR. MIT VOLLEN KOFFERN, PACKE DU AUCH, WIR SIND LANGE WEG. Sein unvermitteltes Du störte sie und erfüllte sie zugleich mit angstvoller Erwartung.

Es war eine Lebenswende. Nicht so radikal wie bei Emily, als sie in Aden zum Christentum übertrat und Heinrich heiratete, aber doch so, wie wenn Antonie in abgeschwächter Weise wiederholen würde, was die Mutter getan hatte.

Die Vorbereitungen für Hochzeit und Auswanderung verliefen hektisch. Weitere Telegramme gingen hin und her, nun versprach auch Said, der eben seinen Abschied als Leutnant genommen hatte, zur Hochzeit zu kommen. Er musste dabei sein, sie hatte ihn doch gehätschelt und getröstet, als er ein trauriger kleiner Junge war. Und nach Beirut käme er, so dachte sie, nicht ungern zurück; es war die Stadt, in der sie zu viert zum letzten Mal Familie gespielt hatten, mit Konsul Schröder als Vaterersatz.

Nach seiner Abfahrt aus Genua meldete Brandeis getreulich, wo die ›Preußen‹, auf der er reiste, anlegte: in Neapel, in Messina, in Port Said. Und dann war er plötzlich da, mit weißem Hut, der Bart von Silberfäden durchzogen, wie Antonie im starken Licht sah. Erstmals zog er sie zur Begrüßung an sich, sie roch diesen undefinierbaren Männergeruch, halb Leder, halb Schweiß und ein wenig Lavendel. Zwei Tage nach ihm kam auch Said in Beirut an, er hatte sich in vier Jahren – durch welche Einflüsse wohl? – enorm verändert, war viel wortgewandter geworden. Die zwei Männer waren wie Feuer und Eis, sie konnten einander nicht ausstehen, schon am ersten Abend stritten sie über die expansive deutsche Kolonialpolitik, die Brandeis vehement befürwortete und Said besonnen kritisierte.

Die Trauung war nüchtern, der Ring, den Brandeis seiner Braut ansteckte, nach ihrem Geschmack allzu pompös, das Festessen im Hotel Allemand allzu nahrhaft. Deutsche Kost, sogar Sauerkraut mit Speck hatte Brandeis sich gewünscht. Es gab einen Brauttanz zu den Klängen von Harmonika und Flöte, sie merkte, wie schnell Brandeis aus dem Tritt geriet und wie rigoros er dennoch darauf bestand, sie zu führen, nein, zu bändigen. Grausam war Brandeis in der Hochzeitsnacht nicht, aber rücksichtslos, er stieß sein Werkzeug in sie hinein, als wäre sie ein Stück Holz, dabei glaubte sie, nicht ohne Sinnlichkeit zu sein, man hätte sie mit Zartheit wecken können. Sie hatte vieles erwartet und auf diffuse Weise erhofft, aber nicht diese technische Form der Entjungferung. Er kannte es nicht anders, sie nahm an, dass er die entsprechende Lehre bei unempfindlichen Prostituierten absolviert hatte. Schon in der zweiten Nacht – ihre Blutung war noch kaum gestillt – richtete er Wünsche an sie, die zu erfüllen sie sich standhaft weigerte. Nun aber war es zu spät, ihre Entscheidung rückgängig zu machen.

Der Abschied von den Ihren war bedrückend, die Stimmung des großen Aufbruchs, die sie ersehnt hatte, wollte sich gar nicht einstellen. Sie überspielte den Abschiedsschmerz mit Betriebsamkeit. Erstaunlicherweise fühlte sie sich dem Bruder, gerade in seiner zweiflerischen Art, plötzlich wieder näher als in den Jahren zuvor. Sie versprach ihm, dass sie, von wo auch immer, zu seiner Heirat kommen würde, falls sie je stattfinden sollte. Er lachte – das konnte er jetzt – und meinte, in ihm neige vieles zum Junggesellenleben, er schätze, dass Rosa früher in den Hafen der Ehe einlaufen werde als er.

Von Sydney aus dauerte die letzte Strecke der Fahrt nach Jaluit, zu den Marshall-Inseln, siebenunddreißig Tage. Sie kam Antonie quälend lange vor, und die Enge in der norwegischen Segelbark, auf der sie mangels anderer Gelegenheiten reisten, war nahezu unerträglich. In der Kajüte, die sie mit ihrem Ehemann teilte, lernte sie jede seiner Eigenheiten (nein, die meisten) aus nächster Nähe kennen, sein Schnarchen ebenso wie seine kapriziöse Art, den Schnurrbart zu zwirbeln. Der Wellengang schien sein Gewicht, das nachts auf ihr lastete, manchmal zu verdoppeln. Wenn sie ihm nicht gefügig sein wollte, bestand er auf seinem ehelichen Recht. Es blieb ihr dann nichts anderes übrig, als sich ebenfalls unempfindlich zu machen und zu erdulden, dass sie für Lust-zwecke benutzt wurde. Es fehlte lediglich die Bezahlung. Einmal zuvor, auf einem Ball in Berlin – es war lange her – hatte sie sich in einem dunklen Winkel von einem Kavalier küssen lassen; dieser eine Kuss wog alles auf, was Brandeis mit ihr anstellte.

Sie gerieten in einen dreitägigen Sturm. Antonie fühlte erstmals Brandeis' Angst. Er gestand ihr, dass er nicht schwim-men könne, im Badischen sei man nur durch Bäche und Flüsschen gewatet. Das sagte er, der Vielgereiste, der schon Wochen, ja Monate auf Schiffen verbracht hatte. Auch spä-ter war es so: Die Schwächen, die er preisgab, versöhnten sie jeweils ein wenig mit ihm. In solchen Momenten trös-tete sie ihn sogar, und bei seinen Kopfwehanfällen, die ihn sporadisch plagten, legte sie ihm kalte Wickel auf.

Der Sturm erinnerte sie an den anderen, ihren ersten auf dem Meer, da waren sie, die vaterlose Familie Ruete und Fräulein Labuske, unterwegs nach Sansibar, im heißen Som-mer 1885. Kurz nach Aden brachen mit voller Wucht die Wellen über sie herein, warfen das Schiff erbarmungslos herum, klatschten an die beiden Schornsteine, die danach vom verdampften Salzwasser weiß waren statt schwarz. Sie lagen angegurtet auf ihren Pritschen, elendig seekrank. Hilf-los schauten sie zu, wie das Wasser durch alle Ritzen drang, das ganze Gepäck und sie selbst durchnässte. Aber es ging vorbei.

Auch der Sturm, den Antonie mit Brandeis dreizehn Jahre später durchlebte, flaute ab. Sobald sein Magen nicht mehr rebellierte und kein Kentern mehr drohte, übernahm erneut sein gewohntes Ich die Vorherrschaft, er sprach zu seiner

Frau hauptsächlich in spöttischem oder befehlendem Ton. Nein, verliebt war auch er nie wirklich in sie, er betrachtete sie letztlich, wie alle Männer seines Schlages, als Beute, die nach der Eroberung sogleich an Wert verlor.

Vor Jaluit lag ein Korallenriff mit einer einzigen Lücke, durch die sie in die Lagune einfuhren. Kokospalmen überall, dazwischen ein paar Steinhäuser für die Deutschen, leicht gebaute Hütten mit Dächern aus Kokosmatten für die Eingeborenen und die wenigen chinesischen Bediensteten. Eine paradiesische Landschaft, doch es fehlte an fruchtbarer Erde, man musste sie verbessern durch Vogelmist, durch verrottete Abfälle, man musste sie anhäufen, damit die Wurzeln genug Grund fanden. Dann wuchs fast alles darauf, und dies in größter Üppigkeit, schon die Spanier hatten Mangos und Papayas mitgebracht und angepflanzt. Unvergesslich das Gemisch der Gerüche, die einen am Morgen früh begrüßten, wenn man ins Freie trat, vom Lieblichen des Jasmins bis zur Strenge der aufgeplatzten Brotfrüchte, vom Salz- und Muschelgeruch des Meers bis zu den Ausdünstungen von Hühnerdreck. Man konnte sich daran gewöhnen, so wie an das Rauschen der Brandung, und man sehnte sich danach, wenn man es verloren hatte.

Brandeis regierte als Gouverneur über etwa dreißig Atolle und Inseln. Berlin war weit weg, das erlaubte ihm, ein schlauer kleiner Despot zu sein. Er wiegelte die Häuptlinge gegeneinander auf und versuchte bei allen Geschäften, Vorteile für die hamburgische Handelsgesellschaft herauszuholen. Als die Eingeborenen höhere Löhne für das Verladen der Kopra verlangten, hörte er sie nicht einmal an. Amerikanische Missionare rieten den Arbeitern zum Streik, Brandeis beendete ihn mit ein paar Polizisten und erlegte der Inselkorporation eine hohe Buße auf. Auch bei geringfügigen Diebstählen durch Eingeborene ordnete er Bestrafungen an, die Berlin nur in schweren Fällen bewilligt hätte. Die Missetäter wurden öffentlich ausgepeitscht, mit bis zu fünfzig Hieben, die ihren Rücken mit einem blutigen Netz überzogen. Dabei wurde die neunschwänzige Katze verwendet wie in der britischen Marine; mit ihr, behauptete Brandeis, würden immerhin Nieren und Leber geschont, und der Humanität sei Genüge getan durch die Abgabe einer antiseptischen Wundsalbe. Die Inselleute wohnten der Bestrafung schweigend bei. Ein einziges Mal war Antonie Augenzeugin und sah den Ernst und die heimliche Empörung in ihren Blicken; in Brandeis' Zügen jedoch stand grimmige Genugtuung. Es gelang ihr nicht, ihn von solchen eigenmächtigen Brutalitäten abzuhalten. Sie würde die Südseeinsulaner verzärteln, warf er ihr vor, sie seien diebisch von Natur aus. Einmal überraschte er durch Zufall ihren Koch, wie er gerade eine Serviette mit Antonies Initialen unter seinen Sarong schob, er ließ ihn abführen und schon am Abend ohne Richterspruch auf dem Platz vor dem Postgebäude auspeitschen. Sie hörte die Schreie des Bestraften bis in ihr Haus, er musste danach eine Woche auf dem Bauch liegen, und sie hatte doppelte Arbeit. Diese Episode führte zu einem schlimmen Streit zwischen Brandeis und ihr; er hatte schon die Hand erhoben, um sie zu schlagen, und ließ sie im letzten Moment sinken.

»Wenn es nach dir ginge«, maßregelte er sie am nächsten Tag, »würde Deutschland seinen Kolonialbesitz in kürzester Zeit verspielen. Willst du denn, dass es zu Aufständen und Meutereien kommt wie in Indien? Dort sind die Briten lange viel zu lasch gewesen. Das soll uns nicht passieren.«

»Wir müssen durch unser Vorbild wirken«, sagte sie. »Es geht um Menschen. Schritt um Schritt sollten wir sie mit unserer Kultur vertraut machen, und da steht die Peitsche nicht an oberster Stelle.«

»Ach so? Du meinst, durch gutes Zureden kannst du die Braunen und Schwarzen verändern? Im Regelfall verstehen sie bloß eine Sprache: die der Abschreckung. Daran werde ich mich weiter halten, ob es dir passt oder nicht.« Er lachte; sein Lachen in ihrer Gegenwart klang nun meist wegwerfend oder verächtlich.

Sechs Jahre insgesamt, mit einer anderthalbjährigen Unterbrechung, verbrachte sie auf Jaluit und gebar in dieser Zeit zwei Töchter. Die Entfremdung zwischen ihr und Brandeis nahm zu, trotz seiner nächtlichen Besuche in ihrem Zimmer; sie hatte auf einem eigenen bestanden. Aber in der kleinen Gemeinschaft der Europäer auf der Insel spielte sie die ihm ergebene Ehefrau und treusorgende Mutter. Man wurde reihum eingeladen. Auch der Gouverneur hatte Abendgesellschaften zu geben und die Gäste mit aufwendigen Menüs zu bewirten. In diesem Punkt brillierte Antonie, sie hatte ein Talent dafür, aus wenigem viel zu machen und phantasievoll mit einheimischen Produkten umzugehen, die die Weißen sonst mieden. Ihr Koch, ein Malaie, der Brandeis ängstlich aus dem Weg ging, brachte ihr bei, einen eigenen Curry zu mischen; sie bereitete aus Yam, Klettergurken und Okra würzige Gerichte zu; sie erfand einen Ananasreis, und ihre Kokosnusscreme schmeckte allen außer Brandeis, der von den Süßigkeiten nur Schokoladenpudding mochte. Unter den Erzeugnissen des Inselbodens schätzte sie die Papaya am meisten. Sie mochte ihre Form, ihre Festigkeit, ihr schönes Grün mit den dunkelgoldenen Flecken, die auf zunehmende Reife deuten, das rötlich-saftige Fruchtfleisch, mit dem sich so vieles anstellen lässt, erträgt es doch Salz wie Zucker, Zitrone wie Ingwer, Zimt wie Muskat. Sie aß sie am liebsten ohne jede Zutat zum Frühstück, während Brandeis eilig und oft wortlos seine drei Spiegeleier verschlang.

Ihre Kochkunst wurde von der kolonialen Elite, die sich bei Brandeis zusammenfand, hoch gelobt. Die Gespräche an solchen Abenden kreisten um die Unarten der Eingeborenen, der Bediensteten, um die Finten der anderen Kolonialmächte, die mit allen Mitteln Deutschland seine Erfolge streitig machten. Man ließ Kaiser und Kanzler hochleben, Bier und Palmwein waren lau und flossen in Strömen die Kehlen hinunter. Antonie war zeitweise die einzige Frau unter dreißig Europäern; auf Flirts, die der eine oder andere versuchte, ließ sie sich nicht ein, unter Brandeis' wachsamem Blick ohnehin nicht. Nur seinem Stellvertreter Schnee, der an Malaria litt, gewährte sie die Fürsorge, die er benötigte. Er war schon so entkräftet, dass er einem Gespenst glich. Da sah auch Brandeis keine Gefahr.

Neue Gerichte auszuprobieren, lenkte sie vom Landeshauptmann ab, wie er sich jetzt nennen durfte. Sie schrieb die Rezepte auf und entwickelte den Plan, ein Kochbuch für die Tropen zu verfassen, für all die Gattinnen von Kolonialbeamten, die in einer Feldküche standen und keine Ahnung hatten, wie sie die ungesunde Dosennahrung in ihrem Vorratsraum ersetzen konnten. Zum Glück war Brandeis oft abwesend, er segelte mit seiner engsten Gefolgschaft zu den Nachbarinseln, um klarzumachen, wer hier den Ton angab. In dieser Zeit schrieb sie, via Berlin, an die deutschen Kolonialbehörden von Tanganjika, Südwestafrika, Kamerun, Deutsch-Guinea, Samoa, Neu-Pommern. Sie schilderte ihr Anliegen und bat darum, Gewährspersonen ausfindig zu machen, die ihr Rezepte aus ihrem Schutzgebiet übermitteln könnten. Und tatsächlich trafen nach einigen Monaten Antworten bei ihr ein, kurze und ausführliche. Der deutsche Postdienst funktionierte, es stand ja auch ein kleines Postbüro auf der Insel. Die neuen Rezepte zu ordnen und schlüssig zu formulieren, vertrieb den ehelichen Verdruss. Sie begann zudem Notizen zu verfassen: über die Auswahl und wohlwollend-strenge Behandlung der Köche, über den Bau von Küchen und Petroleumöfen, über Zeltküchen, über ausgewogene und gesunde Ernährung, über die besten Konservierungsmethoden in den Tropen. Es entstanden Stichwortlisten, ein erstes Inhaltsverzeichnis, und Antonie war überzeugt, dass sie nach ihrer Rückkehr für dieses Buch einen deutschen Verlag finden würde. Brandeis tat ihr Vorhaben als läppisch ab, so verlor sie nach zwei, drei Auseinandersetzungen kein Wort mehr darüber. Als sie wieder in Berlin waren, staunte er nicht schlecht über den raschen Erfolg des Buchs, das sie gleichsam auf die Höhe ihrer Mutter hievte, deren *Memoiren einer arabischen Prinzessin* damals in die sechste Auflage gingen.

Noch etwas Zweites nahm sie sich auf Jaluit heraus: Sie sammelte mit Leidenschaft Ethnographica. Den Anstoß dazu hatte Ficke gegeben, der Direktor des Völkerkundemuseums in Freiburg, wo Brandeis studiert hatte. Er wandte sich mit der Bitte an den Landeshauptmann, ihm Gegenstände aus der Südsee zu schicken, die für die Museumsbesucher von Interesse sein könnten. Brandeis gab die Bitte beiläufig als Auftrag an seine Frau weiter. Sie ging auf der Insel von Haus zu Haus, ließ sich zeigen, wie Werkzeuge hergestellt und gebraucht wurden, schaute zu, wie aus Muscheln Schmuck, aus Holz und Federn kleine Statuen und Masken entstanden. Man erklärte ihr mit Gesten und einfachen Worten, was sie bedeuteten. Zwar wurden die klobigen, aber feingeschliffenen Statuen nach Aposteln oder Heiligen benannt, aber sie begriff bald, dass in den Holzschnitzern der alte Götzenglaube weiterlebte. Sie hütete sich, dies den beiden Missionaren auf der Insel weiterzusagen. Es gelang ihr oft genug, den Besitzern Objekte, die ihr gefielen, für eine Büchse Erbsen oder ein Kattunhemd abzuschwatzen. Auf Etiketten schrieb sie, worum es sich handelte, fügte hier und dort ein Blatt mit einem ausführlicheren Kommentar hinzu. Es sprach sich herum, was sie suchte, man brachte ihr auch von den anderen Inseln das eine und andere mit, natürlich in der Hoffnung auf einen guten Preis. Brandeis interessierte sich lediglich für Speere; er fand die schmucklosen mit den scharfen Spitzen, die Antonie gesammelt hatte, armselig und die mit Ornamenten verzierten, die den Häuptlingen gehörten, nutzlos, da sie stumpf waren. Er spottete über ihre Bemühungen, genau zu unterscheiden, ließ sie aber gewähren, und so schickte sie nach einem Jahr zwei Holzkisten mit ihrer Sammlung und ihren Erläuterungen auf den langen Weg nach Freiburg im Breisgau, wobei sich Brandeis in einem Begleitbrief als eigentlicher Urheber dieser Schenkung ausgab. In der Eingangshalle des Museums wurde, wie Antonie Jahre später sah, sein Name und nicht der ihre in eine Dankestafel eingemeißelt.

Die Einschläge, so laut nun, dass die Ohren schmerzen. Sind es Sekunden, die zwischen ihnen vergehen, Minuten? Oder ist es schon die zweite Angriffswelle? Die Nachbarin auf der Bank schmiegt sich an mich, trotz des Lärms höre ich ihren Herzschlag oder meinen, sie greift nach meiner Hand, umklammert sie: »Gott, Gott, ich bitte dich!«

Brandeis, immer wieder Brandeis. Und was noch? Die erste Geburt, sie bringt mich an die Grenze des Erträglichen, ich glaube sterben zu müssen, so zerreißend, so schrecklich sind die Schmerzen. Es gibt auf der Insel einen Arzt, Dr. Finck, der zur Hälfte als Regierungsbeamter besoldet ist, ein trunksüchtiger Mann unbestimmten Alters, der gegen Fieber Aspirin und gegen Durchfall Kohletabletten abgibt und sonst nicht viel taugt. Immerhin versteht er es, Wunden zu nähen, wenn seine Hände nach dem Genuss der ersten abendlichen Cocktails nicht zu sehr zittern. Die Eingeborenen vertrauen ihm nicht; sie wenden sich lieber an eine kräuterkundige Heilerin. Als meine Wehen einsetzen, beordert Brandeis Dr. Finck herbei. Der untersucht mich linkisch, mit den Händen unter der Decke, die über mich gebreitet ist, und mir ist es recht, mich vor ihm nicht ganz entblößen zu müssen. Es stellt sich heraus, dass er von gynäkologischen Dingen kaum eine Ahnung hat; das Einzige, was ihm einfällt, ist, mich zum Pressen aufzufordern. Ich höre mich schreien, bei jeder neuen Schmerzwelle noch lauter. Das stoppelbärtige Gesicht des Arztes über mir, die Hilflosigkeit in Brandeis' Augen, der von mir wegläuft und dann wiederkommt, um mich jedes Mal fordernd und bettelnd zugleich zu fragen: »Geht es nicht endlich vorwärts?« Ich verliere zeitweise das Bewusstsein, die beiden Männer sehen kein anderes Mittel mehr, als die Heilerin herbeizuholen. Sie ist alt und rund und hat magische Hände. Sie schickt – so viel nehme ich wahr – die beiden Männer, die ihr kleinlaut gehorchen, hinaus. Mit geübter Massage bringt sie das Kind in eine andere Lage, so dass der Kopf endlich in den Geburtskanal eintritt, sie holt zwei Frauen von draußen ans Bett, die meine Schultern niederdrücken, während sie sich auf mich setzt und durch Druck an der richtigen Stelle die Geburt beschleunigt. Irgendwann im Morgengrauen halte ich mein Töchterchen, noch ungewaschen, in den Armen. Ich bin zu Tode erschöpft, ich will bloß schlafen, ins Vergessen tauchen. Das neue Lebewesen ist mir fremd. Es wird Marie Margaretha heißen, Gretchen, nur dies kommt mir in den Sinn. Die Geburtshelferin, Poema, duldet es nicht, dass Dr. Finck den Dammriss näht, er werde von selber heilen, dolmetscht das Dienstmädchen, das leidlich Deutsch gelernt hat. Erstaunlicherweise gehorcht der Arzt ihr auch in diesem Punkt. Brandeis' wässerige Augen sind plötzlich über mir. Nicht mehr Hilflosigkeit lese ich aus ihnen, sondern bittere Enttäuschung, er hat, wie kann es anders sein, mit einem Sohn gerechnet. Ich rieche seinen Whiskyatem, ich rieche Blut und Schleim, ich rieche das Kokosöl, mit dem Poema meinen Bauch eingerieben hat, ich sehe Farben flimmern, wenn sich meine schweren Lider heben, ich höre Hähne krähen, hinter und über allem die Brandung: all das vereinigt sich zu einer merkwürdigen Kulisse, in der ich wegdämmere, mein verschmiertes Kind auf mir. Als ich erwache, ist es heller Tag, Poema flößt mir einen bitteren Tee ein, noch nie habe ich einem Menschen so vertraut wie ihr. Das Kind ist nun gewaschen und nach Art der Eingeborenen in ein weiches Tuch gehüllt. Ich höre Gretchen zum ersten Mal schreien, die Töne sind nicht kräftig, sondern wimmernd und flehend, es tut mir in der Seele weh.

Dass ich nicht stillen konnte, wunderte mich nicht. Eine Amme war schnell gefunden, satt und friedlich wurde mir Gretchen in den ersten Wochen jeweils übergeben, ich wiegte das Kind in den Armen, versuchte, es von Herzen zu lieben. Das gelang mir immer besser, und als das erste Lächeln über sein Gesichtchen ging, war ich entzückt. Ich fütterte die Kleine vom dritten Monat an aus der Flasche, lernte sie wie die Insulanerinnen im Tuch zu tragen, sie wurde zugleich zu einer Art Schutzschild gegen Brandeis, dem ich meinen Körper lange vorenthielt.

In dieser Zeit dachte ich oft an meine Mutter, ich stellte mir vor, wie es für sie gewesen sein musste, in Hamburg, das ihr immer fremd blieb, drei Kinder in rascher Folge zur Welt zu bringen. Keine Poema mit hilfreichen Händen stand ihr bei; die Hebammen jener Zeit, auch die erfahrensten, waren bloß Gehilfinnen der herrisch auftretenden Frauenärzte. Man gab ihr wohl ein wenig Chloroform, um die Schmerzen zu lindern. Von ihren Geburten erzählte sie so wenig wie von ihrer Flucht aus Sansibar. Beides wurde überlagert vom Unfalltod ihres Mannes; ihm widmet sie in ihren nachgelassenen Briefen viele Seiten, die so herzzerreißend traurig sind, dass man sie kaum lesen kann. Und doch möchte ich – ja, auch jetzt noch – wissen, was die Geburten für die Mutter bedeuteten, mit welchen Gefühlen sie uns, ihre drei Kinder, empfing, wie sie, noch vor dem Tode Heinrichs, mit der dreifachen Belastung zurechtkam. Hat sie uns gestillt? Auch darüber sprach sie nicht. Obwohl ihr die meiste Zeit eine Hilfskraft zur Seite stand, galt es, tagaus, tagein Windeln zu wechseln und zu waschen, Brei zu kochen, Hemdchen anzuziehen, Tränen wegzuwischen. Abends kam der Vater müde aus dem Kontor, wollte brave und saubere Kinder eine Weile auf den Schoß nehmen, gab sie zurück, sobald sie unzufrieden wurden; ein guter Kaufmann wie Heinrich hatte auch in den Abendstunden zu tun. Das Foto, wo ich, ein pummeliges Ding, auf seinen Knien throne und er mich selbstbewusst festhält, wirkt so inszeniert wie alle Familienbilder der Wilhelminischen Ära. An beinahe nichts aus jener Zeit erinnere ich mich. Auch nicht an die düsteren Tage, als Vater sterbend im Krankenhaus lag. Emily erstritt sich die ungewöhnliche Erlaubnis, Tag und Nacht an seiner Seite zu verbringen. Wer hat sich um uns gekümmert? Heinrichs spröde Stiefmutter oder einzig Leonie, die bei uns diente? Der Vater habe mir, der Dreijährigen, gefehlt, erzählte mir Leonie, als ich sie nach vielen Jahren wiedersah, ich hätte ihn überall gesucht, »Papa, Papa« vor mich hingesagt und nicht begriffen, dass ich ihn auf immer verloren hatte.

Fünf Monate alt war mein Töchterchen, als ich mit ihm und zwei weiteren tropenmüden Europäern aufbrach zum Erholungsaufenthalt in Deutschland und zu Saids Hochzeit mit der Jüdin Maria-Theresia Mathias. Das hatte ich ihm ja damals in Beirut versprochen. Aber diesen Urlaub billigte

Brandeis bloß, weil Dr. Finck, der wohl dem Debakel einer weiteren Geburt so lange wie möglich entgehen wollte, dringend dazu riet. Brandeis hatte tatsächlich Tränen in den Augen, als wir voneinander Abschied nahmen, das hatte ich ihm nicht zugetraut. Er küsste Gretchen auf beide Wangen und mich feierlich auf die Stirn, er winkte uns, als das Schiff ablegte, von der Mole aus mit einem großen Taschentuch zu, während ein paar Insulaner auf Trommeln schlugen, und in diesem Augenblick schien er mir so einsam wie noch nie. Warum bin ich danach zu ihm zurückgekehrt? Ja, es wäre möglich gewesen, mich von ihm zu trennen. Aber ich habe den Skandal gescheut, die Auseinandersetzung mit der Mutter, die der Ansicht war, man müsse auch in einer unglücklichen Ehe ausharren. So kam es dazu, dass Brandeis mich ein zweites Mal schwängerte. Im August 1904 wurde meine Tochter Julie Johanna geboren. Gretchen und Johanna, sie sind schon längst in ihre eigenen Leben verschwunden. Und meines erscheint mir manchmal als einzige Konfusion. Vielleicht habe ich den Grund, auf dem ich stand, nie wirklich gekannt.

Seltsam, wie sich die Erinnerungen vermischen. Die Kolonialschule Rendsburg, die ich gründen half. Die Schülerinnen in gestärkten weißen Blusen, mit bodenlangen blauen Schürzen und Kopftuch, fröhlich winkend. Verbreitung des Deutschtums im Ausland, das steht in sauberer Kreideschrift auf einer Wandtafel. Sie üben, kräftig die Arme schwingend, das Gehen in Viererkolonnen. Sie füttern Gänse, striegeln Pferde, kochen Gulasch. Begrüßen mit Liedern die Schiffe, die auf dem Nord-Ostsee-Kanal vorüberziehen. Erste Hilfe paarweise, korrektes Anlegen von Verbänden. Dieses überfröhliche Lachen. Und ich? Möchte ich, so ausgebildet, noch einmal in die Südsee aufbrechen? Würde ich beim zweiten Anlauf fähig sein, Brandeis in die Schranken zu weisen? Wäre ich den Töchtern eine bessere, eine gütigere Mutter? Die bittere Einsicht kommt immer zu spät, dass man sein Leben nur einmal leben kann. Keine Überblendungen wie in Filmen, keine Wiederholungen wie auf Theaterproben. Man lebt voran und ist manchmal blind. Geschwister entfernen sich voneinander und versäumen es, sich wieder anzunähern. Das wäre am Grab der Mutter möglich gewesen. Die Kälte auf dem Friedhof Ohlsdorf, der Wind biss sich fest an unseren Gesichtern. Aber was sollen plötzlich die Palmen in meinem Blickfeld? Und Gretchen auf meinem Arm? Warum fordert mich der schreckliche Ludwig Mond zum Tanz auf? Es gibt diesen Kuss im dunklen Saalwinkel, diesen einen Kuss. Die Fahrt nach Triest, die Schlafwagengeräusche. Der Sturm im Roten Meer. Emily, die wieder zu Salme wird, ihre Schritte fast tänzerisch. Die Mutter, immerzu. Und ich so scheu.

Summen, ein Pfeifen, Detonationen, so heftig, dass die Bunkermauern sich bewegen, die Sitzbank schnellt eine Handbreit in die Höhe, ich mit ihr, Geschrei. Ich brauche Luft. Die Angst jetzt doch, übermächtig. Ein betäubendes Krachen. »Die Decke, die Decke!«, höre ich, ein Prasseln, ein Schlag, Leere, lichtlos.

4

Als Du in London warst, zögerte ich keine Stunde, ich ließ
meine Kinder in der Obhut von Verwandten und reiste nach
London. Mein einziger Gedanke war, Dir, mein Bruder, von
Nutzen zu sein. Als ich in London ankam, hatte ich schon
einen guten Teil meiner Geldmittel ausgegeben, und nun
versperrten mir die britischen Behörden mit allen Mitteln
den Weg zu Dir. Sie befürchteten nämlich, dass ich Dir die
Wahrheit über ihre Absichten darlegen würde, und so ver-
hinderten sie auch, dass wir uns endlich versöhnen konnten.

Die Berge sind verhangen, der Blick sucht Halt an den vertrauten Konturen, verliert sich im Ungefähren von Nebel
und Wolken. Das Stück Wald, das sie bisweilen freigeben:
ein dunkler Klang in verschwimmenden Akkorden.

Rudolph sitzt, im blauseidenen Morgenrock, am gedeckten runden Tisch. Das Rührei liegt ihm schwer auf, der Toast
ist bloß angebissen, er hat ihn halb in die kunstvoll gefaltete
Serviette zurückgeschoben. Er trinkt den Tee in kleinen
Schlucken, gut gesüßt ist er, von milchigem Gold. Assam
zum Frühstück, Earl Grey oder Darjeeling am Nachmittag,
das hat er sich in Ägypten angewöhnt, später in London lernte
er zwischen First und Second Flush unterscheiden. In den

kargen Jahren mit der Mutter gab es bloß drittklassige und grobe ostfriesische Mischungen, alles andere war zu teuer, dennoch stammt seine Liebe zum Schwarztee aus jener Zeit. Im Winter die Hände um eine heiße Tasse zu schließen, den aus ihr steigenden malzig-herben Duft zu riechen, schenkte die Illusion von Geborgenheit. Auch wenn er die Hitze nicht aushielt und die Tasse absetzen musste, kühlten seine Handflächen noch eine Weile nicht ab, als sei so etwas wie sommerliche Zuversicht in sie eingebrannt. Er versucht jetzt, dieses Spiel zu wiederholen; doch der Tee ist schon lau geworden, das Porzellan fühlt sich glatt und abweisend an.

Soll er heute Therese besuchen? An ihrem Krankenbett sitzen, ihrem schweren Atem lauschen? Nein, er braucht offenen Himmel, um diese Fahrt zu ertragen. Einem anderen Spiel will er sich diesen Morgen widmen, es ist eine kleine theatralische Inszenierung, die er sich gönnen wird, aber erst, wenn das Zimmermädchen das Frühstücksgeschirr abgeräumt hat; bei dem, was er vorhat, darf ihn niemand stören. Er klingelt, wartet aufs Erscheinen des Urner Mädchens, das die weiße Haube mit Grazie trägt.

»So wenig gegessen«, sagt sie tadelnd und lässt die letzte Silbe in der Schwebe.

»Ich bin nicht hungrig«, erwidert Rudolph. »Den Tee lassen Sie bitte noch hier.« Unbekümmert ums Geklirr stellt das Mädchen Teller und Tellerchen, Besteck, Marmeladen- und Butterschälchen zurück aufs Silbertablett, wünscht ihm, bevor sie geht, mit einem verschwörerischen Lächeln einen wirklich schönen Tag.

Es ist Zeit, sich festlich anzuziehen. Im Schrank hängt der Frack, der im großen Koffer stets mitreist, auch wenn er ihn kaum noch trägt. Vor fast zwanzig Jahren hat er ihn schneidern lassen, eigens für die Einladung beim Sultan Taymur von Oman und Muskat, der im September 1928 auf Staatsbesuch in London weilte. Nach so vielen vergeblichen Bemühungen wurde Rudolph endlich offiziell in die mütterliche Verwandtschaft aufgenommen. Man konnte ihn danach im Stammbaum der Al-Bu-Dynastie nicht länger ignorieren; es war doch eine Art stillschweigende Versöhnung mit Emily. Drei Jahre später verlieh ihm der Sultan Khalifa von Sansibar den Titel Sayyid, Hoheit, und das setzte ihm, Rudolph Said-Ruete, Sohn der Prinzessin von Oman und Sansibar, gleichsam die Krone auf; es war der Tag, an dem er sich am meisten wünschte, dass seine Mutter noch lebte.

Er muss sich gehörig verrenken, um in Hosen, Hemd, Weste, in die Jacke mit den Schwalbenschwänzen zu schlüpfen. Die Knie- und Hüftgelenke protestieren gegen die Anstrengung, doch er rückt den Vatermörder, Jacken- und Westenrevers vor dem großen Schrankspiegel zurecht, bindet sich die weiße Schleife um. Die Hosen sind zwar ein wenig speckig geworden, aber die Perlmuttknöpfe haben ihren Glanz bewahrt. In den Socken geht er zum Schreibtisch, nimmt aus der obersten Schublade die Schatulle heraus, klappt den Deckel auf. Dort drin liegen sie auf rotem Samt, seine Orden. Sechs sind es, mit geschlossenen Augen, nur durch Betasten würde er sie erkennen: den preußischen Adlerorden vierter Klasse, den Sonnenorden aus Persien, zwei Orden des Osmanischen Reichs, das nicht mehr existiert, den Orden des Strahlenden Sterns aus Sansibar, den Orden der Al Saidi aus Oman. Perlmutt, Email, Silber, Opal- und Diamantenverzierung, kostbar bestickte Bänder. Einen

Orden nach dem andern heftet er sich an die schwarze Jacke. Eine mühsame Arbeit für seine Finger, die nicht mehr besonders geschmeidig sind; er muss die gebogene Nadel sorgsam durch den Stoff führen und dann in der kleinen Halterung einklicken lassen. Den Strahlenden Stern legt er sich am schwarzen Seidenband um den Hals. Bei alldem hat ihm früher Therese geholfen, aber er bringt es, in der doppelten Zeit, auch allein zustande. Dass ihm das Zimmermädchen beistehen würde, ist ausgeschlossen, es würde den alten Mann, der sich offenbar selbst bewundern will, heimlich verlachen. Dann hat er sich fertig hergerichtet, den Haarkranz, der ihm geblieben ist, noch mit Pomade geglättet. Und nun stellt er sich vor dem Spiegel in Positur, er zündet sogar die Stehlampe an, rückt sie an seine Seite, damit das Licht ihn besser modelliert. Ein würdevoller Alter, kein Zweifel, er hat etwas Patriarchalisches an sich, auch wenn ihm die einschüchternde Aura von Ludwig Mond, dem Onkel seiner Frau, fehlt. Aber in diesem Aufzug macht er dem bewunderten Großvater, Said ibn Sultan, den er nur von Bildern kennt, doch alle Ehre. Ja, hier steht er, Rudolph Said-Ruete als öffentliche Person. Einige unter den Mächtigen haben ihn geschätzt. Müde sieht er aus, die Augen verschattet und tief in den Höhlen, um den Mund ein bitterer Zug. Den Schnurrbart müsste er stutzen, vielleicht färben. Exotisches kann man, abgesehen von der langen Nase, an seinen Zügen kaum entdecken; dass er der Mutter ähnelt, haben bloß die Schwestern behauptet und manchmal Onkel Johann in abschätzigem Ton. Hamburger Blut, tscherkessisches, arabisches: diese Mischung hat sein Gemüt weit stärker geprägt als seine Physiognomie und seine Hautfarbe.

Das Äußere, das Repräsentative. Darauf hielt er viel. Aber was zählt es denn am Ende des Lebens? Nun schleichen sich hinterrücks die melancholischen Gedanken an, die er doch gerade zu verscheuchen suchte. So oft hat man ihn missverstanden, ihm vorgeworfen, er wolle sich mit seinen Bemühungen nur profilieren, einen gut dotierten Posten beim Völkerbund oder einer Friedensorganisation ergattern. Alles Mumpitz! Es war ihm ernst, wie sehr litt er darunter, dass England und Deutschland einander in zwei furchtbaren Kriegen zerfleischten. Und wahrhaft krank machte es ihn, dass Juden und Araber in Palästina keine gemeinsame Grundlage für eine friedliche Ko-Existenz fanden. Sogar die nahen Verwandten hatten über ihn den Kopf geschüttelt und seine Gesellschaft gemieden. Der eine Schwager, Troemer, verbot ihm das Haus, der andere, Brandeis, hätte ihn am liebsten zum Duell gefordert.

Er verzieht den Mund zu einer Grimasse. Ja, das ist er auch, der alte Mann im Spiegel: ein Gescheiterter, einer, der versucht hat, gegen den Strom zu schwimmen, und dabei um Atem rang. Keine Orden der Welt ändern etwas an dieser Einsicht. Jetzt erst fällt ihm auf, dass er vergessen hat, in seine Lackschuhe zu schlüpfen; in Socken und Frack steht er da, was für eine Hanswurstiade. Er schließt die Schranktür, bringt damit sein Spiegelbild zum Verschwinden. Rasch zieht er den Frack aus, wirft die Einzelteile über Stuhllehnen. Die Orden lässt er in die Schatulle prasseln, als wären es wertlose Kinkerlitzchen, und legt sie zurück in die Schublade neben den Stapel mit Fotos und Karten, den ein breites Gummiband zusammenhält. Die Verlockung, den bedeutenden Mann zu markieren, wird ihn nun, das weiß er, eine Weile nicht mehr heimsuchen. Er greift nach dem Fotostapel, streift das Gummiband ab und fächert ihn mit dem Daumen auf wie ein Kartenspiel; er zieht das Foto des Leutnants von Dombrowski heraus, versehen mit einer schwungvollen Widmung: »Für Said, dem ich viel zutraue. In Freundschaft, v. D.« Das gutmütige Gesicht mit dem Backenbart, die Uniformjacke mit der doppelten Knopfreihe: an diesem Bild hängt ein ganzer Rattenschwanz von Erinnerungen. Er wehrt sich gegen sie, doch der Weg führt nach Sansibar, wohin denn sonst.

Die Reise verlief unter strenger Geheimhaltung. Niemand in der Kadettenanstalt Lichterfelde wusste, weshalb Said plötzlich für unbestimmte Zeit freigestellt war. Es kamen Befehle von höchster Stelle, Offiziere, die er nicht kannte, holten ihn am frühen Abend ab, hießen ihn das Nötigste zusammenpacken. Außerhalb der Anstalt gaben sie ihm zivile Kleider, die er sogleich im Hinterzimmer eines Gasthofs anziehen musste. Er war in einem Zustand banger Erregung, die sein Gesicht mit roten Flecken überzog. Er ahnte, dass nun Wirklichkeit würde, was die Mutter seit langem geplant hatte. Dazu kam es, weil ihre Pläne sich plötzlich überschnitten mit den Absichten der Regierung. Und mit der machtvollen Unterstützung Deutschlands würde es doch gewiss gelingen, die Versöhnung mit ihrem Halbbruder Bargash zu erreichen, der nun schon lange Sultan war, und ihren Erbanteil einzufordern. Die Scharia gestand zwar einer abtrünnigen Mohammedanerin keine Rechte mehr zu; der Sultan konnte sich aber, wenn er wollte, in einem Gnadenakt darüber hinwegsetzen, das hatten ihr Orientalisten versichert, die sich im islamischen Recht auskannten.

Man brachte Said zum Lehrter Bahnhof, führte ihn durchs Gedränge auf das Gleis, wo der Nachtzug nach Breslau stand. Im Schlafwagen wartete die Mutter mit den Schwestern. Emily hatte sich ausbedungen, dass ihre drei Kinder mitkämen, sie sollten sehen und erleben, woher sie stammte. Außerdem diente der Sohn, das begriff Said erst nachträglich, als Druckmittel in der deutschen Kolonialpolitik. Es ging um die Gebiete in Ostafrika, die seit Jahrzehnten der Kontrolle des Sultanats von Oman und Sansibar unterstanden. Der Reisende und skrupellose Abenteurer Carl Peters, Gründer der Deutschen Kolonialgesellschaft, hatte dort verschiedenen Häuptlingen Verträge vorgelegt und sie dazu gebracht, mit drei Kreuzen der Protektion durch die Deutschen zuzustimmen. Dass sie damit ihren Boden den Fremden zur unbeschränkten Nutzung überließen, konnten sie unmöglich durchschaut haben. Nach einigem Zögern hatte Bismarck beschlossen, die Verträge für rechtens zu erklären und den aufgebrachten Bargash zu ihrer Einhaltung zu zwingen – notfalls mit kriegerischen Mitteln, immer aber im Bestreben, England nicht unnötig zu verärgern. Aber nicht nur die Präsenz deutscher Kriegsschiffe, sondern auch die Möglichkeit, Emilys Sohn als Thronfolger einzusetzen, sollten Bargash zum Einlenken bewegen. Jetzt, sechzig Jahre danach, kam Rudolph diese Taktik schamlos vor, arrogant. Wie konnte ein windiger Kolonialist vom Schlage Peters' mit seinem Betrug den Kanzler und damit ein ganzes Land hinter sich bringen? Und weshalb feierten selbst im Kern vernünftige Leute wie Onkel Johann oder der Lehrer Werth Carl Peters als Helden?

Der Sechzehnjährige indessen, der damals im Schlafwagen stürmisch seine Mutter umarmte, durchschaute solche politischen Zusammenhänge nur ansatzweise. Seine arabisch-afrikanischen Wurzeln waren ihm durchaus bewusst; dennoch imponierte ihm ein Mann wie Peters. Und zugleich hatte er aus Andeutungen der Mutter abgeleitet, dass er, der Enkel des großen Said ibn Sultan, theoretische Aussichten hatte, irgendwann – oder bald? – den Thron in Sansibar zu besteigen. Es war ja eigentlich eine abwegige Idee: er, ein Deutscher, mit der arabischen Sprache nahezu unvertraut, als Herrscher über ein Reich, das er nicht kannte. Abwegig und schmeichelhaft, ja, eine Vorstellung, die ihn mit stolzer Bangigkeit erfüllte.

Aber wie vertraut war ihm der Geruch der Mutter! Das taillierte Sommerkleid roch nach Lavendelseife und ihrem herben Schweiß, die Finger, mit denen sie zärtlich über seine Wangen fuhr, ein wenig nach der Currymischung, die sie seit jeher aus Holland bezog, und aus ihren glatten, dunkel glänzenden Haaren, die sie in der Mitte wieder gescheitelt trug, stieg der Duft nach Kokosöl und einem Hauch Zitrone. Tausend Erinnerungen rief die Umarmung in ihm wach, so dass er sich einen Moment lang wie ein kleines Kind fühlte, das gehalten und geherzt werden wollte. Alle vier fielen sich, nachdem Saids Gepäck verstaut worden war, dauernd ins Wort, so viel gab es, beim Schein der Petroleumlampe, zu erzählen, so viel nachzuholen und vorauszunehmen. Sie befanden sich in der aufgekratzten Stimmung eines großen Aufbruchs, mehr noch, einer Fahrt ins Ungewisse, denn auch Emily wusste nicht, wie man sie auf der Insel empfangen würde.

»Manchmal«, sagte sie, »muss man alles auf eine Karte setzen. Ich habe das schon einmal gemacht, ich tue es wieder.«

Und dann strich sie erneut über Saids Wange: »Du hast da ja schon – wie heißt es? – feine Haare, mein Sohn…«

»Flaum«, warf Rosa lachend ein.

»Flaum«, wiederholte Emily, ins Lachen einstimmend. »Wie die Zeit doch vergeht!«

Die Betten, je zu zweien übereinander, waren schmal, die oberen mussten auf komplizierte Weise heruntergeklappt werden. Sie legten sich in den Kleidern hin, Tony löschte das Licht. Said lag über der Mutter, die im Schlaf aufseufzte, Unverständliches murmelte. Ihn hielt die Aufregung wach. Sie machte ihn überempfindlich; wenn er sich drehte, schmerzte ihn jede Stelle seines Körpers, und alle Laute, die zu ihm drangen – ein Gespräch von Passagieren draußen im Gang, das Läuten einer Stationsglocke, Räderquietschen – erschreckten ihn auf lächerliche Weise. Dann wieder ging der Nachtschaffner mit schweren Schritten vorbei. Lichtbahnen fielen herein, zuckten und glitten über ihn hinweg. Saids Gedanken wanderten ziellos herum. Was würde nun aus ihm? Ein besonderer, ein herausragender Mann? Wäre es nicht einfacher, seinen Platz als Leutnant im deutschen Heer einzunehmen und zu wissen, wohin man gehörte? Das Atmen fiel ihm schwer, er kletterte so leise wie möglich von seiner Pritsche hinunter, öffnete einen Spaltbreit das Schiebefenster, ließ sein Gesicht vom Zugwind kühlen. Als er wieder auf der Pritsche lag, hörte er ein Tappen, ein Herumfingern, das Fenster wurde geschlossen.

»Tony?«, fragte er flüsternd. »Bist du das? Es ist doch so heiß hier drin.«

Sie antwortete im gleichen Flüsterton: »Ich mag es nicht, wenn mein Gesicht angeblasen wird.«

Er musste lächeln. »Kannst du auch nicht schlafen?«

»Es wäre ja ein Wunder, wenn wir es könnten«, sagte sie.

Er horchte nach unten, auf Emilys Atem. »Mutter kann es.«

»Sie ist erschöpft. Hast du das nicht gemerkt?«

»Bitte«, meldete sich Rosa zu Wort. »Jetzt seid doch endlich ruhig, ihr habt mich geweckt.«

Es wurde still, bloß die Geräusche des fahrenden Zuges kündeten davon, dass es voranging und sie irgendwo ankommen würden.

In Breslau, am Morgen früh, stiegen sie um und waren froh um die Hilfe von zwei Gepäckträgern, die jünger waren als Said. Die großen Koffer und Saids Seesack, all die zusätzlichen Taschen und Schachteln nahmen viel Raum ein und ergaben ein beträchtliches Gewicht. Beinahe den halben Haushalt wollte Emily auf dieser Reise dabeihaben. Man könnte ja auf die Idee kommen, vertraute Tony ihrem Bruder an, dass die Mutter beabsichtige, gleich in Sansibar zu bleiben, mit oder ohne Nachwuchs.

Die nächste Umsteigestation war Wien am frühen Nachmittag. Dann ging es weiter über Salzburg und Ljubljana nach Triest. Sie verbrachten eine weitere Nacht im Zug, der Komfort war geringer, sie versuchten auf unbequemen Sitzen ein wenig zu dösen. Im Hotel, das Emily telegraphisch gebucht hatte, trafen sie auf Fräulein Labuske, sie war aus London nach Triest gereist und sollte in den nächsten Wochen Emilys Gesellschafterin sein. Warum die Mutter unbedingt eine Reisegefährtin in ihrem Alter benötigte, war den Kindern nicht klar; sie hatten Ottilie Labuske noch nie gesehen. Emily gab die nebulöse Auskunft, sie kenne sie von früher, aus der Zeit, da sie in Hamburg bei Hansing & Co. angestellt gewesen war. Sie hätten miteinander korrespondiert und schon lange eine gemeinsame Reise nach Ägypten geplant. Den Kindern hatte die Mutter vorher eingeschärft, Ottilie das wahre Ziel noch nicht zu verraten. Aber Said hatte den Verdacht, dass Fräulein Labuske eine von den deutschen Behörden engagierte Aufpasserin war, die möglichst harmlos erscheinen sollte. Immerhin erwies sich schon bald, dass sie über einen trockenen Witz verfügte und überhaupt sehr lebensklug und in Reisedingen erfahren war.

Sie schifften sich auf der ›Venus‹ ein; fünf Tage später legten sie, nach einem Halt in Korfu und bei durchgehend ruhiger See, in Alexandrien an. Es war die erste orientalische Stadt, in die Said eintauchte, ja, er wurde an der Seite Emilys aufgesaugt, verschlungen von ihrem Getriebe, den Menschenmengen, ihrem heiteren Lärm, den engen Gassen, in denen Esel und Ziegen frei herumliefen. Es war alles beängstigend fremd, und es war alles vertraut, als hätten die Erzählungen der Mutter von Minaretten und Palästen längst innere Bilder geschaffen, die sich nun bestätigten. Sie aber, Emily, blühte auf, wie Said es nicht für möglich gehalten hätte. Die arabische Sprache verwandelte sie in einen neuen Menschen voller Kraft, lachend übersetzte sie für die Kinder und das völlig verstummte Fräulein Labuske, wovon die Rede war. Leute umringten sie, Männer, die ihre Dienste anboten, Frauen mit Kopftüchern, und fragten, woher Emily komme. Aus Bagdad vielleicht? Dort spreche man so schön.

Sie mieteten eine Droschke; gestikulierend und mit ratternden Silbenkaskaden handelte Emily den Preis herunter.

Der Weg vom Mastenwald des Hafens in die Innenstadt war gesäumt von zerstörten Häusern. Dauernd musste der schimpfende Kutscher Steinblöcke und Trümmer umfahren, die noch nicht weggeräumt waren. Drei Jahre zuvor hatten die Briten die Stadt vom Meer aus bombardiert und aufständische ägyptische Truppen vertrieben. Ägypten, als autonome Teilrepublik des Osmanischen Reiches, dozierte Said, hatte mit dem Bau des Suezkanals eine gewaltige Schuldenlast angehäuft; Frankreich und Großbritannien, die hauptsächlichen Leihgeber, bestanden auf der Rückzahlung. Das führte zu massiven Steuererhöhungen, dagegen wehrte sich eine Volksbewegung, es kam zu Übergriffen gegen die Briten, was deren Intervention und schließlich, zum Missfallen Bismarcks, die Besetzung des Landes nach sich zog. Während sie in der Droschke hin- und hergeworfen wurden, foppten die Schwestern Said wegen seines angelesenen Wissens, mit dem er nun gerne glänzte. Kein Wunder, dass die Briten hier so verhasst seien, sagte Emily, der Vizekönig sei ja bloß deren Marionette, überall würden sich die Mienen aufhellen, wenn die Leute hörten, dass sie aus Deutschland kämen.

Sie fanden ein billiges Hotel, packten leichtere Kleider aus, gingen dann im Abendlicht spazieren. Sie gerieten dauernd vom Schatten ins Licht und wieder in den Schatten. Unter einer Palme am Strand tranken sie Scherbett mit Minzgeschmack, das ein fliegender Händler ihnen anbot, aßen dunkelbraun geflecktes Fladenbrot. Die Mutter zahlte mit einheimischen Münzen, die auf unbegreifliche Weise in ihre Tasche gelangt waren. Erstmals hörte Said die Rufe der Muezzins. Er sah Männer in der Nähe, die ihren Gebetsteppich ausrollten, sich hinknieten, ganz ausstreckten, wieder aufstanden. Emily wunderte sich; die Beter, sagte sie, müssten sich doch eigentlich in die Moschee begeben, und Said glaubte zu spüren, dass in ihr ein Ziehen und Sehnen nach dem angestammten Glauben war. Ein Anflug von Unglück lief über ihr Gesicht, das vorher so entspannt und fröhlich gewirkt hatte.

In der Nacht wurde Said, der auf einer Matte schlief, mehrmals von Hundegebell geweckt. Ganze Rudel schienen herrenlos durch die Stadt zu streifen, das vielstimmige Bellen schwoll an zu hektischem Kläffen und Heulen, näherte und entfernte sich, verstummte unvermittelt, begann von neuem. Er trat ans offene Fenster, sah den Mond, der durch lichtes Gewölk schwamm; noch nie war ihm der Himmel größer und höher vorgekommen. So weit weg war nun die Kadettenanstalt von Lichterfelde, als wäre sie auf den Grund des Meers gesunken.

Sie segelten weiter nach Port Said. Fräulein Labuske wurde nun ins Bild gesetzt, wohin die Reise in Wahrheit ging. Sie war zunächst aufgebracht, drohte mit Reiseabbruch, fügte sich aber bald; Sansibar, sagte sie, sei doch auch eine interessante Destination, und sie begreife, dass Emily ihre ursprüngliche Heimat wiedersehen wolle. Said hielt diese Beteuerungen für Heuchelei, er war überzeugt, dass Fräulein Labuske von Anfang an Bescheid gewusst hatte.

In Port Said erwartete sie Leutnant von Dombrowski, der Kommandant der ›Adler‹, und brachte sie unverzüglich an Bord des Transport- und Versorgungsschiffs, eines Dreimasters mit zusätzlichem Dampfantrieb, der ursprünglich dazu gedient hatte, Schafe zwischen Bremerhaven und England zu befördern. Das Schiff war von der Kaiserlichen Marine eigens für die Familie Ruete und ihre Begleiterin gechartert worden und nur behelfsmäßig für Passagiere eingerichtet. Noch am selben Abend fuhr die ›Adler‹ mit angezündeten Positionslichtern an der langen Mole vorbei und in den Kanal hinein. Der Besatzung – es gehörten drei Schwarze dazu – wurde Emily als Frau Köhler vorgestellt, die mit ihren Kindern in Geschäftsangelegenheiten von Spanien nach Ceylon reiste. Sie unterhielt sich mit den schwarzen Matrosen angeregt, geradezu beschwingt auf Suaheli, was Dombrowski zu missfallen schien.

Die beiden fensterlosen Kojen, die sich die Reisenden zu fünft teilen mussten, waren eng und feucht; vor allem rochen sie penetrant, wie das ganze Schiff, nach Schafmist. Said hielt sich lieber an Deck auf, wo er freier atmen konnte. Dombrowski, ein umgänglicher Mann mit rotbraunem Backenbart, erteilte ihm sogar die Erlaubnis, dort auf einer Matte zu schlafen.

Die Nacht brach herein, die Lichter von Port Said waren verschwunden, nur der Schein von Lagerfeuern glitt jetzt vorüber. Auf seinen Kontrollgängen blieb Dombrowski häufig bei Said stehen und wechselte ein paar Sätze mit ihm. Manchmal hatten die Frauen ebenfalls das Bedürfnis nach frischer Luft und leisteten Said, einzeln oder zu zweit, für eine halbe Stunde Gesellschaft. Auch die Schwestern konnten kaum schlafen, vor Aufregung oder wegen der Hitze, die in der Nacht lange nicht abnahm. Nur Emily schien sie nichts auszumachen. Sie fühlte sich vom Klima belebt; es sei, sagte sie, als werde sie von etwas tief Vertrautem umfasst.

»Von einem guten Geist wohl«, spöttelte Fräulein Labuske.
»Warum nicht?«, erwiderte Emily. »In unseren alten Geschichten gibt es viele gute Geister, böse auch.«

Unsere alten Geschichten. Von Stunde zu Stunde, so empfand es Said, wurde Emilys deutsche Hülle durchsichtiger, immer deutlicher kam Salme zum Vorschein. Wo würde das enden?

Auch Dombrowski war es zu heiß, doch obwohl er bei den Matrosen Tenueerleichterung zuließ, gestattete er sich selbst nicht, die Uniformjacke aufzuknöpfen oder den Kragen zu lockern. »Man muss als Vorgesetzter«, sagte er zu Said , »die Façon wahren, in jeder Lage. Nur so sind Sie ein Vorbild, das man ernst nimmt. Das werden Sie schon bald erfahren.« Said nickte, er war froh, dass er bloß ein Polohemd und leichte Hosen trug. Das hatte allerdings den Nachteil, dass er oft nach den Mücken schlagen musste, die ihn belästigten.

»Ein Jahrhundertwerk, dieser Kanal«, bemerkte Dombrowski beiläufig beim nächsten Halt. »Leider verdanken wir ihn nicht der deutschen Ingenieurkunst.«

»Fernand de Lesseps«, sagte Said beflissen, »so heißt der Erbauer.«

»Ausgerechnet ein Franzose. Nun ja, uns Deutschen bleibt noch viel zu tun. Wir sollten eine grandiose Idee, von wo sie auch kommt, nicht geringschätzen. Abgesehen davon haben den Kanal Hunderttausende von Ägyptern aus dem Sand geschaufelt, das war nicht Lesseps persönlich.«

Beide lachten, Dombrowski zog sich dann für ein wenig Nachtruhe, wie er sagte, zurück. Said fröstelte nun doch, erstaunlich bei 25 Grad; er schlug die Decke, die ihm Emily gebracht hatte, um sich. Als der Morgen graute, hatte er das Gefühl, keinen Moment geschlafen zu haben. Die Sonne ging auf; die flachen sandigen Ufer auf beiden Seiten des Kanals zeigten sich in immer leuchtenderen Farben, sie wechselten von Violett zu Orangerot und dann zu intensivem Gold, das ein paar Minuten Bestand hatte und bald zum üblichen ausgelaugten Hellgelb wurde. Er hörte die Stimmen der erwachenden Besatzung, das Stampfen und Zischen aus dem Kesselraum, er sah, an der Reling stehend, zwei, drei Schiffe, die der ›Adler‹ folgten, ein anderes vor ihr mit einer langen Rauchfahne, die über sie hinwegwehte, er sah am Ufer Lasten tragende Kamele, die näherkamen und wieder verschwanden, winkende Fellachen in langen weißen Gewändern. Ein Gleiten durch die schleusenlose Wasserstraße, man kam stetig voran und merkte es nur halb. Weit hinter ihm lag der monotone Anstaltsalltag; jemals in ihn zurückzukehren, schien unmöglich.

Von Minute zu Minute wurde es wärmer. Ein junger Matrose, ein Araber, kaum älter als Said, brachte ihm eine Tasse stark gesüßten Tee. Dann erschien auch Dombrowski wieder, gerade als der Kanal sich zu einem See zu weiten begann. Der Leutnant, obwohl am Kinn frisch rasiert und nach Rasierwasser riechend, wirkte leicht verschlafen.

»Der Timsahsee«, sagte er. »Brackwasser, mit Meerwasser vermischt, acht Meter tief. Der große und der kleine Bittersee werden noch folgen.«

Said kehrte reflexartig in die Schülerrolle zurück. »450 Quadratkilometer insgesamt nach dem neuen metrischen System. Aber nicht zu vergleichen mit den großen Seen Afrikas.«

Dombrowski schmunzelte, seine Bartecken zitterten leicht. »Sie haben sich gut vorbereitet auf die Reise.«

Said verbarg seine Verlegenheit. »Im geographischen Sinn, ja. Der Victoriasee ist so groß wie Bayern, oder nicht? Es ist noch nicht lange her, dass Stanley ihn vermessen hat.«

»Wieder kein Deutscher, leider. Vermessen ist wohl ein großes Wort für Stanleys Schätzung. Das Betrübliche ist, dass nun auch rund um den Victoriasee die Briten die Nase vorn haben. Allerdings sind sie durch den Mahdi-Aufstand zurückgeworfen worden, man könnte auch sagen: gedemütigt. Wer hätte das gedacht? Ich muss aber sagen: Ihre Niederlage kommt Bismarcks Gleichgewichtsgedanken entgegen.«

In der Kadettenanstalt war über die Bedeutung des Mahdi-Aufstands hitzig debattiert worden. Fast alle hatten gejubelt, als sich im Februar 1885 die Nachricht von der Eroberung Khartums durch die Mahdisten verbreitet hatte. Said allerdings hatte keine eindeutige Stellung bezogen, er konnte sich auch nicht darüber freuen, dass General Gordon dabei ums Leben gekommen war. Die Briten hatten Emily seinerzeit geholfen, aus Sansibar zu fliehen. Ohne ihre Hilfe hätte sie möglicherweise ihr Leben verwirkt; er fühlte sich ihnen gegenüber zu einer Art Restdankbarkeit verpflichtet.

»Der Kanzler«, fuhr der Leutnant fort, »hat uns nun doch schon zu einer langen Friedensperiode verholfen.« Er dämpfte den Ton. »Kleineren Waffengängen in den Kolonien können wir nicht aus dem Weg gehen, das liegt auf der Hand. Aber in Europa werden sich die Großmächte, dank Bismarck, nicht mehr die Köpfe einschlagen. Die Folgen wären, angesichts der modernen Waffen, unabsehbar.«

Said nickte auf eine beflissene Weise, die er an sich selbst nicht mochte. Im Nacken glaubte er einen Atemhauch zu spüren. Er drehte sich um und bemerkte erst jetzt, dass Dombrowski nicht bloß zu ihm geredet hatte. Seine Schwestern, beide mit breitkrempigen Sonnenhüten, waren lautlos hinzugetreten und schräg hinter ihm stehen geblieben.

»Sehr verehrte Fräuleins«, wandte der Leutnant sich direkt an sie. »Man darf doch wohl hoffen in diesen Zeiten. Auch unsere Fahrt, unsere Mission dient dem Frieden. Wir müssen im ostafrikanischen Raum den Briten unsere Stärke entgegensetzen, damit sie ihre Expansionsgelüste zügeln.« Und nach einer effektvollen Pause: »Haben Sie gut geruht, mes Demoiselles?«

Tony seufzte und verdrehte die Augen. »Wenn man das so nennen will.«

Resolut trat Rosa einen Schritt vor. »Verpassten Schlaf kann man immer nachholen.«

»Dafür«, sagte Tony, »ist es sehr schön, am Morgen früh die Wüste vorbeiziehen zu sehen.«

»Da drüben ist eine Stadt und keine Wüste«, sagte Rosa und wies auf die Häuserreihe, die am Horizont erschienen war.

»Ismailia«, sagte Dombrowski. »Eine Neugründung. Mehr als die Hälfte des Kanals liegt hinter uns. Am Abend fahren wir an Suez vorbei und sind im Roten Meer.«

»Ist es denn sehr rot?«, fragte Rosa scherzhaft.

Ein Vogelschwarm kreiste über dem Schiff, flog dann in Dreiecksformation landeinwärts; die Vögel waren langschnäblig, schimmerten weiß im Frühlicht. Kraniche? Niemand wusste es genau. Ein leichter Wind ging, in dem sich einzelne Möwen wiegten, er reichte nicht aus, um Segel zu setzen. Von unten, aus der Kabine, hörte man Emily rufen: »Rosa, Tony, wo seid ihr?« Sie war also auch erwacht.

5

Du solltest auch nicht denken, mein Bruder, dass Fremde Dich besser beraten können als Deine Schwester, die Dich wahrhaft liebt. Wenn Du mir und meinen Kindern einen Gefallen erweisen willst, dann erlaube uns, zu Dir zu reisen. Wenn Du das tust, wirst Du nichts verlieren und nichts bereuen, solange Du auch lebst.

Sieben Tage dauerte es, bis sie Aden erreichten. Zwischenhalte hatte die kaiserliche Marinebehörde verboten. In dieser Zeit entstand zwischen Said, knapp sechzehn, und dem um zehn Jahre älteren Leutnant eine Freundschaft, die etwas kumpelhaft Brüderliches hatte und manchmal auch der Beziehung zwischen Lehrer und Schüler glich. Sie unterhielten sich über die deutsche und die Weltpolitik, über den Lehrstoff in Lichterfelde, über ihre Karriereaussichten, sogar darüber, wie sich eine passende Gattin finden ließe und in welchem Alter man am besten eine Familie gründen sollte. Heikle Themen umgingen sie, das andere Geschlecht existierte als Zukunftsaussicht und keineswegs als körperlich fassbares Wesen, auch bei Dombrowski nicht, der möglicherweise schon einschlägige Erfahrungen gesammelt hatte. Auf die Koketterie, in der sich die fünfzehnjährige Rosa versuchte, antwortete er jedenfalls nur in höflichen Floskeln. Hingegen spielte er zwischendurch gerne mit listigem Ausdruck darauf an, dass dem Kadetten Said noch ein ganz anderes Schicksal bevorstehen könnte, und Said gab sich Mühe, den Leutnant zu überhören oder ihn vom Thema abzulenken.

Dass Aden – auch diese Hafen- und Handelsstadt war von den Briten dominiert – für die Mutter eine besondere Bedeutung hatte, wusste Said aus Erzählsplittern, Hinweisen, Andeutungen. Salme war hier nach ihrer Flucht allein angekommen, sie war, als Heinrich endlich bei ihr eintraf, zum Christentum übergetreten, sie hatte den Namen Emily angenommen und anschließend Heinrich geheiratet. Wie groß musste eine Liebe sein, damit sie einen Mann, eine Frau dazu brachte, ihr ganzes bisheriges Leben aufs Spiel zu setzen? Und wäre er, Said, selbst zu einer solchen schrankenlosen Liebe fähig? Er zögerte, entschied sich für ein Nein, fügte aber gleich mit klopfendem Herzen hinzu: vielleicht doch. Auf jeden Fall würde er seine Liebe einer einzigen Frau schenken. Das Bild eines orientalischen Harems, das er in einer illustrierten Gazette gesehen hatte, diese Reihe halb entblößter Schönheiten, die vor ihrem Herrscher posierten, fand er geschmacklos; er hatte es trotzdem lange und mit wachsender Beunruhigung betrachtet.

Ein Boot lotste sie zu einem freien Ankerplatz, aus anderen Booten erschallte das Geschrei von Händlern, die frische Fische anboten, Gebäck, Früchte. Die Mutter stand neben Said an der Reling, fasste nach seiner Hand. Er fragte scheu: »Hier bist du also gewesen, mit meinem Vater?« Die Sprache blieb ihr weg, sie rang mit sich, sagte schließlich: »Wir sind bald abgereist.« Kein Wort mehr. Wie es für sie gewesen war, ihrem Glauben abzuschwören, hätte er wissen wollen, was es bedeutet hatte, mit diesem Mann in eine unbekannte Zukunft zu reisen, doch er fragte nicht weiter, er unterzog sich dem unausgesprochenen Schweigegebot, an das sich auch die Schwestern hielten.

Sie mussten sich tagelang gedulden, ehe der Befehl zur Weiterfahrt eintraf. Es war den Passagieren nicht erlaubt, an Land zu gehen, so blieb es Emily verwehrt, die Kinder zum Haus zu führen, in dem sie monatelang auf Heinrich gewartet hatte. Sie konnte oder wollte es ihnen auch nicht vom Schiff aus zeigen; das Anwesen sei, behauptete sie, hinter Bäumen versteckt.

Die Hitze wurde unerträglich, von einer Morgenkühle konnte man, besonders bei Windstille, kaum noch reden. Nun schliefen auch die Schwestern und die beiden Frauen auf dem Oberdeck. Ihr Bereich wurde durch aufgespannte Segeltücher dem Blick der Männer entzogen, von dort her hörte man halblaute Stimmen, Gekicher, Ausrufe der Mädchen, dann wieder die Klagen von Fräulein Labuske, die am meisten unter der Hitze litt. Ihr bleiches Gesicht war tagsüber von Schweiß überströmt, ununterbrochen tupfte sie ihn mit Taschentüchern weg, die sie zum Trocknen an eine Wäscheleine hängte. Wer war sie? Das blieb nach wie vor ein Rätsel, sie gab nichts von sich preis, außer dass sie Sekretärin im Londoner Kontor von Hansing & Co. sei, und das glaubte Said ihr nur halb.

Dombrowski hatte seine Schlafmatte nun neben der von Said ausgebreitet; ihre Zwiegespräche wurden nachts persönlicher, auch sie senkten die Stimme zum Flüstern. Der Leutnant erzählte, dass seine aus Danzig stammende, einstmals vermögende Familie verarmt sei und er sich verantwortlich fühle, zumindest für seine Mutter und die kleineren Brüder zu sorgen; er versuche deshalb, in der Marinehierarchie möglichst rasch voranzukommen. Auch er habe als Kadett gelitten, da müsse man hindurch. In der zweiten Nacht bekannte er zögernd, sein Vater, Erbe eines Möbelhauses, habe das Firmenkapital durch riskante Spekulationen verpulvert und die Schande nicht ertragen, er sei in seinem Büro tot aufgefunden worden, die Pistole noch in der Hand. Obwohl er den Toten erst im Sarg sah, habe er dieses Bild nie vertreiben können. Die Mutter sei schwermütig geworden. Jahrelang habe sie sich zuvor mit ihrem Mann wegen seines Lebenswandels gestritten. Er, der Sohn, habe ihnen durch die Wände zuhören müssen, da sei er eigentlich froh gewesen, dass nach dem Tod des Vaters das nächtliche Gezänk aufgehört habe. Said selbst berichtete dann so sachlich wie möglich vom Unfalltod seines Vaters, an den er sich nicht erinnern konnte; sie waren also beide vaterlos, das verband sie noch mehr.

Said überlegte sich oft, ob er so werden wollte wie der Leutnant, klug, freundlich und diszipliniert, mit klaren Zielen vor Augen. Ja, Dombrowski war ein Vorbild, einen solchen Weg konnte er einschlagen, wenn ihn nicht ein ganz anderes Schicksal plötzlich weit emporhob. Diese Vorstellung war wie ein Feuerwerkskörper, der am Nachthimmel explodiert. Die Farben sprühen und glühen, verlöschen nach wenigen Sekunden; in den Ohren bleibt der Nachhall des Knalls, der einen erschrecken lässt. Er als Sultan? Unmöglich. Aber wenn doch, sagte er sich wachträumend, dann würde er die Mutter zur engsten Beraterin ernennen, sie müsste ihm Arabisch und Suaheli beibringen, ihn in die Bräuche Sansibars einführen, und er, der junge Sultan, würde einen Ruf erringen als Friedensstifter und alle Konflikte auf der Insel beilegen.

Endlich kam das Signal zur Weiterfahrt. Die ›Adler‹ ging unter Dampf, und die Passagiere waren erleichtert, dass nun ein Windzug über sie hinstrich. Kaum jedoch lag Aden hinter ihnen, wurde der Wind böig. Wolkenberge bauten sich auf, die Wellen stiegen höher von Minute zu Minute, und als die ersten über Deck schlugen, flüchtete die Reisegesellschaft sich in die Kabinen, in den kleinen Salon; nur der Leutnant harrte mit zwei Matrosen beim Steuer aus. Die ›Adler‹ wurde hochgehoben, in die Wellentäler geworfen, es war wie der torkelnde Tanz eines Betrunkenen. Saids Magen rebellierte, er erbrach sich so oft, dass er sich bloß noch halb lebendig fühlte. Den anderen erging es ähnlich. Auch Emily, die schon Stürme erlebt hatte, lag stöhnend auf ihrer Pritsche. Die Schwestern wollten zeitweise nur noch sterben, damit das Elend ein Ende habe. Fräulein Labuske schluchzte erbärmlich und verwünschte sich, diese Reise angetreten zu haben. Überallhin floss und sickerte das Salzwasser, schon nach wenigen Stunden war auch unter Deck kein Fleck mehr trocken. Der Koch indessen ging unangefochten und breitbeinig von Krankenbett zu Krankenbett, brachte Trost und lauwarmen Tee, und alle paar Stunden erschien Dombrowski bei Said, übermüdet und völlig durchnässt trotz des Ölzeugs, das er trug. Er setzte sich eine Weile zu ihm (länger als zu den Schwestern), er sagte voraus, das Wetter werde bald besser, und beim dritten oder vierten

Kurzbesuch, als Said seine Todesangst nicht mehr verbergen konnte, beugte er sich über ihn und murmelte: »Mein Junge, mein Junge, es kommt alles gut.«

Nach der ersten Sturmnacht besserte sich der Zustand der Seekranken; der Körper schien sich ans unaufhörliche Rollen und Stampfen zu gewöhnen. Said aß sogar ein wenig Zwieback, ohne dass er sich gleich wieder übergab. Dombrowski berichtete mit einem stolzen Lachen, er binde sich im Steuerhaus fest, damit er nicht plötzlich weggeschwemmt werde, und er versuche, in der ablaufenden Gischt Muster zu erkennen, weiße Girlanden, so etwas wie Schönheit im Toben ringsum. In solchen Momenten erschien er Said als Held, der allen Gefahren trotzte.

Man fand sich im Salon zusammen, unter Regenschirmen, ein Anblick, der bei der Besatzung für forcierte Heiterkeit sorgte. Man fror, obwohl das Wasser warm war, viel wärmer als die Nordsee im Sommer; Fräulein Labuske klapperte mit den Zähnen. Sie muss alles übertreiben, dachte Said, zitterte aber selbst an allen Gliedern. Der Ofen ließ sich nun wieder befeuern, man trank Tee mit einem Schuss Rum. In der Südsee, behauptete einer, gebe es noch viel schlimmere Stürme, Taifune, bei denen die Wellen kirchturmhoch daherkämen, und er habe mit eigenen Augen gesehen, wie Eingeborene, nichts als ein Brett unter sich, auf solchen Wellen ritten wie auf blindwütigen Riesenhengsten.

»Wozu denn?«, fragte Said.

»Um sich zu beweisen, dass es möglich ist«, erwiderte Dombrowski, der eine nasse Decke über seine nasse Uniformjacke gebreitet hatte. »Das will der Mensch: das scheinbar Unmögliche erreichen. Darum hat er es so weit gebracht.«

»Sehr, sehr weit«, grollte Fräulein Labuske. »Bis mitten in dieses Desaster.«

Doch der Sturm – es war der dritte Tag – flaute ab, und wie durch ein Wunder lag die See am nächsten Morgen unschuldsvoll da, beinahe glatt, von prächtigem Türkisblau, die Sonne stach, als müsse sie ihre tagelange Abwesenheit wettmachen. Endlich ließen sich die nassen Sachen trocknen, sogar die Kleider am Leib trockneten so rasch, dass sie zu dampfen schienen. Nur die Salzkruste, die übrigblieb, fühlte sich auf der Haut unangenehm an. Said fand, er habe ein großes Abenteuer überstanden; war es nicht vielleicht eine Mutprobe gewesen, die ihn für höhere Aufgaben prädestinierte?

Die ›Adler‹ setzte ihre Segel und glitt rascher voran. Dennoch zog sich die Reise für Said zu lange hin, er wurde ungeduldig, er wollte Klarheit, was mit ihm geschehen würde, und war geradezu erlöst, als die Insel Pemba, nördlich von Sansibar, endlich in Sicht kam. Reglos, mit flachem Atem schaute die Mutter hinüber zur Küstenlinie, sie wirkte bedrückt und zugleich aufs äußerste gespannt. »Noch drei Stunden bis Sansibar«, sagte sie, kaum vernehmlich.

Gegen Abend, bei einbrechender Dunkelheit, erreichten sie die Nordwestspitze der Insel und segelten weiter nach Süden. Dombrowski getraute sich der Sandbänke wegen nicht, den Hafen von Stonetown, Sansibar-Stadt, bei Nacht anzusteuern, so trieb die ›Adler‹ mit eingezogenen Segeln draußen vor dem Leuchtturm. Während ihre Kinder schliefen, blieb Emily, so erzählte es hinterher Dombrowski, starrköpfig an der Reling stehen, als wollte sie keinen Augenblick der Annäherung versäumen. Es wurde Tag, und die Palmenreihen und die Mangobäume, von denen sie so oft erzählt hatte, zeigten sich in schönstem Grün. Im Morgenlicht leuchtende Steinhäuser, eins ans andere gebaut, säumten den Ufergürtel; in der Bucht schwammen einzelne Dhaus und kleine Boote. An der Mole hatten sich Leute versammelt, die darauf warteten, dass das deutsche Schiff vor Anker gehen würde. Emily rief die Kinder herbei, zog sie, den Sohn auf der einen, die Töchter auf der anderen Seite an sich. Ihr Gesicht war hell, wie bloßgelegt, die Tränen, die ihr über die Wangen liefen, zeugten von Glück, nicht von Trauer (oder doch, fragte sich Said, ein wenig von beidem?). »Schaut«, sagte sie. »Das ist meine Heimat.« Dieses Wort, das sich nur ungenau ins Arabische übersetzen ließ, hatte sie schon in Hamburg gelernt. Es bedeutete all die Gerüche, Klänge, Farben, die sie so viele Jahre vermisst hatte. Die Kinder schwiegen, Said spürte den Auftrag, die Insel ebenfalls zu einem Teil seiner selbst zu machen. Und doch sträubte er sich unmerklich, als die Mutter ihn noch näher an sich ziehen wollte.

Dombrowski eröffnete ihnen, dass sie erst in den Hafen einfahren dürften, wenn das Geschwader der Kaiserlichen Marine eingetroffen sei, Admiralsbefehl. Wie lange das dauern werde, fragte Said anstelle der Mutter.

Dombrowski bemühte sich um Optimismus: »Ein paar Tage höchstens.«

»Das ist lange«, sagte Emily, »jeder weitere Tag ist einer zu lang.«

Das Warten dauerte elf Tage. Die ›Adler‹ segelte südwärts um die Insel herum, ließ sich an der Ostküste treiben und korrigierte den Kurs nur, um nicht mit einer Sandbank oder einem Felsen zu kollidieren. Eine merkwürdige Zeit voller

Hoffnungen und unbestimmter Ängste, die Said in der Nacht bisweilen den Atem abschnürten oder ihm Träume bescherten, in denen er von Maskierten verfolgt und verschleppt wurde. Gleichzeitig rückte die vaterlose Familie zusammen; Said schien es manchmal, sie seien umgeben von gläsernen Wänden, an denen die Annäherungsversuche der anderen abflossen wie Regen. Oft saßen sie bei brütender Hitze – man gewöhnte sich allmählich an sie – im kleinen Salon um ein rundes Tischchen. Dort wurden sie tagsüber von niemandem behelligt. Said musste sich anstrengen, aus diesem Schutzraum einen Ausgang zu finden und zwischendurch mit Dombrowski ein paar Worte zu wechseln. Fräulein Labuske fühlte sich ausgeschlossen und beschwerte sich darüber; sie sei doch, klagte sie, mitgereist, um Emily Gesellschaft zu leisten, nicht, um von ihr gemieden zu werden.

Worüber sprachen sie in diesen elf Tagen? Hundert Mal über das Gleiche: über die Aussicht einer Versöhnung Emilys mit ihrem Bruder, dem Sultan Bargash, über die Chance, dank des militärischen Drucks der Deutschen ihr Erbteil zu bekommen, über die Vorfreude, die alten Gefährtinnen zu treffen. Die Mutter behielt ihre Geheimnisse nach wie vor für sich, streute aber verschwenderisch Anekdoten aus ihrer Kindheit vor sie hin: Auf einem schneeweißen Esel war sie geritten, drei Plantagen hatte sie nach dem Tod des Vaters verwaltet, als Vierzehnjährige schon. Aber man denke sich: In Hamburg war sie als Witwe bevormundet worden, man traute ihr nicht zu, ihre finanziellen Angelegenheiten selbst zu meistern. Wie ungerecht! Wie lächerlich! Zu Saids Zukunft gab es bloß Andeutungen, ein verschmitztes Lächeln, das besagte: Ja, du bist doch eigentlich zu Höherem geboren, und Said zuckte mit den Achseln, schnitt eine skeptische Grimasse: »Vergesst das!« Bei alldem kam es auf den Tonfall an, die Satzmelodie, die Blicke des Einverständnisses: Wir gehören zusammen, wir lassen nicht zu, dass jemand einen Keil zwischen uns treibt.

Die Zeit schien stillzustehen während dieser elf Tage, die zu einer einzigen großen Erwartung verschmolzen, zur Gewissheit vom Kommenden, das sie alle verwandeln würde. Das einzige Sinnvolle in diesem Niemandsland war Emilys Suaheli-Unterricht. Jeden Tag mussten die Kinder ein paar neue Wörter lernen; sie sollten sich, sagte ihre Mutter, an Land behelfsmäßig verständigen können, das sei das Mindeste an Respekt, den sie ihrer zweiten Heimat schulden würden.

Am 11. August wurde ein Schiff gesichtet, Passagiere und Besatzung versammelten sich an Deck, und Dombrowski meldete, es handle sich um die ›Ehrenfels‹, ein Versorgungsschiff des deutschen Geschwaders, das nun bei mittlerem Wellengang längsseits kam. Signale gingen hin und her, man verständigte sich durch Megaphone. Das Geschwader, verstand der Leutnant, liege schon seit Tagen im Hafen von Stonetown, die ›Adler‹ habe Befehl, sich ihm so rasch wie möglich anzuschließen. Jetzt galt es ernst, Said war so schwindlig vor Aufregung, dass er kaum noch einen Fuß vor den anderen brachte. Dombrowski befahl, unter Dampf zu gehen. Aus Mangel an Kohle kamen sie langsamer voran, als der Leutnant gewünscht hätte, er musste doch wieder auf den Wind setzen.

Am nächsten Morgen erreichten sie den Hafen, die ›Adler‹ wurde zu ihrem Platz gelotst. Vier deutsche Kriegsschiffe lagen vor Anker, die Geschütze auf die Festung des Sultans gerichtet. Indessen sah man am anderen Ende der Bucht auch zwei Korvetten der englischen Marine, und Dombrowski sagte zu Said, man müsse nun mit äußerster Vorsicht zu Werke gehen, sonst riskiere man einen internationalen Konflikt. Der britische Konsul in der Stadt schicke bestimmt schon anklagende Depeschen nach London, und doch müsse das Geschwader beim Sultan durchsetzen, dass er die Gebiete in Ostafrika, die Deutschland vertraglich zugesichert seien, endgültig aufgebe. Der Kommodore Paschen kam an Bord, ein stolzer Mann, vor dem der Leutnant in Haltung und Sprache zu schrumpfen schien. Paschen gab sich jovial, er begrüßte Emily mit Handkuss, nannte sie Gnädige Frau; die zu Schlitzen verengten Augen jedoch behielten etwas echsenhaft Kaltes. Es erstaunte Said nicht, dass er der Familie bis auf Widerruf strengstens untersagte, an Land zu gehen: Frau Ruetes Anwesenheit an Bord müsse streng geheim bleiben, es seien wichtige politische Entwicklungen im Gange. Erst Admiral Knorr, der sich in allerhöchstem Auftrag auf der S.M.S. ›Bismarck‹ der Insel nähere, werde die Verhandlungen mit dem Sultan führen und danach entscheiden, was zu geschehen habe. Das klang alles rätselhaft, es könne, sagte Dombrowski bedrückt, auch auf kriegerische Handlungen hindeuten. Wolle Gott, fügte er hinzu, dass es nicht so weit komme!

Wieder die Warterei, unerträglich jetzt die Enge im Schiff. Emily zog es mit Macht an Land, doch sie musste sich den Befehlen beugen. »Bin ich denn nicht frei?«, fragte sie klagend die Kinder und mit Erbitterung den verlegenen Leutnant. Nein, sie war nicht frei, sie hatte ja eingewilligt, sich auf dieses Unternehmen einzulassen und Befehle zu befolgen. Fräulein Labuske grenzte sich ab, indem sie an Deck, auf einer Holzkiste sitzend, stundenlang in ihr Tagebuch schrieb. Einmal bemerkte sie zu Said, sie bereue es, dass sie sich zu dieser Reise habe überreden lassen, und dann fügte sie ungewohnt aggressiv hinzu, er, Said, solle gescheiter vom hohen Ross heruntersteigen, er werde von der Politik doch bloß ausgenützt. Said blendete ihre Worte aus. Er schaute gebannt hinüber zum Ufer, er sah die Palmenwipfel, deren Schwanken einem Winken glich, die dicht gedrängten Steinhäuser dahinter, er sah die Boote, die, mit Lebensmitteln und anderer Fracht beladen, zwischen der Mole und den Schiffen hin und her fuhren, er hörte die Rufe, die durch die Luft schwirrten. Kaum noch reagierte er, wenn die Schwestern ihn anredeten. Auch der Leutnant vermochte ihn nicht aus seiner Versunkenheit zu holen.

Als Admiral Knorr in Sansibar eintraf, schienen sich die Dinge zu bessern. Er verhielt sich, im Gegensatz zum Kommodore, trotz seiner Goldtressen und seines Zweispitzes wie ein Zivilist, scherzte mit den Kindern und mit Emily, deren aparte Schönheit er, wie er sich ausdrückte, außerordentlich bewundere. Ohne weiteres gestattete er den Landgang, ordnete aber an, dass Emily von bewaffneten Offizieren begleitet wurde, sie sollten etwaige Übergriffe auf die Abtrünnige verhindern.

Für Emily war diese Erlaubnis erlösend; sie begann, als sie am nächsten Morgen ins Beiboot geklettert war, fassungslos zu weinen, streckte die Arme nach dem Festland aus, ließ sich dann von den Töchtern beruhigen. Said wandte sich von ihr ab, er wollte sich vom Tränenstrom der Mutter nicht mitreißen lassen. Aber so viel er später auch an Neuem erlebte, nichts glich der ersten Landung im Hafen von Stonetown, nie waren die Eindrücke so übermächtig, die Gerüche, der Stimmenwirrwarr so stark und berauschend. Es war ganz anders als in Alexandrien oder Port Said. Vielleicht lag das am Wissen, dass die Mutter hier geboren und aufgewachsen war, vielleicht am verwirrenden Gefühl, dass ein Teil von ihm, dem deutschen Kadetten, eigentlich hierher gehörte.

Kaum waren sie, ohne Ottilie, an Land, wurden sie von einer erwartungsvollen, laut schwatzenden Menge umdrängt, viele Schwarze – darunter Sklaven, wie einer der Offiziere missmutig bemerkte –, hellhäutige Araber, Hindus mit Turban, hier und dort verschleierte Frauen in bodenlangen Gewändern, jüdische Ladenbesitzer mit Käppchen. Die Eskorte musste ihre Säbel ziehen, um besonders Zudringliche daran zu hindern, Emily zu berühren. Nun wussten alle, wer da aus dem Boot gestiegen war; die »sekrete Ladung«, wie Admiral Knorr die Ruetes scherzhaft genannt hatte, war schon vorher durch Gerüchte enttarnt worden. Viele erkannten Emily, riefen ihren angestammten Namen: Salme! Salme!, luden sie in ihr Haus ein. Emily grüßte, wehrte ab, sprach nach allen Seiten auf Arabisch und Suaheli. Sie wollte in die Innenstadt, aber man kam nur langsam voran, dauernd strömten noch mehr Neugierige und Schaulustige herbei. Said, Tony, Rosa, gleichermaßen fasziniert wie unsicher, blieben nahe bei der Mutter. Später, als sie wieder auf der ›Adler‹ waren, gestand Emily, unglaublich sei es für sie gewesen, sich unverschleiert, in europäischer Kleidung durch die vertrauten Gassen zu bewegen, sie sei sich nahezu nackt vorgekommen, ungeschützt trotz der sorgsamen Bewachung.

Wie es denn möglich sei, fragte Rosa, dass man sie erkannt habe.

»Oh«, lachte Emily, »du weißt nicht, wie genau wir auf die Haltung, die Art der Bewegung, die Stimme achten. Die Frau zeigt ihr Gesicht nur innerhalb des Hauses.« Sie zögerte vor dem nächsten Satz. »Auch euer Vater hat es lange nicht gesehen.« Und als ob sie dieses Geständnis bereue, fügte sie ernster, ja bedrückt hinzu, dass ihr bewusst geworden sei, wie stark die Zeit Dinge verändere, innere und äußere. In neunzehn Jahren sei sie deutscher geworden, als sie gemeint habe; aber die sansibarischen Wurzeln seien nicht einfach gekappt, angeschnitten seien sie nur. »In diesen neunzehn Jahren«, fuhr sie fort, »hat sich die Stadt zu ihrem Nachteil verändert. Es gibt mehr Unrat in den Gassen, man lässt die Häuser verfallen.«

»Ist es nicht deswegen«, fragte Said, »weil du die Dinge heute anders siehst? Jetzt hast du dich doch an unsere Ordnung gewöhnt, da siehst du das Unordentliche deutlicher.«

Beinahe brauste Emily auf. »Ach was! Ich habe in den Armenquartieren von Hamburg größeres Elend gesehen als hier. Und außerdem...« Sie brach ab und weinte lautlos. Tony legte den Arm um sie, Dombrowski, der zugehört hatte, zog sich verlegen zurück. Fräulein Labuske holte für Emily ein Glas Wasser, in das sie ein wenig Rum goss, denn sie war überzeugt, das helfe gegen Schwäche und nutzlose Melancholie. Sie selbst, Ottilie, trank den Rum abends manchmal pur, das hatte Said durch Zufall gemerkt, und er fragte sich, ob es auch in ihr einen geheimen Kummer gebe, den sie zu vergessen suchte.

6

Gott weiß, mein Bruder, dass ich nichts anderes möchte, als Dir mit allem, was ich inzwischen in Europa gelernt habe, von Nutzen zu sein. Glaub mir das.

Die Ausflüge an Land wiederholten sich nun von Tag zu Tag; sie galten hauptsächlich dem Versuch, Emilys Halbbruder zu einem Treffen zu bewegen, und blieben ergebnislos. Bargash antwortete weder auf ihre Briefe noch auf das Ersuchen des deutschen Konsuls, der Sultan möge doch zumindest die Notlage seiner verwitweten Schwester mildern. Emily war sogar bereit, von ihrer ursprünglichen Erbforderung, die sich auf 20 000 Pfund belief, abzusehen. Diese Summe enthielt im Übrigen auch den Schätzwert der Sklaven, die ihr persönlich gehört hatten. Dieses unangenehme Faktum vernebelte der Konsul absichtlich. In Sansibar war der Sklavenhandel, auf Druck der Briten, inzwischen verboten worden, Sklavenbesitz aber nach wie vor zulässig. Bargash wusste auch so, worum es ging. Immerhin erklärte er sich bereit, dem deutschen Kaiser 500 Pfund zur Verfügung zu stellen, die er nach seinem Belieben weitergeben solle, womit gemeint war: an die Ruetes. Diesen schäbigen Handel, wie sie es ausdrückte, lehnte Emily empört ab und hoffte immer noch auf eine Versöhnung mit Bargash. Zu ihrem Entsetzen vernahm sie, dass er Untertanen, ausschließlich Schwarze, die sich allzu nahe an sie herangewagt hatten, auspeitschen ließ. In der Menge, die ihr an Land folgte, befanden sich stets auch Spitzel des Sultans, deren Hinweise jeweils zu Verhaftungen führten. Allein dies hätte Emily zeigen müssen, wie die Dinge wirklich lagen.

So spazierten sie, im August 1885, gefolgt vom Kometenschweif der Neugierigen, Tag für Tag am Hafen entlang und durch die Gassen, vorbei an den Haremsgebäuden, in denen sich Fensterläden öffneten und verschleierte Frauen die alte Bekannte vorsichtig grüßten; andere lockten: »Komm zu uns zurück, Salme, du gehörst zu uns.« Nun war auch Fräulein Labuske dabei, ganz in Weiß und beeindruckt von der Ehrerbietung, die ihrer Freundin galt. Sie ging stets einen Schritt hinter ihr her und hielt, wenn die Sonne hoch stand, einen Sonnenschirm über sie. Die Geschwister bildeten eine eigene Gruppe, sie taten so, als ob das Aufsehen sie nicht kümmere, verkürzten oder verlängerten scheinbar zufällig den Abstand zur Mutter. Sie nahmen sich damit eine kleine Freiheit heraus, die sie nicht gefährdete, standen sie doch unter dauernder Bewachung. Nicht nur zwei, drei deutsche Offiziere begleiteten sie diskret, auch Polizisten des Sultans hielten sich in ihrer Nähe auf.

Den Bruder sah Emily von weitem einige Male, wenn er am frühen Abend während der Parade auf den Balkon des Sultanspalasts trat und in würdiger Haltung zuhörte, wie seine Blaskapelle die sansibarische Nationalhymne spielte, kreuzfalsch an schwierigen Stellen, wie Said fand. Sein Onkel war ein sehr beleibter Mann, mit schwarzem Bart und schwarzem, golddurchwirktem Oberhemd, unter dem sich ein weißer Rundkragen zeigte; sogar den riesigen Diamanten, den er angeblich am Finger trug, glaubte Said in den Strahlen der Abendsonne aufglänzen zu sehen. Jeder dieser Landgänge war für ihn wie der Auftritt in einer unwirklichen Kulisse, die sich dann bei jedem Schritt als real erwies, und manchmal meinte er, in einen Traum geraten zu sein, der ihn gefangen hielt.

Eines Tages fasste Emily einen Entschluss. Sie wollte versuchen, direkt zum Bruder vorzudringen, der doch einer ihrer liebsten Spielgefährten gewesen war. Bloß zwei Offiziere, das handelte sie mit dem Kommodore aus, sollten ihr auf diesem Bittgang folgen, und von den Kindern wollte sie nur Said dabeihaben, Bargash könne es ihr doch nicht abschlagen, ihm seinen wohlgeratenen Neffen vorzustellen. Paschen hielt entgegen, damit fordere sie lediglich Bargashs Zorn heraus. Sie fragte zurück, was ihr denn übrig bleibe, nachdem Deutschlands Unterstützung nur noch lauwarm sei. Es war fruchtlos, sie umstimmen zu wollen; zudem fühlte Paschen, der mehr wusste als Emily, sich ihr gegenüber wohl in der Schuld.

Es war später Morgen, der rötliche Sandplatz vor dem Palast leer, scharf geteilt in Licht und Schatten. Alle paar Schritte versuchten die Palastwachen, Emily und Said aufzuhalten. Doch Emily schimpfte mit ihnen; vor ihrer erlernten Pose als Prinzessin gaben sie klein bei und ließen sie passieren. Die deutschen, zu ihrem Schutz abkommandierten Offiziere blieben im Außenbereich des Palasts stehen, sie hatten den Befehl, erst in einer Notsituation einzugreifen. Emily und ihr Sohn kamen unbehelligt durchs erste Tor. Beim zweiten, das in den Innenhof und zu Bargashs Privatgemächern führte, ließ man sie lange warten, doch ein hochgestellter Kammerherr hörte sich Emilys Bitte an und versprach ehrerbietig, Ihrer Hoheit Bescheid zu sagen. Said vernahm das Plätschern eines Springbrunnens, Vogelgezwitscher, in den Fenstern ringsum tauchten Gesichter auf, verschwanden wieder. Ihm war heiß, der Schweiß brach aus allen Poren. »Er wird uns empfangen, du wirst sehen«, sagte Emily zu Said. Man brachte Stühle für sie herbei, Erfrischungen, die sie ablehnten. Sie saßen schweigend Seite an Seite. Emily stellte ihre Füße, die in europäischen Sandalen steckten, gerade nebeneinander, ihr Atem war laut und ging immer schneller.

Endlich erschien der Kammerherr wieder mit bedauernder Miene. Überaus höflich richtete er ein paar arabische Sätze an Emily, die Said nicht verstand. Danach deutete er unmissverständlich auf den Ausgang, verbeugte sich und verschwand, rückwärtsgehend, im Innenhof, aus dem verlockend grünes Blattwerk schimmerte. Tonlos übersetzte Emily, was Bargash ihr ausrichten ließ: Er habe keine Schwester mehr, die Salme heiße, sie sei vor vielen Jahren gestorben. Deshalb bitte er die Besucherin und ihren Sohn, das Palastgelände zu verlassen und nicht wiederzukommen. Sie legte eine Hand auf ihren Bauch, sie begann zu zittern, und hätte Said sie nicht festgehalten, wäre sie zusammengesunken. Als sie den Sandplatz überquerten, musste er sie stützen. Mit ihrem ganzen Gewicht lehnte sie sich an ihn, er hatte gar nicht gewusst, dass seine schmale Mutter so schwer war. Auf dem Weg zum Hafen zog sie sich immer stärker in sich selbst zurück, sie schien gar nicht mehr zu hören, dass einige Leute sie anredeten und sich, wie Said ihrem Tonfall und ihren Gebärden entnahm, besorgt nach Salmes Gesundheit erkundigten.

Zwei Tage lang verließ sie ihre Kabine nicht, sie weigerte sich zu essen, wies alle Versuche von Tony oder Fräulein Labuske, ihr Reis einzugeben, mit matter Stimme zurück. Auch den Geschwader-Arzt, den Dombrowski herbeirief, wollte sie nicht sehen. Die Kinder indessen durften an ihrem Pritschenbett sitzen und abwechselnd ihre Hand halten, meist war sie kalt und dennoch schweißnass. Ab und zu murmelte sie: »Ihr seid doch mein Ein und Alles.« Es klang leer, wie die Wiederholung eines sinnlos gewordenen Verses. Gebrochen, eine gebrochene Frau: diese Redewendung ging Said durch den Kopf, wenn er es ertrug, die Mutter in der halbdunklen Kabine länger anzuschauen. Doch die herzlose Zurückweisung durch den Sultan hatte auch ihm zugesetzt. Er hatte den Starken gespielt, dabei fühlte er sich kindlich enttäuscht und ohnmächtig. Zerstoben alle Herrschaftsphantasien, alle Luftschlösser eines deutschen Kadetten, der heimlich hofft, in Glanz und Gloria gehoben zu werden. Er träumte nachts von Gefängnismauern, an die er mit den Fäusten hämmerte, und frühmorgens, noch halb im Schlaf, staunte er darüber, dass man seinen Händen nichts ansah.

Am dritten Tag schlug Emily die leichte Baumwolldecke zurück, raffte sie an sich, breitete sie über ihre Schultern und stand plötzlich aufrecht da, ohne zu schwanken. Said, der schon zu einem Schritt angesetzt hatte, um sie aufzufangen, hielt mitten in der Bewegung inne, und Fräulein Labuske, die am Bett die Töchter abgelöst hatte, unterdrückte einen erschrockenen Ausruf. »So leicht lasse ich mich nicht abspeisen«, verkündete Emily mit frostiger Miene. Sie schaute in die Runde, als richte sie sich an ein größeres Publikum. »Ich habe nachgedacht. Ich werde weiter für mein Recht kämpfen, merkt euch das. Ich kämpfe weiter, selbst wenn mich die Deutschen ganz im Stich lassen. Und erst recht, wenn der Sultan glaubt, er sei nicht mehr mein Bruder.« Ihre Mundwinkelfalten, so schien es Said, hatten sich in kürzester Zeit vertieft, sie glätteten sich auch nicht, als er sagte: »Du kämpfst nicht allein, Mama.« Sie lächelte leicht, aber das war nicht mehr die verzweifelte und bittende Emily, es war die andere, die tief ergrimmte, die jetzt zum Vorschein kam wie die härtere Schicht unter einer abbröckelnden Fassade.

Diese neue Haltung war aber nicht von Dauer. Sie kam schon ins Wanken, als Emily den Kindern unbedingt die Palastanlage Beit il Mtoni zeigen wollte, in der sie geboren worden war und ihre ersten Jahre verbracht hatte. Kommodore Paschen hatte diesen Ausflug bisher untersagt, er befürchtete sogar einen vom Geheimdienst des Sultans eingefädelten Anschlag auf Emily. Nun aber – es war eigentlich nicht klar, warum – gab er ihrem Drängen nach und dehnte die Zone an Land, in der sie sich bewegen durfte, merklich aus. Arabische Stadtbewohner, die ihr freundlich gesinnt waren, warnten Emily: Der Gebäudekomplex sei schon lange verlassen, dem Zerfall nahe, eine Besichtigung lohne sich nicht. So schlimm könne es unmöglich sein, beharrte sie, die Plätze, an denen so viele Erinnerungen hingen, werde sie doch wiedererkennen, und für ihre Kinder sei es wichtig, sich von der Herkunft ihrer Mutter ein greifbares Bild zu machen. Wie sollten sie sonst das Deutsche mit dem Orientalischen verbinden können? Ihr sei es nicht gelungen, sie bleibe gespalten.

Die Familie brach am frühen Morgen auf, ohne Ottilie. Beit il Mtoni lag außerhalb der Stadt, direkt am Strand, und sie ließen sich, zusammen mit Dombrowski und einem Bewacher, von drei kräftigen Schwarzen in einer Dhau zur alten Landestelle bringen. Theoretisch galten sie als Freigelassene, in Wirklichkeit lebten sie in den alten Verhältnissen. Emily verteidigte, zu Saids Beschämung, bei jeder Gelegenheit diesen Umstand; eine solche Form der Abhängigkeit, sagte sie, sei würdiger als die Knechtschaft der Fabrikarbeiter in Deutschland, wo dasselbe Bett in zwei Schichten benutzt werde.

Eine seltsame Fahrt. Das große Segel blähte sich im Wind, flatterte dann wie der Flügel eines Riesenvogels, der vergeblich abzuheben versuchte. Said lehnte sich, auf dem Boden sitzend, weit zurück, stützte den Kopf auf den hölzernen Bootsrand. Bei halb geschlossenen Augen hatte er das Gefühl, er falle in den Himmel hinein; die langgezogenen Wolken milderten den Fall. Wenn eine größere Welle die Dhau hochhob, ging ein Knarren durch ihren Rumpf, als wolle sie aufbegehren.

Nach einer halben Stunde näherten sie sich der Landestelle, und Dombrowski weckte Said mit einer Berührung an der Schulter. Von weitem sah man im Gegenlicht die dunklen Umrisse von Häusern, die auf allen Seiten von Palmen umgeben waren. Said stellte sich prächtige Gebäude vor, Gebetsräume, Bäder, Marmorbrunnen, Pavillons, Galerien. Emilys Kindheitsgeschichten waren immer am detailliertesten, am farbenfrohsten gewesen, wenn sie in Beit il Mtoni gespielt hatten. Doch was für eine Enttäuschung! Nachdem sie gelandet waren, machte jeder Schritt auf dem halb überwachsenen Weg klar, dass aus dem Palast eine Ruine geworden war. Zum Meer hin standen einige Mauern noch, hinter ihnen, in den ehemaligen Innenräumen, waren die meisten eingestürzt. Steinblöcke, übereinanderliegend, daneben Ziegelhaufen. Treppen, die ins Leere führten. Die ehemaligen Bäder ohne Dach, hier und dort ein Steintisch, von Vogeldreck gesprenkelt. Offene Wasserleitungen ohne Wasser. In den Höfen wuchsen Disteln und schilfartiges Gras. Ziegen und ein magerer weißer Esel flüchteten vor den Besuchern. Zwei arabische Soldaten, die offensichtlich die Ruinen bewachten, zogen sich auf einen Wink Dombrowskis zurück.

Zuerst versuchte Emily noch, sich zu orientieren, sie drehte sich im Inneren der Anlage um sich selbst, ging ein paar Schritte voran, ein paar zurück, beschirmte mit der Hand die Augen vor der Sonne. »Hier muss es sein«, sagte sie in einem Gebäudewinkel, »hier bin ich auf die Welt gekommen.« Und ein paar Meter weiter: »Da hat euer Großvater gearbeitet und mich auf die Knie genommen. Aber war es wirklich hier?« Ihre Stimme drohte zu ersticken und behielt doch einen anklagenden Ton. »Es ist alles zerstört, sie lassen alles zerfallen, seht doch. Warum? Warum tun sie das?«

In einem Innenhof, den sie durchquerten, stand nächst dem ausgetrockneten Bassin ein großer Mangobaum, schwach belaubt, schief und ausladend im unteren Teil der Krone; einer der Hauptäste hatte die verwitterte Mauer neben ihm durchbrochen und ragte aus ihr heraus. Emily blieb vor dem gefurchten Stamm stehen, hob die Hand knapp über ihren Kopf. »So groß war er, als ich wegging. Und jetzt…« Sie suchte Halt am Stamm. Dombrowski eilte zu ihr und legte einen Arm um sie. Said versuchte, die Eifersuchtsstiche, die er spürte, zu ignorieren; er war es doch, der Emily beistehen musste, kein anderer! Die Wolken über ihm schienen jetzt am Ort zu verharren, eine besonders hässliche glich einer Riesenechse mit weit aufgesperrtem Maul. Die Schwestern hielten einander schweigend bei der Hand.

»Das ist ja ein richtiges Karthago«, sagte Said. Er wollte dem Leutnant imponieren, doch Dombrowski achtete nicht auf ihn.

»Die Witterung ist schuld«, meinte er, an Emily gerichtet. »Der sintflutartige Regen. Kalk ist mürbe, nicht zu vergleichen mit Granit. Die Menschen lassen hier nach einer Generation die Gebäude im Stich. Statt sie zu reparieren, bauen sie einfach neue.«

»Unfassbar. Hier lebten zu meiner Zeit gegen tausend Leute.« Emily lehnte sich einen Augenblick an den Leutnant. Es war unschicklich, ein guter Sohn hätte eingegriffen, und Said tat es nicht.

Emily, die wohl seine Blicke spürte, machte sich von Dombrowski los. »Neunzehn Jahre war ich nicht da.« Sie wiederholte einige Male ungläubig die Zahl. »Und alles ist anders geworden.«

Dombrowski pochte an den Stamm. »Solche Bäume werden sehr alt, heißt es bei Nachtigal. Sie überdauern uns. Sie bleiben.«

»Mama«, mischte sich Rosa ein. »Hörst du die Vögel?«

Das Konzert von Vogelstimmen war in der Tat eindrücklich, und doch zeigte sich kaum ein Vogel im Blättergewirr außerhalb der Ruinen.

Auf dem Weg zurück zur Dhau trafen sie einen weißbärtigen Blinden, der in einer windschiefen Hütte am Strand hauste. Er behauptete, Emily – Salima, wie er sie anredete – an ihrer Stimme erkannt zu haben. Sie stutzte, ihr Gesicht hellte sich auf, er ließ seinen Stock fallen, fasste nach ihren Händen. Er war der Muezzin von Beit il Mtoni gewesen und hatte nun den Auftrag, täglich an den Gräbern der Herrscherfamilie zu beten. Zuerst freute sich Emily über die Begegnung, doch der ehemalige Muezzin redete, seine schadhaften Zähne zeigend, immer lauter und dringlicher auf sie ein, steigerte sich in einen wahren Redestrom, in dem sich das Wort »Allah« viele Male wiederholte. Emily, die das Übersetzen vergaß, schüttelte den Kopf, ihre Miene gefror, und gleichzeitig stiegen ihr Tränen in die Augen. Sie wich vor dem Alten zurück, zog ihn aber, da er ihre Hände beharrlich festhielt, mit sich, und er brachte sein Gesicht dem ihren so nahe, dass es bedrohlich aussah. Emily schien in diesem Augenblick nicht die Kraft zu haben, sich loszureißen. Dieses Mal war Said schneller als der Leutnant, er machte drei Schritte auf den blinden Muezzin zu. »Lassen Sie meine Mutter in Ruhe!«, fuhr er ihn an und gab seiner erst vor kurzem gebrochenen Stimme einen männlichen Klang. Der Blinde erschrak und ließ Emily los, er wandte sich stumm von ihr ab und ging mit unsicheren Trippelschritten zu den Ruinen zurück.

»Er hat den Stock vergessen«, sagte Tony. Sie hob ihn auf, holte den Muezzin ein und drückte ihm den Stock in die Hand.

»Was wollte er von dir?«, fragte Rosa besorgt die Mutter.

»Nichts«, erwiderte sie.

»Doch«, widersprach ihr Said, und es klang unwirscher, als er gewollt hatte. »Er hat dauernd Allah erwähnt.«

Emily wischte sich mit dem Ärmel über die Wangen. »Ja. Er hat mich aufgefordert, zum Islam zurückzukehren, keine Ungläubige mehr zu sein. Er hat gesagt, meine Bekehrung wäre eine große Freude für das Volk von Sansibar. Und mein Bruder, der Sultan, würde mich wieder in seine Familie aufnehmen.«

»Und?«, fragte Said und bezähmte seine Aufregung. »Bist du versucht, das zu tun?«

»Aber nein! Wo denkst du hin!« Emily schloss einen Moment lang ihre Augen. »Ich bin getaufte Christin. Meine Kinder sind Christen. Der Islam ist der Glaube meiner Kindheit, er hat mich geprägt, aber ich kann nicht zurück.«

Sie gingen zum Strand. Von weitem schon hörten sie die Schwarzen lachen. Sie wateten durchs Wasser, stiegen in die Dhau ein, fuhren unter einsilbigen Gesprächen zurück zum Hafen.

Obwohl man Emily nichts Genaues sagte, durchschaute sie allmählich, dass sie und ihr Sohn für die Deutschen nichts anderes waren als Figuren im politischen Ränkespiel. Ihre zunehmende Enttäuschung zeigte sie nicht offen, sie erbat sich aber von Admiral Knorr die Erlaubnis, Unterkunft in einem Hotel zu nehmen; man könne sie nicht so lange in eine Schiffskabine einsperren. Knorr lehnte zuerst ab, lenkte dann ein und hielt zugleich fest, dass er unter diesen Umständen nicht für die Sicherheit der Familie garantieren könne.

Jahrzehnte später trug Rudolph bruchstückweise zusammen, was vorher geschehen war. Noch als die Ruetes auf dem Schiff festsaßen, begriff Bargash, dass sein Widerstand gegen die deutschen Gebietsansprüche nutzlos war. Die Kanonen taten ihre Wirkung, ohne dass ein Schuss abgefeuert wurde. Ohne Wissen Emilys unterzeichnete Bargash einen sogenannten Freundschaftsvertrag mit dem Deutschen Reich. Erst danach wurden ihm die Forderungen der ehemaligen Prinzessin mit den besten Empfehlungen des Kaisers unterbreitet. Der Sultan erklärte, dies sei eine Privatangelegenheit, er könne auf den Brief keine Antwort geben, seine Schwester habe ihr Land und ihre Familie vor vielen Jahren unwiderruflich hinter sich gelassen, und dies mit einem Ungläubigen von minderem Stand. Nach den hier geltenden Gesetzen sei es unmöglich, auf die Erbschaftsforderungen einer christlichen Konvertitin einzugehen. Da Bismarck sein Ziel erreicht hatte, verbot er telegraphisch, zugunsten von Frau Ruete zusätzlichen Druck auszuüben, sie solle, übermittelte er Admiral Knorr, ihre Geschäfte in eigener Person vorantreiben, auch wenn dies anscheinend aussichtslos sei. Ganz abwegig wäre es jetzt, die Thronfolgerfrage in erpresserischem Sinn aufzugreifen, das Deutsche Reich habe einzig für den Schutz der Sultanstochter und ihrer Kinder, die ja Deutsche seien, zu sorgen.

Rudolphs Herz schlägt auch jetzt noch schneller, wenn er an die Finten und Ausflüchte der Behörden seiner Mutter gegenüber denkt. Man ließ sie allein, wie so oft, und drei Jahre später, 1888, als sie auf einer zweiten Reise – dieses Mal ohne den Fähnrich Said – noch einmal eine Versöhnung mit ihrer sansibarischen Familie zu erreichen versuchte, begegnete ihr der neue deutsche Konsul auf der Insel sogar mit offener Feindseligkeit.

Das Zimmer im French Hotel war geräumig, aber karg eingerichtet. Said genoss es, dass man trotz der Moskitonetze den Wind von draußen spürte. Die Tage flossen ineinander, immer überflüssiger kam er sich vor. Emily besprach sich mehrfach mit dem deutschen, dann auch dem englischen Konsul. Man half ihr nicht weiter. Über Briefe und mündliche Botschaften versuchte sie ehemalige Haremsgefährtinnen, die sie nicht persönlich treffen konnte, auf ihre Seite zu ziehen. Es nützte nichts, der Sultan ließ sich durch niemanden erweichen. Er sandte sogar eine diplomatische Note nach Berlin, dass Frau Ruetes Anwesenheit in Sansibar unerwünscht sei, sie dürfe nicht länger andauern. Darauf traf eine Depesche vom Auswärtigen Amt ein, in der die unverzügliche Abreise von Emily und ihrer Begleitung angeordnet wurde. Paschen gab diesen Befehl an Emily weiter, sie hatte sich schon am nächsten Tag auf der ›Adler‹ einzuschiffen.

Es war eine traurige Heimreise. Schon nach wenigen Meilen machte Emily sich auf ihre Weise unberührbar; alles, was in den Gesprächen die gemeinsame Zeit in Sansibar betraf, perlte an ihr ab. »Man hat mich fallen gelassen. Ich klage meinen Bruder an, ich klage Deutschland an.« Said glaubte manchmal, wenn sie auf einem Deckklappstuhl las, diese Sätze von ihren kaum merklichen Lippenbewegungen ablesen zu können.

Fräulein Labuske brachte den Geschwistern Bridge bei, sie spielten es stundenlang und ereiferten sich über die beste

Taktik beim Reizen und beim Bieten. Dass Said, zusammen mit Tony, die meisten Partien verlor, kümmerte ihn wenig; immer häufiger dachte er an den Kasernenalltag in Lichterfelde, auf den er nun unausweichlich zusteuerte. Er hatte vier Monate Unterricht versäumt, er würde wohl ein ganzes Schuljahr wiederholen müssen. Ihm graute vor dem Exerzierplatz im Spätherbst, den Schlammpfützen, in die man sich blindlings hineinzuwerfen hatte, vor den dreckverkrusteten Uniformen, von denen mit Bürste und speichelbenetztem Putzlappen jeder Fleck getilgt werden musste; ihm graute vor den eng geschnallten Gamaschen, die die Haut aufscheuerten, vor den Blasen an den Zehen, den dauernden Appellen drinnen und draußen, vor den unzähligen Vorschriften, deren Verletzung mit Arrest und Urlaubssperre bestraft wurde. Aber was denn sonst? Er war kein Deserteur – desertieren wie ein Jahrgangskamerad, der dann in den Karpaten geschnappt wurde, das lag ihm fern. Er würde seine Pflicht tun, dabei hatte sich ihm doch das Fenster zur orientalischen Welt, zur Mutterwelt, weit geöffnet, und je näher Europa kam, desto stärker wurde ihr Glanz und ihre Verlockung. Gleichzeitig zog ihn etwas nach Lichterfelde zurück. Er erinnerte sich an das Hochgefühl, wenn hundertzwanzig Mann wie ein einziges Wesen nach links und rechts schwenkten, wenn der hämmernde Marschtakt ins Blut ging. Der deutsche Korpsgeist, den die Vorgesetzten dauernd heraufbeschworen, hatte in ihm, dem Sohn der Prinzessin von Oman und Sansibar, Wurzeln geschlagen. Wenn er sie ausreißen wollte, musste er sich selbst verwunden.

Dombrowski hielt sich im Hintergrund, und Said vermied es, ihn von sich aus anzusprechen; es ging ja ohnehin auf den Abschied zu, und Abschiede fielen ihm schwer. Fräulein Labuske indessen suchte, weit mehr als auf der Hinreise, die Nähe des Leutnants; sie verloren sich, wie Said bisweilen mit einem Ohr hörte, in langen philosophisch-moralischen Erörterungen. Nach solchen Gesprächen waren ihre Wangen rot gefleckt, sie bewegte sich schwungvoller. Rosa behauptete im Flüsterton, die Labuske sei in den Leutnant verliebt. Unmöglich, gab Tony zurück, sie sei doch gut zehn Jahre älter als Dombrowski. »Na und?«, sagte Rosa altklug. »Die Liebe fällt, wohin sie fällt.« Außerdem glaubte sie zu wissen, dass die Arme vor etlicher Zeit eine Verlobung aufgelöst habe und nun frei sei. »Ich jedenfalls«, sagte Tony, »werde heiraten, wen ich will, ob er nun älter ist oder jünger.« Die Schwestern lachten, reichten sich die Hand und gelobten, diesen Vorsatz beide zu befolgen.

In Aden war es so weit, der Leutnant verschwand aus ihrem Blickfeld. Zwischen ihm und Said gab es einen Hände-druck, ein Nicken, die Schwestern bekamen einen Kuss auf die Stirn, die beiden Damen Ruete und Labuske einen form-vollendeten Handkuss. Ohne Dombrowski fühlte Said sich ungeschützter; er nahm sich vor, ihm zu schreiben, die rich-tigen Sätze für seine Pläne, seine Ängste zu suchen, und tat es dann doch nicht. Aber das Porträt mit der Widmung, das der Leutnant ihm geschenkt hatte, schaute er abends bei Kerzenlicht, auf seiner Pritsche liegend, oft lange an. Manch-mal glaubte er, Dombrowskis freundlich näselnde Stimme zu hören, doch er vernahm bloß den Klang, die Worte ver-stand er nicht. Und er ahnte schon auf der Reise, dass er den Freund nie mehr sehen würde.

Mit der ›Lydia‹ fuhren sie bis Hamburg, wo sie Mitte November ankamen. Keine besonderen Ereignisse in dieser Zeit, keine Stürme, keine Streitigkeiten, weder unter der Besatzung noch unter den Passagieren. Die Kadettenanstalt Lichterfelde verschluckte Said mit Haut und Haar.

7

Meine drei geliebten Kinder lernen viele Dinge, mein Bruder. Wir alle können Dich beraten, besser als all jene, die nur nach Deinem Geld und Deinen Gütern trachten. Wenn sie haben, was sie wollen, werden sie Dich im Stich lassen, in ihre Länder zurückkehren und über Dich zweideutig reden.

Ein Sommertag in Jena, der 22. Juni 1940, es geht gegen Abend, im Westen ziehen sich leuchtende Wolkenstreifen quer über den Himmel. Sie steht reglos am halboffenen Balkonfenster, horcht hinaus. Da sind Stimmen, Applaus, Gesang, der lauter und dröhnender wird; er kommt vom Festzug, der sich, ein paar Blöcke weiter drüben, durch die Humboldtstraße bewegt, mit Fackeln wohl, wie vor sieben Jahren, dazu aus einem Radio in der Nähe diese sich ständig überschlagende Stimme, die sie kennt und nicht mag. Was würde ihr Mann, der General, der erst vor vier Monaten gestorben ist, dazu sagen? Sie denkt in diesen Tagen oft an ihn. Er hätte gestaunt, den Aufstieg Hitlers verfolgte er mit Misstrauen. Aber mehr als zwei, drei Sätze wären ihm nicht über die Lippen gekommen. Seit seiner Heimkehr von Verdun redete er kaum noch, nur das Nötigste. Es war nicht leicht mit dir, sagt sie halblaut, in die Dämmerung, in den anschwellenden Jubel hinaus, sie riecht den Flieder, der im Nachbargarten blüht, das passt nicht zum Krieg. Die Glocken von Sankt Michael beginnen zu läuten, die der Friedenskirche setzen mit helleren Schlägen ein. Hörst du das?, wendet sie sich an den Toten. Deutschland hat über Frankreich gesiegt. Wir feiern den Waffenstillstand. Sie merkt, dass sie laut gesprochen hat und erschrickt. Sie schließt das Fenster, der Lärm von draußen wird dumpfer. Jetzt werden sie Hitler erst recht wie einen Halbgott bewundern, denkt sie. Doch sie will sich nicht mitreißen lassen, sie ist ja keine ganze Arierin, nur eine halbe, sie gehört, wie die Rassebehörden deklarieren, nicht wirklich zum Volkskörper. Aber man lässt sie, Rose Troemer-Ruete, die Witwe eines Generals, zum Glück in Ruhe. Ja, Rose will sie seit ein paar Jahren heißen, nicht mehr Rosa, schon gar nicht Rosalie, sie hat den Namen, im Unterschied zu ihrem Bruder Said, nur geringfügig geändert, und doch ist ihr dieses ›e‹ wichtig, es macht den Namen eleganter, schwebender, weniger satt und plump. Ihre Lage, sagt sie sich, wäre allerdings weit schwieriger, hätte ihr Vater damals eine Jüdin statt eine Araberin geheiratet. Said – sie weigert sich, ihn Rudolph zu nennen – hat es getan, und es ist begreiflich, dass er mit seiner Frau jetzt lieber in London lebt. In Deutschland wären sie vermutlich nicht in ein Lager gebracht worden, hätten aber in ein Judenhaus ziehen müssen, so viel ist auch zu ihr durchgesickert. Von Antonie erfuhr sie im Sommer 1934, dass Said britischer Staatsbürger geworden war. Diese Entscheidung verstörte sie, mehr noch ihren Mann. In einem langen Brief hielt sie dem Bruder vor, man könne die Staatsbürgerschaft doch nicht wechseln wie ein Hemd.

Ein Hemd, das dermaßen vor Schmutz starre, schrieb er zurück, wolle er nicht länger tragen, und die deutschen Behörden hätten ihn, den antinationalistischen Querkopf und Halbaraber, ohnehin gerne aus ihren Registern gestrichen. Er sehe sich als Weltbürger mit britischem Pass, und es wäre dem Weltfrieden dienlich, wenn es mehr von seiner Sorte gäbe.

Diese Sätze prägten sich ihr ein, sie erzürnten und beschämten sie zugleich, sie erkannte in ihnen ganz und gar den idealistischen Bruder, gegen den kein Argument half. Aber sie war nicht fähig, darauf zu antworten, und seither sind sie gegenseitig verstummt, sie hat keine Ahnung, wie es ihm jetzt geht. Dabei ist ihr lange niemand näher gewesen als der Junge mit den skeptisch blickenden Augen, die sich so schnell mit Tränen füllten, wenn er sich ungerecht behandelt fühlte. Sie will ihm seit Monaten schreiben, an die alte Londoner Adresse. Irgendwann wird sie's tun, nicht heute; was da draußen passiert, würde er ohnehin nicht wahrhaben wollen.

Aus dem Erdgeschoss vernimmt sie Gelächter. Sie hat es vor kurzem an eine vierköpfige Familie vermietet, einen höheren Angestellten der Zeißwerke. Was soll sie alleine mit so vielen Räumen? Der erste Stock genügt ihr, sie schläft nun im kleinen Zimmer, in dem die Mutter die letzten Wochen verbrachte. Und Troemers Arbeitszimmer ist ihres geworden, nur den schweren Sekretär hat sie gegen einen eleganteren Schreibtisch ausgetauscht. Erstaunlich, dass das Bild des Generals nach so kurzer Zeit schon zu verblassen beginnt. Vermisst sie ihn? Nicht sehr, gesteht sie sich ein. Sie tritt vom Fenster weg, geht hinüber in den kleinen Salon, den sie oben eingerichtet hat. Sie gießt sich einen selbstgemachten Brombeerlikör ein. Unten wird hörbar gefeiert, da darf sie sich auch etwas gönnen.

Und nun bleibt sie trotzdem bei Martin hängen, den sie lieber Troemer – in Briefen oft nur T. – genannt hat. Sie waren beide schon älter, als sie sich kennenlernten, auf einem Ball in Berlin, wo sie, aus dem Orient kommend, Verwandte besuchte. Sie ging bereits gegen die dreißig, war einige Male in der Liebe enttäuscht worden; da schaut man genau hin, wenn sich ein Mann in Uniform, ein Hauptmann der Fußartillerie, für einen interessiert. Troemer war ernsthaft, er lachte trotzdem bisweilen über ihre Albernheiten. Das gefiel ihr. Er tanzte hölzern, ein wenig steifbeinig; dass er auch darüber lachen mochte, nahm sie am meisten für ihn ein, und dass er dann eine längere Verlobungszeit vorschlug, um sich gegenseitig zu prüfen, fand sie in ihrer Unsicherheit Männern gegenüber ganz angemessen. Er war damals in entfernte Garnisonen abkommandiert, und sie lebte in Beirut; wie ein gemeinsames Leben aussehen sollte, mussten sie erst noch herausfinden. Immerhin reiste er mit ihr nach Beirut, damit sie ihn der Mutter vorstellen konnte. Eine Großtat – da lächelt sie noch heute – für einen im Grunde erzkonservativen Menschen wie ihn, Deutschland hatte er vorher noch gar nie verlassen. Er wollte viel wissen über Rosas Familie. Besonders hartnäckig bohrte er bei der Frage nach, warum Emily nach ihrer zweiten Sansibarreise Deutschland den Rücken gekehrt hatte. Dieser Treuebruch, wie er es nannte, erzürnte ihn. Wie konnte eine Fremde, der hochherzig das deutsche Bürgerrecht verliehen worden war, so etwas tun? Man durfte doch zu Recht Dankbarkeit von ihr erwarten.

Bargash, der Unversöhnliche, war im März 1888 gestorben, sein Nachfolger wurde der jüngere Bruder Khalifa. Er hatte unter Bargash gelitten, war lange gefangen gewesen, er würde doch, erhoffte sich Emily, klug und gütig genug sein, die Erbansprüche seiner Halbschwester anzuerkennen. Sie hatte zudem dem jungen neuen Kaiser, Wilhelm II., eine Bittschrift gesandt. Durfte sie nicht davon ausgehen, dass er sie unterstützen würde? Sie handelte rasch. Schon im April reiste sie – auf eigene Faust – erneut nach Sansibar. Rosa begleitete sie als Einzige. Sie war achtzehnjährig, ziemlich naiv, sie glaubte an den guten Willen von Blutsverwandten, wie Emily selbst, die sie sich ein weiteres Mal in allem täuschte – viel übler noch als drei Jahre zuvor. Khalifa reagierte auf Emilys unermüdliche Kontaktversuche, auf ihre Vorstöße und Briefe genauso wie vorher Bargash: nämlich überhaupt nicht, er verdammte sie gleichsam zur Nicht-Existenz. Sie suchte Unterstützung beim neuen deutschen Generalkonsul Michahelles – den Namen hat Rose nie vergessen – und bekam sie nicht, im Gegenteil. Sie wurde barsch aufgefordert, die günstigen Handelsbeziehungen, die sich zwischen dem Sultanat und Deutschland trotz britischer Störmanöver entwickelt hatten, nicht zu beeinträchtigen. Ohne jedes Ergebnis traf sie sich mit den Vertretern der Hamburger Handelsgesellschaft Hansing, bei der ihr Mann angestellt gewesen war. Sie bat, wie drei Jahre zuvor, um Hilfe, Zuspruch, Fürsprache bei Verwandten im Palast, sandte auch ihnen wieder Briefe, vor allem den Frauen, und traf einige von ihnen im Versteckten, erhielt aber überall den Bescheid, man könne nichts für sie tun, es sei völlig unmöglich, eine Versöhnung in die Wege zu leiten, außer sie werde wieder Muslimin. Dagegen wehrte sich Emily mit Entschiedenheit. Später gestand sie Rose, in schlaflosen Nächten habe sie trotzdem mit dem Gedanken gespielt.

Sie verbrachten ein paar Wochen im Hospital der Berliner Missionsgesellschaft, für sechs Rupien im Tag. Das war wenig und summierte sich doch im Lauf der Zeit; die Mittel, die sie dabeihatten, waren beschränkt. Die Sansibar-Deutschen hätten sie gerne ausgewiesen, lieber noch einfach verjagt, das stand aber nicht in ihrer Macht, und da der Sultan Emily und Rosa zu ignorieren vorgab, waren sie eigentlich, administrativ gesehen, gar nicht anwesend. Dann übte der deutsche Konsul offenbar Druck auf die Leiterin des Hospitals aus, und sie stellte die Gäste unter fadenscheinigem Vorwand auf die Straße. Von der deutschen Gemeinde, die sich hier am Mittwoch einfand, wurden sie ohnehin geschnitten, denn Emily hatte am Esstisch aus ihrer Meinung über das offizielle Deutschland nie einen Hehl gemacht. Sie fanden am Stadtrand ein kleines baufälliges Haus. Das Bargeld reichte für wenige Monate, danach musste dringend ein Wechsel eintreffen. Immerhin war Emilys deutsches Konto, dank ihrer im Vorjahr publizierten Memoiren, ausreichend dotiert; auf Almosen war sie nicht angewiesen.

Mutter und Tochter lebten nun isoliert von den Europäern, sie aßen Reis und billigen Fisch. Auch den Haremsdamen wurde Emily mit ihrer Beharrlichkeit allmählich lästig. So kam sie, lange vor Said, auf den kühnen Gedanken, beim britischen Konsul, Oberst Euan-Smith, die britische Staatsbürgerschaft zu beantragen und sich unter den Schutz seiner Königin zu stellen. Sie dachte, die Briten, die auf der Insel eine stärkere Stellung hatten als die Deutschen, könnten den Sultan in die Knie zwingen. Man sagte ja auf Sansibar, dass die Briten, was Handel und Finanzen betraf, die heimlichen Herrscher seien. Doch Euan-Smith ließ Emily ebenfalls abblitzen. Ihre Angelegenheiten, sagte er, berührten britische Interessen nicht, und was sie anstrebe, laufe ihnen sogar zuwider. Wieder nichts also.

Es folgten schwarze Tage. Emily war auf einem Tiefpunkt angelangt, und Rosa versuchte sie zu trösten. Als ihr klarwurde, dass der neue Kaiser nie auf ihre Bittschrift antworten würde, beschloss sie, nicht mehr nach Deutschland zurückzukehren und auch alle Bande mit Sansibar zu durchschneiden. In ihr war eine Unbedingtheit, die Rosa tief erschreckte. »Man wird mich«, sagte sie mit Bitterkeit, »nicht länger hinters Licht führen.« Sie wolle sich einen bezahlbaren Wohnsitz im Osten suchen, der eben doch ihre wahre Heimat sei, am liebsten an der syrischen Küste, und sie fragte die Tochter, ob sie, ihr jüngstes Kind, bis auf weiteres bei ihr bleiben würde. Es war klar gewesen, dass Said sie, so kurz vor seiner Ernennung zum Leutnant, nicht nach Sansibar begleiten würde, und Antonie schloss gerade in Berlin ihre kaufmännische Ausbildung mit einem Stenographiekurs ab. Rosa indessen hatte daran gedacht, Lehrerin zu werden, und nun wünschte die Mutter, sie bei sich zu behalten. Sie sollte – weiß Gott, wo – ihre Gesellschafterin sein, und dies zu einem Zeitpunkt, da es sie drängte, sich von ihr zu lösen. Aber konnte sie denn Emily im Stich lassen? Ihre kleine, zarte Mutter? Das fragt sich Rose jetzt noch, an ihrem Salontisch, wo sie das zweite Gläschen mit Likör vollgießt. Konnte sie den Gedanken ertragen, dass Emilys Haar auch durch ihre Schuld von Woche zu Woche weißer wurde? Sie willigte ein, bei ihr zu bleiben, und die Stimme versagte ihr beinahe dabei. Die Mutter durchschaute, wie betrübt sie war, sie streichelte ihr Gesicht, dankte ihr überschwenglich.

Sie reisten ab, sie ließen sich fürs Erste in Jaffa nieder, sie zogen weiter nach Jerusalem, dann nach Beirut, wo Emily zweiundzwanzig Jahre blieb. Bei Rosa waren es knapp zehn, unterbrochen von mehreren Reisen nach Europa, ohne die sie Martin Troemer nicht kennengelernt hätte.

Rose lächelt, nippt am Glas, es ist nun dunkel im Zimmer, sie hat kein Bedürfnis, Licht zu machen. Die Stimmen unten sind verstummt, in Jena geht man trotz der Siegesfeier früh zu Bett, auch der Herr Maschinenmeister, der in den Zeißwerken arbeitet. Es ist seltsam, wie die Erinnerungen, vielleicht beflügelt vom Likör, einander ablösen, ohne Logik und doch unaufhaltsam. Halb willig, halb widerstrebend überlässt sie sich ihnen, gelangt wieder zum Bruder, der ihr so rätselhaft wurde, und dann, wie von selbst, zu seiner Hochzeit in Berlin, im September 1901; er heiratete drei Jahre nach Antonie die Jüdin Maria-Theresia Mathias, aus vermögendem Haus, wie man bald wusste. Troemer, damals noch ihr Verlobter, wollte erst nicht dabei sein, er hatte große Vorbehalte auch gegenüber den liberalen Juden. Dann kam er doch mit. Ja, er tat immer wieder, was sie wollte, meistens gab er nach, ohne dass er es merkte; sie wurde zur Virtuosin darin, ihre kleinen Siege zu verschleiern. Sie alle, Antonie, Said, Rose, heirateten eigentlich sehr spät, als hätten sie sich genug Zeit lassen wollen, den Richtigen, die Richtige zu finden. Den Richtigen fand Antonie in Brandeis nicht, Troemer war – das darf Rose sich trotz allem sagen – zumindest der

Halbrichtige, und vielleicht hatte Said als Einziger ausgerechnet mit seiner Jüdin die Richtige gewählt.

Wo genau der Bruder und Maria-Theresia sich kennenlernten, wusste Rosa nur der Spur nach, in London offenbar. Dort war Therese, wie sie sich selber nannte, zu Besuch bei ihrem Onkel Ludwig Mond, dem Industriellen aus Kassel, der mit einem neuen Verfahren zur Sodaherstellung ein wahrer Krösus geworden war. Er sammelte Gemälde aus der Renaissance, schenkte einen Teil davon der National Gallery. Und im Museum, vor einem Tizian, begegneten sich Said und Therese, einem Familiengerücht zufolge, ganz zufällig. Eins ergab sich aus dem anderen. Rosa hatte schon gedacht, Said werde Junggeselle bleiben (man hielt inzwischen auch sie, trotz ihrer Verlobung, schon fast für eine grämliche Jungfer), aber ihr Bruder sorgte immer für Überraschungen. Dass er so abrupt das Militär verlassen, dann einen Posten als Eisenbahninspektor im britisch dominierten Ägypten angenommen hatte und jetzt vom Orientalischen Bureau der Deutschen Bank angestellt war: das brachte sie kaum unter einen Hut. Said hatte auch keine große Lust, seiner Familie deswegen lange Erklärungen abzugeben; es war, wie es war und wie er entschieden hatte, saidisch nämlich. Rosa hatte seit einigen Jahren nur noch wenig Kontakt mit ihm, und so überraschte er sie ein weiteres Mal, als die aufwendig gedruckte Einladung zu seiner Hochzeit in Beirut eintraf. In einem Begleitbrief stellte er die Braut kurz vor, sogar eine Studioaufnahme hatte er beigelegt, die ihn neben einer dunkelhaarigen jungen Frau zeigte, deren auffallendstes Merkmal, abgesehen von einer kleinen Wangenwarze, die Unauffälligkeit war. Emily hatte, von ihrer Prägung her, eine starke

Abneigung gegenüber dem Judentum. Dennoch kam es für sie keinen Augenblick in Frage, die Hochzeit des Sohns zu boykottieren, umso mehr, da Rosa ihr klarmachte, dass zwischen Ostjuden und assimilierten deutschen Juden ein merklicher Unterschied bestehe. Sie beschlossen, gemeinsam nach Berlin zu reisen; Emilys Tantiemen hätten damals noch für ein paar weitere Schiffspassagen ausgereicht. Und weil Said sie frühzeitig eingeladen hatte, brauchten sie sich – auf der inzwischen vertrauten Route über Korfu und Marseille – nicht besonders zu beeilen.

Am Tag vor der Feier waren sie in Berlin. Said hatte im Grand-Hotel Bellevue am Potsdamer Platz Zimmer für die Gäste reserviert. Auch Tony war schon da mit ihrem Töchterchen, ohne Brandeis zum Glück; die Reise von den Marshallinseln ins Herz von Europa war noch wesentlich länger gewesen als die aus Beirut.

Von Anfang an war ersichtlich, dass Said die Feier mit der großen Kelle anrichten wollte, und ebenso, dass Thereses Familie, wohl auch mit Ludwig Mond im Hintergrund, eine erhebliche Summe einsetzte, um den Anlass auf großbürgerliches Niveau zu heben.

Rosa erkannte Said kaum wieder: Aus dem zurückhaltenden Jüngling, den die Uniform zu beengen schien, war ein Gentleman von weltmännischem Auftreten geworden, mit ein wenig Embonpoint bereits und einem gepflegten Schnurrbart. Was diesen wundersamen Wandel bewirkt hatte, konnte sie sich noch heute nicht erklären. Ehrgeiz? Der wachsende Glaube an seine Vermittler-Mission? Oder bereits der Einfluss von Therese? Jedenfalls war Said schon auf dem Weg dazu, der gravitätische Rudolph Said-Ruete zu werden, der unentwegt das Weltgewissen zu wecken versuchte und Troemer bisweilen bis zur Weißglut reizte. Ein paar Monate später wollten sie ebenfalls heiraten, dies nicht zuletzt, damit Emily für die zweite Feier gleich in Berlin bleiben konnte.

Am Ankunftsabend tranken sie im Wintergarten des Hotels mit Said und seiner Braut ein Glas Sekt. Therese und Emily musterten sich zwischen abwartender Skepsis und bemühter Freundlichkeit. Sie glichen, fand Rosa, einander mehr, als sie dachten: Beide hatten längliche Gesichter, sehr schmale Nasen und etwas Verkniffenes in den Mundwinkeln, beiden glaubte man ihr Lächeln nicht so ganz. Therese hatte ein paar Semester Wirtschaftswissenschaften studiert, dann eine Aufgabe im elterlichen Geschäft übernommen. Sie stießen auf die bevorstehende Feier an. Ihren Ablauf legte Said minuziös dar. Es hatte offenbar langwierige Diskussionen um die Gestaltung der Trauungszeremonie gegeben. Zunächst hatte sich Said mit einer zivilen Trauung und einem festlichen Essen begnügen wollen, doch obwohl Therese bereits zum Christentum übergetreten war, hatte ihre verwitwete Mutter, die bloß zwei-, dreimal im Jahr die Synagoge besuchte, darauf gedrängt, dass das »jüdische Element« bei der Heirat eine Rolle spiele, der Tradition zuliebe. Thereses Übertritt war nicht ohne Turbulenzen erfolgt, die meisten Verwandten verurteilten ihn. Doch Onkel Ludwig, den man um Rat fragte, war der Meinung, in einer jüdisch-christlichen Familie sei es besser, wenn alle Mitglieder, vor allem auch die Kinder, der gleichen Religion angehörten. Es wäre ihm, soll er gesagt haben, lieber gewesen, den Bräutigam in der jüdischen Gemeinschaft willkommen zu heißen, er habe indessen eingesehen, dass dieser Schritt im Blick auf Saids künftige Laufbahn ziemlich schädlich wäre. Nun aber, da Therese ihn gemacht hatte, galt sie bei einem Teil ihrer frommen Verwandten in Köln und Kassel als verloren, ja, als so gut wie tot, nur die Hälfte der eingeladenen Gäste aus ihrer Familie, die gutwillige und tolerante, würde zur Feier kommen. Das bedrücke die Mutter, sagte Therese, vielleicht würde die Zeit ja diese Wunde heilen; ihr Vater war schon vor Jahren gestorben. Um der jüdischen Seite entgegenzukommen, verzichtete man auf die kirchliche Trauung, Said hatte ohnehin Mühe mit dem hemmungslosen Nationalismus vieler Pfarrer. Dagegen würde ein liberaler Rabbiner – er hatte einen gefunden – das frisch vermählte Paar segnen, und anschließend wollte man im Saal des Bellevue feiern, mit Musik und koscheren Speisen.

Said war aufgeregt, man sah es ihm an, es sei, sagte er, eine der vielen menschlichen Dummheiten, sich in religiöse Zwistigkeiten zu verbeißen. Emily hatte die ganze Zeit einfach versunken dagesessen und gelegentlich am Sekt genippt, als wolle sie, die einstige Mohammedanerin, vorführen, dass die christliche Taufe auch größere Freiheiten mit sich bringe. Als Mutter und Tochter später allein im Zimmer waren, fiel Rosa ein, dass sich hier in ihrer Familiengeschichte ein zentraler Vorgang wiederholte: der Übertritt der Braut zur Religion des Bräutigams, und beide Male wurde die Übergetretene von ihrer Familie – oder einem Teil davon – verstoßen. Rosa fragte die Mutter, die sich in den Kleidern aufs Bett gelegt hatte, was sie dazu sage, ob sie dies auch so sehe.

Sie verzog das Gesicht. »Eine Wiederholung? Warum denn eine Wiederholung? Mit Said und dieser Maria-Theresia«, sie sprach den Namen äußerst korrekt aus, »ist das eine ganz andere Geschichte. Ich habe alles verloren, als ich von Sansibar wegging. Maria-Theresia hingegen gewinnt sehr viel.« Der Vergleich schien sie in gleichem Maß zu enervieren wie zu quälen. Sie atmete schwer, sie begann lautlos zu weinen.

Rosa setzte sich zu ihr auf den Bettrand, hielt ihre Hand und versuchte, sie zu trösten: Sie habe doch auch etwas gewonnen, nämlich ihre Kinder.

»Ach ja, euch«, sagte Emily matt. »Ihr seid mein Ein und Alles.« Und dieses Mal klang die Formel so bestürzend traurig, dass die Tränen auch Rosa in die Augen schossen.

Wenn sie sich an das Fest am nächsten Tag – war es ein Dienstag? – erinnert, geht ihr vieles durcheinander. Zum Frühstück traf ihr Verlobter endlich ein, ganz martialisch in seiner Hauptmannsuniform, die doch ein wenig zerknittert aussah nach der nächtlichen Zugfahrt von Bromberg nach Berlin. Er reichte Said knapp die Hand, hielt Therese auf einer Armlänge Abstand. Dass Said den Dienst als Premier-Leutnant quittiert hatte, wusste er schon und konnte es nicht begreifen.

Said teilte der Gesellschaft mit, dass die zivile Trauung bereits am Vortag erfolgt sei und er sich jetzt mit Therese auf das Folgende vorbereite, dann verschwand er mit der Braut. Sie wurden von unbekannten Gästen umwimmelt. Alle gut gekleidet, dachte Rosa mit Erstaunen. Hatte sie denn Schläfenlocken und Kaftane erwartet? Sie versuchte sich Namen zu merken, vergaß sie gleich wieder. Fünfzig, sechzig waren sie insgesamt, einer fiel ihr auf, eine patriarchalische Gestalt, vollbärtig, in feinstem Anzug, um den sich ein Dutzend Leute scharten. Es war Ludwig Mond, der Industrielle, Thereses Onkel, und von ihm ging eine Kraft aus, die Rosa auf Distanz hielt. Er scherzte, plauderte laut und gebieterisch, schnippte mit den Fingern. Während er unübersehbar der Mittelpunkt der Gesellschaft war, schien Emily auf ihrem Sessel zu schrumpfen, obwohl beide Töchter sich um sie kümmerten und sie die kleine Margaretha, Gretchen, wie einen zerbrechlichen Schatz auf ihrem Schoß hielt. Troemer stand stocksteif dabei und wusste nicht, wie ihm geschah. Rosa glaubte zu sehen, dass er jedes Mal zusammenzuckte, wenn sie ihn den Monds und Mathiasses und Ruetes, die gekommen waren, als ihren Verlobten vorstellte.

Es ging dann bald hinaus ins Freie, der Septembertag war noch sommerlich warm, blitzblank der Himmel. Sie fuhren mit Kutschen zur neuen Synagoge. Auf einer kleinen Grünfläche in ihrer Nähe – es war der Monbijoupark, fand Rosa lange danach heraus – hatte man einen blumengeschmückten Baldachin aufgestellt, den die Hochzeitsgäste umringten. Für die Älteren gab es Klappstühle, auch Emily setzte sich. Viele Männer hatten jetzt Käppchen aufgesetzt. Was dann alles der Reihe nach geschah, wusste Rosa später nicht mehr, denn Troemer stand missbilligend neben ihr und flüsterte ihr mehrmals ins Ohr: »Jüdisches Getue!« Das genügte, um sie von der Zeremonie abzulenken, sie befürchtete, dass er einen Skandal anzetteln könnte. Daran vermochte sie ihn mit beschwörenden Blicken und Händedrücken zu hindern, aber Said und Therese wollte er später lange genug nicht in seinem Haus empfangen. Irgendwann wurden Braut und Bräutigam auf Stühlen herbeigetragen, was für große Heiterkeit sorgte, dann standen sie unter dem Baldachin, beide weiß gekleidet, Therese mit Schleier, das sieht Rose noch deutlich vor sich. Sie tauschten goldene Ringe, der Rabbiner – sie hatte ihn sich weit älter vorgestellt – las auf Hebräisch von einer Schriftrolle ab, was zum Ritual gehörte. Sie tranken Wein aus einem Glas, es wurde in ein Tuch gehüllt, auf den Boden geworfen, Said stampfte darauf herum, man hörte Scherben knirschen, erst Wehrufe ringsum, dann Jubel. Die Christen im Hintergrund klatschten ebenfalls, einige geradezu frenetisch, wohl ebenso aus Verlegenheit wie aus gutem Willen. Emily allerdings schien kaum Anteil am Ganzen zu nehmen. Auf den Brauch, dass die Braut den Bräutigam sieben Mal umkreist, hatte Said ausdrücklich verzichtet. Das Zertreten des Glases aber, das die großen Zerstörungen in der Geschichte Israels symbolisieren und zugleich Glück bringen sollte, wünschte er beizubehalten. Es ergebe doch keinen Sinn, sagte Troemer Rosa grimmig ins Ohr, dass ein Paar christlich sei und, statt in eine Kirche zu gehen, diesen jüdischen Hokuspokus ertrage.

Danach wurde im bekränzten Festsaal des Grand-Hotels Bellevue gegessen, gefeiert, getanzt. Rose erinnert sich an die lange Tafel, es gab Artischockenböden, Knödel, gefüllten Karpfen, Salate aller Art, Lammrücken, man stieß mit französischem Wein an. Der Hauptmann Troemer an Rosas Seite aß wenig, er vermisste seine gebratenen Schweinekoteletts, und ihn befremdeten die ungewohnten Gewürze, die Rosas Gaumen längst vertraut waren. Erst nach den Vorspeisen stießen die Frischvermählten wieder zur Festgesellschaft, anders gekleidet nun, Said dunkel, ohne Käppchen, Therese elegant im crèmefarbenen plissierten Rock, mit doppelter

Perlenkette. Tony saß Rosa, oben am Tisch, gegenüber, sie wirkte im vollen Tageslicht stark gealtert. Gretchen im Rüschenkleidchen, meist von Emily gehalten, schrie zwischendurch heftig und wurde von allen Seiten getröstet. Der Großmutter lieferte die Enkelin den Vorwand, mit ihren Tischnachbarn, Thereses Mutter und dem ehrwürdigen Onkel Ludwig, nicht in allzu intensiven Kontakt zu treten. Rosa schien, das sei auch der anderen Seite recht. Wenn Araber und Juden sich gegenübersaßen, misstrauen sie sich zunächst, das war wohl nicht zu ändern.

Sie wollte vom Bruder wissen, ob er glücklich sei.

»Natürlich«, erwiderte er und fragte, mit einem Seitenblick auf ihren schmollenden Hauptmann: »Und du?«

»Ich habe meinen künftigen Mann gefunden«, sagte sie. »Er ist ein sehr solider Mensch. Und das ist ein Glück. In meinem Alter hat man von den romantischen Ideen doch längst Abschied genommen.«

»Ach so«, sagte er, seine Verblüffung verbergend.

Sie schaute ihn herausfordernd an. »Du nicht? Träumst du noch von ewiger Liebe und Leidenschaft?«

Er lächelte verlegen. »Nicht von ewiger Liebe. Aber von beständiger schon.«

Sie senkte den Blick. »Dann ist es ja gut.«

Auch das Dessert – nach neuerlichen Segenssprüchen – war üppig, Nusskuchen, Windbeutel, Kirschenkompott. Tony schmeckten vor allem die Kokosplätzchen, mit denen sie auch Gretchen fütterte, sie erzählte, inmitten der lauten Stimmen, geradezu schwärmerisch von ihrem geplanten Kochbuch, da erkannte Rosa sie wieder, ihre ideenreiche Schwester. Von Brandeis allerdings kein Wort.

Eine Musikgruppe erschien, Violine, Cello, Klarinette, die Tische wurden zusammengeschoben. Zuerst erklang, auf Saids Wunsch, klassische Musik, Beethovens deutsche Tänze, dann aber kam ein Zymbal dazu, das ein gebückter alter Mann mit jugendlichem Elan schlug, und die Musik wurde östlich, sie ging in die Beine, man begann zu tanzen, paarweise zuerst, es kam zu Zusammenstößen, man lachte viel, ja ausgelassen. Sogar Troemer fühlte sich bemüßigt, Rosa ein wenig herumzuschwenken. Die jüdische Gästehälfte sang manchmal mit, dann führte der mächtige Mond einen Rundtanz an, und die jungen Juden zeigten, wie hoch sie springen konnten. Das Gelächter schwoll an, Gesichter verwischten sich. Mond holte Rosa zum Tanz, sie wusste nicht, was sie davon halten sollte. Zigarrengeruch entströmte seinem Mund, die Geige schrillte in den höchsten Lagen. Ihr wurde schwindlig. Mond setzte sie fürsorglich auf einen Stuhl, reichte ihr ein Gläschen Brandy, wandte sich dann einer noch Jüngeren zu, Troemer wies ihr aus Eifersucht eine Weile noch die kalte Schulter.

Gegen Abend fehlte das Hochzeitspaar. Nach zehn Uhr leerte sich der Saal, Emily ging mit Kopfschmerzen aufs Zimmer, dann zog sich auch Troemer zurück, ohne Kopfschmerzen. Rosa merkte, dass sie ihn trotz seiner Verdrossenheit liebte, wenn auch auf vorsichtige Weise, und sie hielt dies für ein gutes Zeichen.

Es kam der Moment, wo sie mit Tony endlich im Vertrauen reden konnte, Gretchen schlief in ihren Armen.

»Wie geht es dir wirklich, Schwesterherz?«, fragte sie über den Tisch hinweg. »Du siehst müde aus, ganz zerschlagen.«

Tony trank in einem Zug ihr Weinglas aus und lächelte

mit einer Spur von Unwillen. »Kein Wunder nach einer so langen Reise, oder nicht?«

»Innerlich müde, meine ich«, doppelte Rosa nach, sie hatte plötzlich Lust, sie zu provozieren.

»Das Leben in Übersee«, sagte sie gedehnt und wich Rosas Blick aus, »ist anstrengend. Man muss dauernd improvisieren. Nie ist das zur Stelle, was du gerade am dringendsten benötigst. Und dann bestellst du es und wartest vier Monate darauf. So ist es mir kürzlich mit einem Trichter ergangen, einem ganz normalen Trichter.« Sie lachte auf, es klang ungewohnt heiser. »Ich hatte einen. In diesen wohlsortierten Küchenkisten, die das Auswärtige Amt mitgibt, ist ja alles enthalten. Und so nehme ich an, dass der Trichter entwendet wurde. Gut, man kann sich mit Ersatzmaterial behelfen, aus Rinde einen basteln, aus Halbkarton, aber es ist seltsam: Ich will dann einfach mit aller Macht meinen Trichter aus Metall zurück und nur den.« Sie schaute die Schwester an, zwischen Selbstironie und Zorn. »Kannst du das verstehen?«

Rosa nickte und verspürte plötzlich ein großes Mitleid. »Wie geht es dir denn mit deinem Mann?«, fragte sie.

Tony schien zu erstarren. Nach einer Weile bewegte sie die Lippen, es kam aber kein Ton heraus.

Rosa schenkte Wein nach. »Verzeihung«, sagte sie. »Bin ich dir zu nahe getreten?« Tony wusste ja, dass sie Brandeis nicht mochte, niemand mochte ihn in der Familie. Rosa hielt ihn für einen Angeber und verdächtigte ihn, ein Tyrann zu sein.

Tony kämpfte mit sich, man erriet es an ihrem schweren Atmen, am Zurückdrücken der Schultern. »Du hast ja keine

Ahnung«, brachte sie endlich hervor. »Das ist eine andere Welt dort. Wer zuoberst steht, bestimmt die Regeln. Und das ist in unserem Fall Brandeis. Merkwürdig, dass ich je gedacht habe, er interessiere sich für mich.«

»Vielleicht ist es ein Irrtum zu meinen«, sagte Rosa zaghaft, »dass Männer sich wirklich für Frauen interessieren.«

»Sein Interesse«, fiel ihr Tony ins Wort, »gilt einzig meiner Fügsamkeit. Und dem Körperlichen, wie du dir wohl vorstellen kannst.«

Rosa nickte beschämt. Über diese Dinge hatten die Schwestern kaum je miteinander gesprochen.

Tony suchte nach Worten, dann beugte sie sich unerwartet über den Tisch und flüsterte: »Ich verrate dir etwas: Brandeis ist ein Tier.«

Rosa glaubte zuerst, sich verhört zu haben, doch Tony wiederholte den Satz, lauter nun: »Brandeis ist ein Tier.« Sie lehnte sich wieder nach hinten, strich die Haare aus der Stirn und schaute mit nassen Augen durch die Schwester hindurch.

»Und du kehrst zu ihm zurück?«, fragte Rosa hilflos.

»Was soll ich sonst?«, sagte Tony, wiederum nach einer lastenden Pause, während in einer Saalecke der Violinist sein Instrument stimmte; einer der letzten verbliebenen Gäste hatte nach einem Kehraus verlangt. Sie maß Rosa mit abweisendem Blick. »Es gibt Pflichten, das weißt du so gut wie ich.«

Das wusste sie in der Tat und hätte sich, ihrer Frage wegen, am liebsten die Zunge abgebissen. Zymbal und Violine setzten mit einer melancholischen Melodie ein, es war wohl ein Gutenachtlied aus dem Osten. Davon erwachte Gretchen, begann zu plärren, sträubte sich strampelnd gegen die Versuche der Mutter, es wieder in den Schlaf zu wiegen. Tony stand auf, das Kind an sich gedrückt. »Ich muss ins Zimmer.«

Sie ging weg, Rosa blieb sitzen, trank ein weiteres Glas Wein.

Nie wieder erzählte die Schwester ihr von ihrem ehelichen Elend, aber mehr als diesen einen Satz brauchte es nicht, um ihr vor Augen zu stellen, in was für einer Misere Tony trotz ihrer Palmenhaine lebte. In dieser Nacht, bei Emily im Zimmer, fragte sie sich, wie es mit Troemer und ihr, mit Said und Therese herauskommen würde. Sie hatte Angst, und hätte sie gewusst, was ihnen allen bevorstand, wäre sie noch größer gewesen.

Ein paar Monate danach heiratete auch sie. Das Fest war nicht spektakulär, aber eigentlich ganz schön. Auf überflüssigen Pomp konnte sie verzichten, Troemer und sie hatten weniger Gäste eingeladen als Said. Tony war schon abgereist, doch die Mutter und der Bruder wünschten ihr Glück an diesem Tag, es schien, als seien wenigstens unter ihnen drei die Familienbande intakt. Troemer gab sich redlich Mühe, den formvollendeten Bräutigam zu spielen und begegnete den Gästen, sogar Therese, mit hölzerner Liebenswürdigkeit. Er hatte aber Schwierigkeiten, ihr den Ehering über den Finger zu streifen, als sie beide vor dem Pastor standen, sie half nach und rettete sich in ein Lächeln. Die Tischgespräche blieben dieses Mal oberflächlich, und sie war froh darum. Hätte Said sie gefragt, wie es ihr wirklich gehe, wäre ihr eine ehrliche Antwort schwergefallen. Widerstreitende Gefühle verknäuelten sich ineinander, der Zweifel quälte sie, ob sie mit Troemer den Richtigen gewählt hatte. Vor der Hochzeitsnacht war ihr bang, doch Troemer zeigte sich rücksichtsvoller, ja zärtlicher, als sie befürchtet hatte. Sie lag danach lange wach. Während ihr Ehemann neben ihr tief schlief, fragte sie sich, wie Tony in der Südsee mit ihrem Brandeis zurechtkam, und sie war halbwegs überzeugt, dass sie das bessere Los gezogen habe.

Sie rang Troemer die Einwilligung ab, dass sie noch einmal für eine Weile mit Emily nach Beirut zurückkehren würde. Das war ungewöhnlich für eine frisch Verheiratete. Ihre Mutter brauche Unterstützung, sagte sie, man müsse sie aufheitern, manchmal sehe sie alles nur noch schwarz. Mit einem zögernden Ja sprang Troemer über seinen Schatten; er nahm in Kauf, dass man dieser Trennung wegen ringsum die Augenbrauen hob, und er ließ sich versprechen, dass Rosa ihn, trotz des langen Reisewegs, alle paar Monate in seiner Garnison besuchen würde.

Aber wie schön fand sie nun Beirut, wie frei fühlte sie sich dort! Viel freier jedenfalls von gesellschaftlichen Zwängen als in den gutbürgerlichen Berliner Zirkeln. Auch auf die Garderobe brauchte sie weniger zu achten, trug in der Hitze weitschwingende Baumwollröcke, ein Ding der Unmöglichkeit im wilhelminischen Deutschland; dort runzelte Troemer ja sogar die Stirn, wenn ihre Knöchel zu sehen waren. Wie liebte sie die Gerüche Beiruts, diese Mischung aus überreifen Früchten, Gewürzen aller Art, geröstetem Fladenbrot, gebratenem Fisch, dazu der Wind, der durch die Zypressenwipfel strich!

Das komplizierte Hin und Her zwischen Deutschland und Beirut dauerte anderthalb Jahre. Dann wurde Rosa schwanger. Es war unvermeidlich, sich definitiv bei ihrem Mann niederzulassen, das sah auch die Mutter ein, die weiterhin in Beirut bleiben wollte. Ihr psychischer Zustand hatte sich gebessert, neue und alte Bekannte – darunter der Konsul Schröder – verhalfen ihr zu einer größeren Ausgeglichenheit. Dies zumindest legte sich Rosa zurecht, um ihr schlechtes Gewissen zu beruhigen.

Sie musste nun Troemers Karriereschritten folgen, die ihn nach Spandau, Mainz, Bromberg führten. Er wurde Major, Inspektor der Fußartillerie, Oberst. Er war stolz auf seinen Erfolg, Rosa war es in Maßen auch. Der Mutter zu Ehren nannte sie ihre erste Tochter Emily, Bertha die zweite. Sie war beschäftigt mit Kindererziehung und Kindermädchenaufsicht, mit Haushalt und Garten. Das Garnisonsleben gefiel ihr nicht, das wusste Troemer. Für die Abendgesellschaften, die man als Offiziersgattin geben musste, buk sie ihre vielgerühmte Apfeltorte, kleidete sich und die Töchter adrett, unterhielt sich über Rezepte (Exotisches wie Tony konnte sie nicht anbieten) und klagte über die ungerechten Dienstzeiten ihrer Männer. Vertraulicher wurde man nicht in diesem Umfeld.

Von Troemers Arbeit erfuhr sie wenig, er war ohnehin meist abwesend, ging um fünf Uhr früh aus dem Haus, blieb nächtelang weg bei Manövern. Er war oft übler Laune, ertrug dann die Kinder kaum, von Vorgesetzten fühlte er sich schikaniert, vom Schlendrian der Untergebenen provoziert. Wenn er heiser war, ahnte sie, dass er an diesem Tag herumgeschrien hatte, und laut konnte er bisweilen auch ihr gegenüber sein. Ihren Bruder und ihren Schwager mochte er nicht. Brandeis war ihm zu beschränkt und zu fanatisch, Said zu weltoffen, zu ungreifbar in seinen Ansichten. Familientreffen gab es selten, sie gingen ihnen aus dem Weg, weil die Spannung zwischen den Männern mit Händen zu greifen war. Emily besuchte ihre Kinder alle paar Jahre einzeln. Zu Rosas Erleichterung behandelte Troemer die Schwiegermutter immer gut, sein anfängliches Misstrauen hatte sich verflüchtigt. Irgendetwas schien er mit den Jahren von ihrer Lebenstragödie begriffen zu haben.

Dann brach der erste große Krieg aus. Die Ermordung des Thronfolgers in Sarajewo, die Mobilmachungsmaschinerie, die unaufhaltsam in Gang kam, der Kriegsjubel allenthalben, die jungen Männer, die begeistert in den Tod zogen: Lange ist es her, der zweite große Krieg hat diese Bilder überlagert, und doch sind sie Rose jetzt wieder gegenwärtig, gerade weil da draußen von neuem gejubelt wird. Noch rechtzeitig, bevor auch das Meer zum Schlachtfeld wurde, kam Emily bei ihnen in Bromberg an, sie hatte sich nun doch entschlossen, den Orient zu verlassen, und Troemer war nach anfänglichem Murren einverstanden, dass sie sich vorläufig bei ihnen niederließ. Er wurde an die Ostfront geschickt, gegen Russland, sie lasen und hörten von den deutschen Siegen und weniger von den Verlusten, obwohl die Todesanzeigen in den Zeitungen sich unablässig mehrten. Mit den Töchtern bangte Rosa um sein Leben; sie meldete sich freiwillig zur Lazarettpflege, wurde aber als Gattin eines hohen Offiziers nicht angenommen. Auf Heimaturlaub – es waren jeweils ein paar Tage – erzählte Troemer wenig. Er war keine Kriegsgurgel, nur ein treuer Soldat.

Der Krieg, den man sich kurz und schneidig vorgestellt

hatte wie 1870, dauerte an. Die Armeen gruben sich, das sagte Troemer hinterher einmal, wie Massen von blinden Maulwürfen ein, und wenn sie die Köpfe aus ihren Gräben und Löchern streckten, erging es ihnen übel. Im Februar 1916 wurde sein Regiment nach Verdun versetzt, wo der unselige Falkenhayn die Franzosen ausbluten lassen wollte. Doch die Deutschen verbluteten ebenso, zu Hunderttausenden, es gab keinen Sieger in dieser Schlacht, nur Opfer, Tote, Verstümmelte, Verrücktgewordene und dazu verzweifelte Angehörige. Wie ihr Troemer in diesem Inferno überlebt hatte, konnte sich Rosa nicht vorstellen. In einer der seltenen Phasen nach seiner Rückkehr, wo er mehr als zehn Sätze aneinanderhängte, sagte er, ein dauerndes Grollen sei in der Luft gewesen, an- und abschwellend, Tag und Nacht, und dann die Lichtblitze, die Granateinschläge, als ob jemand nah an deinen Ohren Metalltüren zuknallt, so dass man ertaubt und hinterher ein schreckliches Sirren und Summen nachklingt. Die Schreie der Verwundeten von überall her, nachts, während der Regen fällt und der Morast im Graben immer tiefer wird, dabei habe er, als Kommandant, verglichen mit den einfachen Soldaten, in komfortablen Verhältnissen gehaust.

»Es muss die Hölle gewesen sein«, sagte Rosa und legte ihre Hand auf seine.

»Man gewöhnt sich mehr oder weniger an alles«, entgegnete er.

Anfang 1917 kam er aus dem Krieg zurück, er hatte seinen Abschied genommen. Man ernannte ihn nachträglich zum Generalmajor, verlieh ihm einen weiteren Orden. Es bedeutete ihm nicht mehr viel. Er hatte zwar in der menschengemachten Hölle gut dreihundert Tage ohne Blessuren überstanden, aber er war innerlich versehrt, und er tarnte dies durch seine Einsilbigkeit, eine gespielte Gleichgültigkeit im Umgang mit anderen. In seinem innersten Kern erkannte Rosa noch den alten T. mit seinen liebenswürdigen und schroffen Seiten; darum herum hatte sich anderes abgelagert, das in den Kern hineinwuchs: eine kleinkindliche Verlorenheit, eine plötzlich auftretende Ängstlichkeit, die sie im Flackern seiner Augen sah. Hin und wieder ein grobes Wort, wenn eine Tür ins Schloss fiel, die Töchter zu laut lachten. Dann wieder stundenlanges Vor-sich-Hinbrüten. Anfallweise – und neu für sie – sein Hunger nach Süßigkeiten, er konnte einen halben Kuchen verschlingen, ohne zu zeigen, dass es ihm schmeckte. Oft studierte er Karten vom Kriegsverlauf, nickte darüber ein, die Lesebrille tief auf die Nase gerutscht. Die deutsche Niederlage nahm er kommentarlos zur Kenntnis, später eine einzige Bemerkung: Das habe er erwartet, um den Kaiser sei es nicht schade. Mit Emily wollte er über den Zerfall des Osmanischen Reichs sprechen, verlor nach wenigen Sätzen den Faden, sie ließ sich ohnehin darauf nicht ein. Die Welt, die sich neu ordnete, verstand sie nicht; manchmal war es Rosa, als bringe nur ein Wort sie dazu, wirklich aufzuhorchen: Sansibar. Zugleich schien sie ihr Lebensziel, die Versöhnung mit ihrer Familie und den Erhalt ihres Erbes, tief in sich begraben zu haben. Einmal – noch bevor die Familie nach Jena zog – fuhr sie für ein paar Wochen weg, um Said in Luzern zu besuchen. Sie kam zurück und erzählte kaum etwas.

Die Jahre vergingen, es braute sich neues Unheil zusammen. Der ehemalige General mochte die Nazis nicht, er hob den Arm nicht zum Hitlergruß, er ging nicht auf Massen-kundgebungen, er lehnte Hitlers Ernennung zum Reichs-kanzler ab und sträubte sich gegen die Fassaden-Beflaggung mit der Hakenkreuzfahne, obwohl die Tochter Emily, nun graduierte Juristin, und ihr Mann Erich an diesem Tag gerade auf Besuch in Jena weilten und den Fahnenschmuck gerne gesehen hätten.

Rose gießt sich ein zweites Gläschen voll, das letzte heute, nimmt sie sich vor. Doch sie will auf ihre Weise feiern; der Sieg macht sie beklommen, und der Likör mildert den Zwiespalt. Erich Schwinge, ihr Schwiegersohn, hat auch oft genug zwiespältige Gefühle in ihr erzeugt. Der brillante Ju-rist wollte unbedingt Professor werden, so früh wie mög-lich, 1934 oder 35. Wie heftig beklagte er sich darüber, dass ihm, seiner nichtarischen Heirat wegen, das Vollordinariat in Halle vorenthalten wurde. Es ging dann trotzdem rasant voran mit ihm, er wurde Spezialist für Militärstrafrecht, be-fürwortete dessen Verschärfung, die sofortige Todesstrafe für Deserteure und ganz allgemein härteste Manneszucht in der Wehrmacht. So viel Schneid mögen die Nazis, da se-hen sie über eine anstößige Ehe hinweg. Er wurde schon bald nach Marburg berufen, lehrt jetzt in Wien, berühmt für seinen juristischen Scharfsinn. Von dort hört Rose nicht viel, und sie weiß gar nicht, ob sie es bedauern soll, denn die junge Emily steht felsenfest an Erichs Seite. Troemer war im Übrigen völlig klar, dass er unter Hitler, mit der Tochter einer Araberin als Ehefrau, niemals Generalmajor gewor-den wäre. Am Anfang waren sie ja beide stolz auf den flot-ten Erich, den Emily ins Haus brachte. Ein junger Mann mit tadellosen Umgangsformen. Doch er wollte schon bei der ersten Begegnung mit Troemer über den Schandvertrag von Versailles sprechen, über die Knechtschaft der Weimarer Republik, über die Arroganz der Siegermächte, er dachte, der künftige Schwiegervater werde als hochrangiger Weltkriegs-Offizier seine Empörung teilen. Dass Troemer zurückhaltend blieb, wortkarg, keine klare Stellung bezog, enttäuschte ihn; ihr Verhältnis kühlte rasch ab.

Am Abend des 30. Januar 1933 äußerte Troemer aber plötzlich einen Satz, den Rose nicht vergessen hat. »Ich befürchte, dass wir nun auf einen neuen und noch schlimmeren Krieg zusteuern.« Seine Sprache war schon abgeschliffen, altersmüde, man verstand ihn kaum.

Erich widersprach mit Vehemenz: Hitler gehe es darum, wie einst Bismarck die Machtbalance in Europa wiederherzustellen, wozu auch gehöre, dass dem deutschen Volk genügend Lebensraum zustehe. In diesem Sinn sei der Führer ein Friedenskämpfer. Troemer schüttelte den Kopf, verstummte schon wieder.

Noch einmal, mein Lieber, spricht Rose den Toten an, was würdest du heute sagen? Ein Blitzkrieg, keine Grabenkämpfe. Pétain regiert jetzt über ein Rumpffrankreich. Das ist Befriedung nach deutscher Art. Und ein Deutscher durch und durch bist du doch geblieben. Also freu dich in deinem Grab. Wir leben, sagt man da draußen, in großen Zeiten. Sie leert lächelnd ihr Glas und meint, Troemer nörgeln zu hören: Das sei nichts als voreilige Besoffenheit, die Deutschen hätten später den Preis dafür zu zahlen. Da wird ihr plötzlich bange, und sie beginnt dieser Stimme, die doch schon verstummt ist, beinahe zu glauben.

8

Wäre ich bei Dir, mein Bruder, könnte ich Dir zeigen, auf welche Weise es Dir möglich wäre, Deine Einkünfte zu erhöhen und die Ausgaben zu vermindern, so dass auch Deine Untertanen einen Nutzen davon hätten. Wenn Du mit der deutschen Regierung den Handel und anderes regeln willst, kann ich beim Herrscher persönlich vorsprechen und mich für Deine Belange einsetzen. Er ist ein gütiger Mensch.

Der Taxifahrer nahm vor jeder Kehre, die zum Kurhaus hinaufführte, Gas weg und zwang den Wagen zum Schritttempo; die Hupe, sagte er entschuldigend, sei im Moment defekt. Auf dem Pilatus, der sich im Gewölk hin und wieder wie ein launischer Akteur zeigte, lag schon wieder Schnee. Die Gebäude kamen in Sicht, Rudolph ließ das Taxi auf dem Kiesplatz vor dem Hauptgebäude anhalten. Daneben erhob sich das alte Chalet mit dunkelbraun gebrannter Holzfassade und Fenstersimsen, auf denen im Sommer Geranienkisten standen. Nichts deutete bei diesem Anblick auf die Kranken hin, die in ihren Zimmern lagen. Die Balkonreihen, die die beiden gelbgestrichenen Giebelfronten des Hauptbaus miteinander verbanden, waren leer. Das verblichene Gelb der Fassaden mochte er nicht; es gemahnte ihn an unappetitliche Suppen, an die Bettwäsche in der Kadettenanstalt. Solche Erinnerungen sind eine Last, man schleppt sie lebenslänglich mit sich. Am Empfangspult war er bekannt; die diensttuende Dame, deren Haar wieder um eine Spur blonder geworden war, schenkte ihm ein Lächeln. Er wusste ja, wo Thereses Zimmer lag. Mit schmerzenden Knien stieg er in den zweiten Stock, Südseite. Es gefiel ihr, wenn er einen Anzug trug, da wehe, hatte sie gesagt, ein Hauch ihrer Londoner Zeit um ihn. Er hatte sich heute sogar die silbergraue Krawatte mit blauen Tupfen umgebunden, die sie an die damaligen Empfänge erinnern sollte. Wie lange war das nun her, dass die iranische Botschaft sie zum Geburtstag von Reza Shah Pahlavi eingeladen hatte? Ein denkwürdiges Fest, ausgelassen, ohne ins Ordinäre abzugleiten. Und diese reiche Tafel! Man hatte ihn damals noch für einen Mann mit Einfluss gehalten, man wusste von seinen weitverzweigten Beziehungen mit Orientalisten, mit Bankiers, mit Politikern.

Rudolph hängte den Hut an einen Garderobenhaken, er rückte den Krawattenknoten zurecht, knöpfte das anthrazitfarbene Veston zu, bevor er an die Tür klopfte. Er lauschte, hörte nichts, trat vorsichtig ein.

Das Zimmer, eigentlich sehr hell, war durch die halb heruntergelassenen Storen abgedunkelt. Therese lag im Bett, sie schlummerte, öffnete aber die Augen, als er sich auf den Stuhl am Kopfende setzte.

»Du?«, fragte sie mit einem Lächeln und reichte ihm die kalte Hand. Seit einiger Zeit verzichteten sie auf Begrüßungsküsse, er wusste eigentlich nicht, warum. Vielleicht wollten sie den undefinierbaren Gerüchen entgehen, die ihnen anhafteten; sie hatte ihm einmal gestanden, dass er oft schlechten Atem habe, dasselbe galt indessen für sie. Er schaute sie an, er bemühte sich, ihr Lächeln zu erwidern, und dachte: Wie alt ist sie doch geworden! Das Spitzige in ihrem Gesicht hatte sich in den letzten Wochen verstärkt, die Falten waren tiefer geworden, und ein gelbliches Weiß hatte die letzte Färbung ihrer Haare strähnig durchwachsen. Er sah jetzt jünger aus als sie, das wusste er, jünger, aber nicht weniger müde. Erschöpft waren sie beide, deprimiert. Wovon denn? Von den Zeitläuften. Vom Unglück, das über Deutschland hereingebrochen war. Mehr wohl noch von ihrer zunehmenden Einsamkeit. Die beiden Kinder, Werner und Olga, waren weit weg, beide in den USA. Antonie war tot, erst vor drei Tagen hatte er es Therese gesagt. Von Rosalie und den Ihren fehlte jede Nachricht. Und was mit Thereses Verwandtschaft geschehen war, wurde von Woche zu Woche klarer. Was wollte er da noch zusammenhalten, wiedergutmachen? Es war zu spät dafür, sie waren beide zu alt. Er tätschelte Thereses Hand.

»Wie geht es dir, meine Liebe?«

Sie verzog den Mund wie ein ungehorsames Kind; seit vier Jahrzehnten kannte er diese Eigenart an ihr. »Ach, frag nicht. Ich bin heute schwach. Das Atmen fällt mir schwer. Zum Glück habe ich kein Fieber, nur etwas Temperatur.« Sie machte eine Pause, musterte ihn. »Du trägst deine Silberkrawatte.« Sie lächelte wieder, dieses Mal lächelten die umfältelten Augen mit, und das rührte ihn.

Sie zog behutsam ihre Hand unter seiner hervor, deutete auf sein Kinn. »Du hast dich wieder geschnitten. Und weißt du was: Den Schnurrbart solltest du dringend stutzen.«

Er nickte und überspielte seine Ungehaltenheit. Den

Schnitt von der Morgenrasur sah man doch kaum. Therese, wie sie leibt und lebt, dachte er, pedantisch um sein Äußeres besorgt, mehr als um ihr eigenes. Das war schon auf ihrer Hochzeit so gewesen; höchstpersönlich hatte sie seinen Lackschuhen, vor ihm kniend, mit einem Lederlappen den letzten Glanz verliehen, unmittelbar bevor sie in den Festsaal traten und mit Hochrufen und »Masel tov« begrüßt wurden. Seltsam, dass man solche Bagatellen nie vergisst.

»Was sagt der Arzt?«, fragte er.

»Er hat ein paar Tage Bettruhe verordnet. Keine Verschlimmerung auf jeden Fall. Morgen oder übermorgen geh ich schon wieder spazieren, dick eingepackt natürlich.«

Er nickte und wurde sich bewusst, dass dies seiner Frau gegenüber die häufigste Reaktion geworden war: ein Nicken, manchmal gönnerhaft, manchmal skeptisch. »Wenn die Sonne richtig scheinen würde, könntest du ja auf dem Balkon sitzen. Aber so! Diese Fünfminutenvorstellungen, das sind bloß Appetithäppchen.«

Sie lachte ein wenig, ihr Jungmädchenlachen, das sie all die Jahre nicht abgelegt hatte. »Du bist eben doch ein verkappter Dichter.«

»Ach was! Aber willst du nicht mehr Licht hereinlassen?« Ohne ihre Antwort abzuwarten, ging er zur Fensterseite und zog die Storen hoch. Das Licht, von den Wolken gefiltert, schwappte herein wie eine ungreifbare Welle. Als er sich wieder zu Therese setzte, hatte sie sich halb zur Wand gedreht.

»Zu hell?«, fragte er.

»Nein, nein, lass es jetzt.«

Sie schwiegen eine Weile, ihre Atemgeräusche begannen sich zu synchronisieren. Doch Rudolph stemmte sich gegen den Gleichtakt. Schon letzten Sommer, nachdem man einen Schatten auf ihrer Lunge entdeckt hatte, war Therese vier Wochen in der Sonnmatt gewesen. Sie kannten das Kurhaus seit ihren Luzerner Jahren. Davos lag höher, war renommierter für Lungenleiden, aber eine bessere Luft konnte auch Davos nicht bieten. Er hatte Therese dazu überredet, sich den Aufenthalt hier zu leisten; so kurz nach dem Krieg konnte man mit der Kurhausleitung den Preis herunterhandeln. Er war dann seinerseits im Schweizerhof abgestiegen und hatte Therese regelmäßig besucht, ein ähnliches Arrangement also wie auch jetzt im Vorfrühling. Die erhoffte Besserung war im Lauf des Sommers eingetreten, doch Thereses Zustand hatte sich während des feuchten Londoner Winters wieder verschlechtert, deshalb der neuerliche Versuch, mit der Klimaänderung günstig auf sie einzuwirken. Bisweilen dachte er, Therese werde bald sterben, es gab Momente, da ihre Haut so durchscheinend wirkte, als sei sie nahe daran. Dabei durchfuhr ihn nicht der Schreck, dass er sie verlieren würde, sondern eine übermächtige Erwartung; das Unbekannte, das vor ihm lag, konnte alles enthalten, Schrecken und Neuanfang, Verzweiflung und Befreiung.

Beinahe hätte er ihre Stimme überhört: »Denkst du eigentlich, es ist gerecht, dass wir das alles überlebt haben?« Er schwieg, sie fuhr fort: »Manchmal sage ich mir: Wir waren doch einfach feige, dass wir nicht geblieben sind.«

»Ich bitte dich!« Er schob mit lautem Knarren seinen Stuhl um einen Fußbreit zurück. »Hättest du im Lager enden wollen? Im Rauch?«

»Paare wie wir«, sagte sie, »wurden nicht deportiert, sie kamen in Judenhäuser.«

»Du vergisst«, erwiderte er, »dass auch ich als Halbarier gegolten habe. Wir wären Opfer geworden, nichts anderes. In London haben wir immerhin ein paar Dutzend Emigranten weiterhelfen können. Spenden für sie gesammelt. Ausweispapiere besorgt, Adressen vermittelt. Ich habe Doktor Hedwig Klein, wie du dich erinnerst, mit allen Mitteln zur Ausreise aus Deutschland verhelfen wollen. Leider ist es mir nicht gelungen.«

Therese wandte ihm wieder ihr Gesicht zu, in dem sich der störrische Zug zeigte, den er so gut kannte. »Das weiß ich alles, mein Gedächtnis ist noch intakt. Trotzdem quält mich nachts die Frage, ob wir nicht einfach unsere Familien im Stich gelassen haben.«

Nun hatte sie ihn wieder so weit. Dieser spitzfindige Moralismus! »Sie hätten frühzeitig auswandern können. Sie wollten es nicht, sie haben alle Zeichen sträflich missachtet. So lange, bis es zu spät war.«

»Ach, sei mir nicht böse.« Sie seufzte, tastete, die Augen halb geschlossen, nach seiner Hand. »Ich weiß ja, dass es wohl sinnlos gewesen wäre zu bleiben. Und doch komme ich nicht davon los. All meine Cousins, meine Cousinen, ihre Kinder. Verschollen, verschwunden. Zum Glück mussten meine Eltern das nicht erleben.«

Dieses Mal dauerte das Schweigen länger. Er kämpfte gegen seinen Unmut. Fast bei jedem Besuch gerieten sie in diesen nutzlosen Streit hinein, in dem sie sich abmühten wie in einer Tretmühle. Er grollte all den Juden in seiner Verwandtschaft, die sich als gute Deutsche gefühlt und es nicht für möglich gehalten hatten, dass die Nazis sie in grausamer Beamtenhaftigkeit auf ihr Judentum reduzieren würden. Er dachte an die Hochzeitsgesellschaft damals im Festsaal des Grandhotels Bellevue. Das Gruppenfoto, das man draußen beim Baldachin aufgenommen hatte, stand ihm vor Augen: unterschiedliche Physiognomien und Staturen, Festkleidung, Männerhüte, Frauenhüte; durch welche Merkmale hatten sich denn die Arier von den Nicht-Ariern unterschieden? Durchs Blut, war die entsetzlich dumme Antwort der Nazis gewesen. Millionen hatten daran geglaubt. Er grollte den Mitläufern und ihrem zerstörerischen Herdendrang, er grollte sich selbst, dass er nach der Kristallnacht auf Leserbriefe an die *Times* und die nzz verzichtet hatte, um den Schwestern in Deutschland Repressalien zu ersparen. Fürsorglich oder feige? Beides; unter Druck war sein Verhalten nie eindeutig gewesen.

»Ach, Therese«, sagte er. »Das ist doch jetzt vorbei. Wir sollten uns besser der Zukunft zuwenden, die uns noch bleibt.«

»Es ist nicht vorbei.« Ihm war, als ob sie den nächsten Satz verschlucken würde, dann sagte sie doch: »Es wird nie wirklich vorbei sein, das weißt du auch.«

Er zupfte an seiner Krawatte. Sie war klug, seine Frau; oft genug traf sie den wunden Punkt. Was könnte sich stärker ins Gedächtnis einbrennen als die Greuel der letzten Jahre? Das einzig Vernünftige war, dass die Weltgemeinschaft den Juden nun den Staat in Palästina zugestand, den schon Herzl gefordert hatte. Dabei musste allerdings die arabische Seite auf jeden Fall gleichberechtigt einbezogen werden; eine ihr aufgezwungene Staatsgründung würde sonst in eine neue Katastrophe münden. Auch das betraf die Zukunft, seine Haltung war doch gar nicht so falsch. Er setzte zu einer Erklärung an, aber unvermittelt fragte Therese: »Hast du etwas von Olga gehört?«

Olga, ihr Sorgenkind; ein Wildfang war sie gewesen, sie hatte nie Glück mit Männern gehabt. Auf Thereses Nachttisch stand ein gerahmtes Foto mit den beiden Kindern. Hatte sie es eben angeschaut? Werner, zehnjährig, in kurzen Hosen, einen Fußball unter den Arm geklemmt, mit breitem Lachen, Olga, acht Jahre jünger, skeptisch blickend, abwehrbereit, als erwarte sie, dass aus der Kamera etwas auf sie zuflattern würde; vielleicht hatte Werner ihr ja auch eine scherzhafte Warnung zugeflüstert. Hinter der Kamera hatte er, der Vater, gestanden, er hatte die Kinder zu ordentlichem Posieren ermahnt, doch Werner wollte seinen Fußball nicht weglegen. Im Hintergrund der Vierwaldstättersee, die Rigi, der Himmel wolkenlos. Eine Idylle, 1912.

»Das war ja ganz in der Nähe«, sagte er, aufs Foto deutend.

Wieder ihr melancholisches Lächeln. »Ich glaube, es war unsere glücklichste Zeit. Aber ich habe dich etwas gefragt.«

Er fuhr sich mit der Zunge über die trockenen Lippen. »Funkstille, kann ich bloß sagen. Olga ist in Washington. Das war ihre letzte Nachricht vor einem halben Jahr, ein Telegramm. Ich habe es dir gezeigt.«

»Mit wem ist sie jetzt zusammen? Ich habe den Namen vergessen.«

»Oechsner heißt er, Frederick Oechsner, ein amerikanischer Journalist, das weißt du doch.«

Sie seufzte. »Wir kennen ihn nicht einmal.«

»Ich hätte nichts dagegen, ihn kennenzulernen. Er war während des Kriegs Deutschlandkorrespondent für ameri-

kanische Blätter. Er hat sich nicht gescheut, die Nazis anzu-
prangern, und wurde mehrmals in Schutzhaft genommen.
Das habe ich dir erzählt. Mich wundert nur, wo die beiden
einander begegnet sind. Darüber schreibt sie nichts, unsere
Olga. Eltern brauchen nicht alles zu wissen.«

Therese schien seine Worte zu überhören. »Hoffentlich
hat sie dieses Mal kein Pech. Ihre Scheidung war schwierig
genug. Und sie ist doch jetzt fünfunddreißig.«

Das hatten sie schon mehrfach durchgekaut. Auch, dass
Werner – er gab sich jetzt als Geschäftsmann aus – ebenfalls
in den USA geheiratet hatte, in Palm Beach, Florida, eine
Witwe, zehn Jahre älter als er. Bei solchen Gesprächen ver-
bohrte sich Therese unweigerlich in die Frage, ob sie das,
als Eltern, verdient hätten, und Rudolph antwortete jeweils
mit der Floskel, es seien die schwierigen Zeitumstände, die
ihre Kinder fortgetrieben hätten, nicht sie, die Eltern.

»Willst du etwas trinken?«, fragte er, um sie abzulenken.

»Wenn du mir einen Eisenkrauttee holen könntest, das
wäre lieb.«

Er war froh, das Zimmer mit seinen schweren Möbeln
für eine Weile zu verlassen, auch wenn es einfacher gewesen
wäre, den Tee telefonisch zu bestellen. Wieso bloß kosteten
ihn die Unterhaltungen mit Therese so viel Anstrengung?
Sie unterminierten seine mühsam errungene Gelassenheit,
sie ließen ihn unter den Achseln schwitzen. Im Speisesaal
war schon gedeckt, aber er musste laut rufen, damit ein Lehrling aus der Küche herbeischlurfte und auf umständliche
Weise den Tee zubereitete. Mit dem Tablett, das er sorgsam
auf einer Hand balancierte, ging er zurück in den zweiten
Stock und gab sich Mühe, dass der Tee beim Treppensteigen

nicht aus dem Kännchen schwappte. Auf dem ersten Treppenabsatz wurde ihm schwindlig, sein Herzschlag raste plötzlich. Er hielt an, um zu verschnaufen. Eine Schwester, die mit schnellen Schritten von oben kam, fragte, ob ihm etwas fehle. Er schüttelte den Kopf, ihre gestärkte Haube tanzte vor seinen Augen auf und ab, und er umklammerte mit der freien Hand das Treppengeländer. Doch er nahm sich zusammen und zwang sich weiterzugehen. Er war sicher, dass die Schwester ihm nachschaute. Wieder das Herz, das ihm solche Kapriolen bescherte. Als er endlich, nach mühsamem Türöffnen und -schließen, in Thereses Zimmer war, hatte er nur wenig Tee verschüttet. Sie schlief wieder, er stellte das Tablett auf den Nachttisch, schaute sie an, seine Frau. Wie hatte er in der Hochzeitsnacht gestaunt über die Üppigkeit ihrer Brüste, die Glätte ihrer Haut, das Knistern ihrer kräftigen Haare! So etwas vergisst man nicht.

Sie bewegte sich unter der Decke, seufzte, hob einen Arm, von dem das Nachthemd zurückrutschte, legte ihn hinter den Kopf. Sie war mager geworden, ihre Knochigkeit erschreckte ihn. Sie wird bald nur noch Haut und Knochen sein, dachte er und gestand sich ein, dass die Liebe, nicht nur die körperliche, nun immer mehr verblasste wie eine alte, zu lange der Sonne ausgesetzte Fotografie. Trotzdem war vieles noch da, Gewohnheit vor allem, nein, Anhänglichkeit, verbunden mit Zärtlichkeit, die ihn auch jetzt bewog, ihr das Haar aus der feucht gewordenen Stirn zu streichen. Sie erwachte, dankte für den Tee, den er ihr einschenkte. Sie setzte sich auf, er stützte ihr den Rücken mit zwei Kissen. Die volle Tasse, nach der sie griff, ließ sie beinahe fallen. »Zu heiß«, beschwerte sie sich, und er nahm ihr, offenbar unempfindlicher als sie, die Tasse ab und stellte sie aufs Tablett zurück.

»Warten wir noch ein Weilchen«, sagte er und ärgerte sich über den Diminutiv, der einem Kind angemessen gewesen wäre, nicht seiner Frau.

»Du kannst doch blasen«, sagte sie. »Das kühlt.«

Er tat es, ließ seinen Atem über die sich wellende Oberfläche des Tees streichen, doch dann goss er den Tee ins Kännchen zurück und vom Kännchen in langem Strahl wieder in die Tasse. Er wiederholte die Prozedur einige Male, überprüfte die Temperatur am Porzellan. Der Geruch des Eisenkrauts stieg ihm in die Nase. Für sich hätte er Pfefferminze vorgezogen, sie erinnerte ihn an seine Zeltnächte im Orient.

»Jetzt ist es gut«, sagte er, überreichte ihr die Tasse erneut, und dieses Mal trank sie ohne Protest, in kleinen gierigen Schlucken.

Sie sprachen nur noch wenig. Er verabschiedete sich vor dem Mittagessen, versprach übermorgen wiederzukommen. Dieses Mal verzichtete er darauf, den Kurarzt aufzusuchen, er hätte keinen anderen Bescheid als letzte Woche bekommen: Wahrscheinlich doch ein eingekapselter Tuberkuloseherd, Zukunft ungewiss, man werde bald neu röntgen. Immer noch der Eindruck von Leere im großen Gebäude, aber irritierenderweise überall Gemurmel. Oder war das Einbildung? Draußen jetzt ein stärkerer Wind, der ihn zwang, den Hut tiefer in die Stirn zu ziehen. Er hatte beschlossen, den Weg in die Stadt zu Fuß zurückzulegen. Es ging hinunter über einige Abkürzungen, seine Schritte wurden länger; seltsam, dass er bisweilen immer noch eine jugendliche Kraft in sich verspürte. Das Gras bräunlich, bloß hier und dort frisches Grün, von Gänseblümchen gefleckt. Die Obstbäume wie stachlige Ungeheuer, auf den zweiten Blick sah man die zahllosen Knospen. In wenigen Wochen würde es ringsum blühen, die Kirschbaumkronen ganz in Weiß, fragile Skulpturen von leuchtender Schönheit. Diese Vorstellung tröstete ihn ein wenig. Der Himmel war nun wieder bedeckt, nur wenn für Momente eine Wolkenstelle durchlässig wurde und die Sonne durchschien, sah er seinen fahlen Schatten.

Er war müde, als er in die Innenstadt gelangte, sein linker Schuh drückte. Autos überholten ihn, ein Lastwagen, auf dem Milchkannen schepperten. Der See war ungewöhnlich dunkel und unruhig. Ein unbekannter Passant zog den Hut vor ihm, und Rudolph war so irritiert, dass er den Gruß nicht rechtzeitig erwiderte. Gedankenverloren ging er am Schweizerhof vorbei. Er merkte es zu spät, tadelte sich selbst und kehrte zum Hotel zurück. In seinem Zimmer zog er die Schuhe aus, bewegte erleichtert die Zehen und legte sich, mit gelockerter Krawatte, aufs Sofa. Ein wenig dösen jetzt, den guten Erinnerungen Raum geben, die schlechten verbannen.

Doch dann klopfte es. Er hatte nichts bestellt, erwartete niemanden. Das Klopfen wurde dringlicher. Er dachte an den Besucher, der ihn vor wenigen Tagen überrascht hatte. War er es?

»Ja, bitte«, murmelte er und richtete sich halb auf.

Niemand kam. Hatte er sich getäuscht? Aber da war plötzlich einer in seinen Gedanken, der sich nicht verscheuchen ließ: Ludwig Mond. Warum gerade jetzt? Oft genug hätte er ihn gerne aus dem Gedächtnis vertrieben wie einen räudigen Wolf. Er tat ihm damit unrecht, er verdankte Onkel

Ludwig, wie er sich nennen ließ, viel zu viel. Doch vor dem massigen Mann mit dem Vollbart und der raumfüllenden Stimme war er bei ihren wenigen Begegnungen zum blassen Stichwortgeber geworden, er hatte ihn bewundert und heimlich gehasst. Was konnte er, der Friedensträumer, Monds Erfolgsgeschichte denn entgegensetzen? Er hatte gehofft, zumindest geheimnisvoll zu wirken, bedeutungsvoller, als er war, er, der Goi, der aus Monds Sicht so wenig in seine jüdische Verwandtschaft passte. Dennoch hatte Ludwig Mond ihn mit seiner Jovialität für sich eingenommen, ihm das Du aufgenötigt, das ihm nur schwer über die Lippen ging. Er war vor dem Ersten Weltkrieg gestorben; an der Trauerfeier nahm teil, was in London Rang und Namen hatte, sogar der König ließ sich durch den Kronprinzen vertreten. Therese und Rudolph fühlten sich nahezu unsichtbar in dieser Gesellschaft, es war schwer zu ertragen. Wann hatten sich er und Mond das letzte Mal getroffen? 1906, ja, vor der zweiten Abreise nach Ägypten, sie hatten, mit Werner, auf dem Bürgenstock zwei Sommerwochen verbracht; Onkel Ludwig, der trotz seines Alters noch Bergwanderungen unternahm, hatte sie dort im neuerbauten Hotel aufgesucht, begleitet von zwei merklich jüngeren Freunden. Er umarmte die Nichte mit seinem üblichen Ungestüm, er gratulierte Rudolph mit festem Händedruck zu seiner Bankdirektorenstelle in Kairo. »Nun wird aus dir doch etwas Handfestes«, sagte er scherzhaft bei Tisch und brach in sein dröhnendes Lachen aus, das den kleinen Werner einschüchterte. »Es ist schon so, mein Lieber, mit Worten allein veränderst du die Zustände nicht.«

Erstmals hatte Rudolph, ausgestattet mit dem neuen Namen und der Direktorenwürde, das Gefühl, Mond auf Augenhöhe zu begegnen, er wagte es, ihm zu widersprechen. »Für die Völkerverständigung, Onkel Ludwig, auch wenn du das geringachtest, werde ich mich weiterhin einsetzen. Das ist ja auch ein Grund, warum ich mich wieder in Kairo niederlasse. Ich glaube, ich kann da einiges tun für ein besseres Klima zwischen England und Deutschland, zwischen Rassen und Religionen.«

Mond schlug ihm kräftig auf die Schultern, und wie so oft wusste Rudolph nicht, ob es wohlwollend oder eine Spur verächtlich gemeint war. »Du willst den Frieden? Ich auch. Du bist gegen Waffengewalt? Ich auch. Dass ich in meinen Sodafabriken Tausenden Arbeit und Lohn gebe, halte ich für eine äußerst nützliche Friedensbemühung. Das verhindert soziale Unruhen und erschwert den Aufstieg der Sozialisten. Oder siehst du das anders, mein Junge?«

Rudolph mochte es nicht, wenn ihn Mond so bärbeißig-ironisch anredete, aber er wollte keinen Streit vom Zaun brechen; die Tritte, die ihm Therese unter dem Tisch mit der Schuhspitze versetzte, waren ihm Warnung genug. Das Gespräch hatte ihn erneut mundtot gemacht. Schlimmer noch traf ihn Monds großzügige Geste, in aller Verschwiegenheit ihre Hotelrechnung zu bezahlen. Der Onkel wollte keinen Dank, aber natürlich musste man ihm danken, auf Büttenpapier, in wohlgesetzten Worten; immer war man ihm zu Dank verpflichtet. Der Dank für Monds Legat – 1910, gerade zur rechten Zeit – hatte allerdings keinen lebenden Adressaten mehr, die Dankbarkeit verwandelte sich in Scham, und dagegen wehren konnte er sich nur mit seinem ganz und gar ungerechten Zorn. Es gab ja wenig, was sich Mond vorwerfen ließ; höchstens, dass er, der hochbegabte Chemiker, so früh aus Deutschland weggegangen war, irritierte patriotisch gesinnte Deutsche. Hätte er nicht seinem Vaterland dienen müssen, statt Englands Industrie zu weiterem Aufschwung zu verhelfen? Das hatte er Mond einmal gefragt. Die Antwort war kurz, nicht ohne Bitterkeit. »Warum ich weggegangen bin? Weil ich merkte, dass die Vorurteile gegenüber Juden in England viel geringer waren als in Kassel und anderswo. Ich fühle mich freier in England. Auch hier gibt es Antisemitismus, aber Pogrome gab es nie. Yes, that's the reason«, schloss er in seiner neuen Sprache, als setze er damit einen deutlicheren Punkt.

Was würde einer wie Mond, fragte sich Rudolph, heute zum zerstörten Deutschland sagen, zum Massenmord an den Juden? Er würde die Fassung verlieren. Und dann? Würde er nach Palästina auswandern? Würde er es billigen, dass dort nun, auf Kosten der Araber, eine Heimstatt für die Juden entstehen sollte? Man weiß nie zum Voraus, in welche Richtung sich ein Mensch entwickelt. In den Sprüngen und Windungen des Schicksals so etwas wie eine geheime Logik entdecken zu wollen, war unmöglich. Auch bei ihm selbst. Weshalb hatte er denn über Jahre hinweg versucht, Politiker in langatmigen Briefen zum Umdenken zu bewegen? Ständig diese neuen Anläufe. Er wusste doch, dass es nichts nützen würde, trotzdem ließ er seine Hoffnungen weiterglimmen. Dem Reichskanzler Bethmann Hollweg schrieb er 1915, mitten im Krieg, dass der Weltfrieden nur durch eine Verständigung auf der Grundlage selbstbewusster Gleichberechtigung gesichert werden könne, gerade auch zwischen Deutschland und England; er bot an, ihm dies persönlich darzulegen. Und wie antwortete der Kanzler? Die paar Zeilen – geradezu höhnisch in ihrem Tonfall – hatten sich ihm Wort für Wort eingeprägt, er konnte sie jetzt noch auswendig hersagen: »Euer Hochwohlgeboren bestätige ich ergebenst den Empfang Ihres gefälligen Schreibens vom 16. v. M. Zu meinem Bedauern ist meine Zeit gegenwärtig so in Anspruch genommen, dass ich auf das Vergnügen einer Unterhaltung mit Ihnen verzichten muss.« Eine Abfuhr, wie so oft. Hatte nicht doch Ludwig Mond mehr geleistet für das Wohl der Menschheit als sämtliche idealistischen Philosophen? Er, Rudolph, hatte seit seinem Weggang von der Orientbank nie wirklich Verantwortung übernommen. Auch während seiner Direktorenzeit hatte er hauptsächlich – und gehorsam – Anweisungen der Vorgesetzten in Berlin ausgeführt. Und danach? Kein einflussreicher Posten für ihn beim Völkerbund oder in der Zionistischen Bewegung. Protokollant auf der Genfer Abrüstungskonferenz wurde er auch nicht. Immer war ihm etwas im Weg gestanden. Am Ende er sich selbst. Und war es denn mutig gewesen, 1934, als alle Zeichen schon auf Sturm standen, britischer Staatsbürger zu werden? War es eine Heldentat, dem Dritten Reich angeekelt – und in schöner Sicherheit – den Rücken zu kehren? Man hatte ihn nicht einmal ausgebürgert wie Thomas Mann, dafür hatte er als zu wenig gefährlich gegolten; die deutsche Staatsbürgerschaft war, in Anbetracht der britischen, einfach erloschen.

Und sonst? Er sah sich plötzlich in einem der großen Zelte, in denen er auf Reisen oft verhandelt hatte. Er saß auf einem weichen Teppich, mit gekreuzten Beinen, üppig beladene Platten wurden herumgereicht, Pfefferminztee nachgegossen. Er stellte sich den Geschmack von Kichererbsenmus vor, von gefüllten Zwergauberginen, von reifen Datteln. Ein Windstoß ließ das Zeltdach in einer leichten Wellenbewegung erzittern, einen Türvorhang flattern. Licht- und Schattenflecken huschten über den Boden, über die Männer in Weiß, Gelächter, Stimmengewirr; so zu verhandeln, war immer auch ein Spiel. Das hatte er, der sich in seinen Vorhaben verbiss, viel zu spät im Leben begriffen.

Und er dachte daran, was seine Mutter verlor, als sie wegging: die Freiheit des leichten Winds, den Sand unter den Sohlen. Nicht von ungefähr hatte sie ein Säckchen Sand aus Sansibar mitgenommen und es ein halbes Jahrhundert aufbewahrt, und die drei Geschwister hatten das Säckchen auf dem Friedhof Ohlsdorf ins Urnengrab gelegt. Ein passender Abschluss für dieses Leben. Sand zu Asche. Und keine Hand, die eine andere hält. Drei Geschwister, zerstritten und uneins.

9

Bei Gott, mein Bruder, ich wünsche aufrichtig, dass Du mir vergibst, was in der Vergangenheit geschehen ist, denn Du weißt doch auch, dass niemand vollkommen und ohne Fehler ist außer dem Einen, dem Allmächtigen.

Das Abendessen im Blauen Salon war vorbei, der Hoteldirektor hatte seine Begrüßungsrunde absolviert, bereits spielte Silberstein am Flügel die erste Chopin-Mazurka. Das Gespräch war dahingeplätschert. Madame Bloch hatte auf ihrem Spaziergang Schlüsselblumen, die Spitzen von jungem Bärlauch gesehen, Dr. Weizmann hatte in der hiesigen Drogerie Kräuterpastillen gefunden, die den Hustenreiz milderten.

Und was jetzt? Nicht schon wieder Schach mit Herrn Sarasin. Der Basler, der sich so bescheiden gab, ging Rudolph zeitweilig auf die Nerven, nicht weil ihre politischen Standpunkte auseinanderlagen, sondern weil Sarasin so unorthodox spielte, dass ihm mit angelernten Eröffnungen, wie sie Rudolph beherrschte, kaum beizukommen war. Dazu mochte er es nicht, wenn ihm ein kurzatmiger Gegner gegenübersaß; das Schnaufen störte seine Konzentration. Er verlor ungern, hatte aber gelernt, seine jungenhafte Enttäuschung zu tarnen. Dann doch lieber eine Partie Bridge zu viert. Oder ein

Whisky an der Bar, zu dem ihn Peacock seit Tagen einladen wollte. Am liebsten aber gar nichts. Seit er in Luzern weilte, war er jeden Abend früher müde, geradezu erschöpft, eigentlich zog es ihn zurück in sein Zimmer, aufs Sofa oder ins Bett. Dabei sollten diese vier Wochen auch für ihn ein Erholungsaufenthalt sein. Es war bestimmt die Luftveränderung, die ihn belastete, vielleicht auch die andauernde Beschäftigung mit Vergangenem. Und da lag immer noch die Sterbeurkunde auf seinem Schreibtisch. Er hatte sie umgedreht, aber nicht in einer Schublade verwahrt. Schlechtes Papier, Kriegsdruck, auf dem Couvert übergroß sein Name in grüner Tinte, wie ein Menetekel: *Rudolph Said-Ruete, z. Z. Grandhotel Schweizerhof, Luzern, Schweiz.* Manchmal sehnte er sich nach den Gesprächen mit Therese, der jungen Therese, sie konnte die Dinge, die ihm verworren schienen, eins, zwei, drei in eine einleuchtende Ordnung bringen. »Das ist nun mal so, du musst dich damit abfinden, renn dir hier doch nicht den Kopf ein!« Gab es simplere Sätze als diese? Und doch halfen sie ihm dabei, die Aufgaben, die er sich stellte, gelassener anzugehen, seinen Ehrgeiz zu dämpfen.

Man erhob sich. Mit einem kleinen Neigen des Kopfes sagte Rudolph: »Madame Bloch, meine Herren, Sie erlauben, dass ich mich zurückziehe.« Einige bedauernde Halbsätze, die Frage, ob ihn wieder sein Kopfweh plage. Dann war er entlassen, ging, an Silberstein vorbei, zum Treppenhaus. Er fragte sich, während er schwer atmend die Stufen erklomm, was für unterschiedliche Lebensläufe eigentlich die Gesellschaft an seinem Tisch zusammengebracht hatten; mit schlechtem Gewissen stellte er fest, wie wenig ihn biographische Details inzwischen interessierten. Manchmal schien ihm, irgendein Gott würfle an jeder Verzweigung für einen: hier durch, da lang, und das ergab, zusammen mit dem Zufall der Geburt, ein Leben.

Warum kam ihm jetzt, gerade als er die Zimmertür aufschloss, Bismarck in den Sinn? Weil er für ihn in einer Reihe mit Ludwig Mond stand? Sie gehörten beide zu den einflussreichen, um Jahre älteren Männern, deren Nähe er hartnäckig gesucht hatte. Nicht nur die Nähe, wohl auch die Auseinandersetzung mit ihnen. Als Halbwüchsiger hatte er alles Verfügbare über Bismarck gelesen, sich in seinen schwierigen Werdegang, seinen Aufstieg vertieft, ihn sich zum Vorbild genommen; daran hatte auch Dombrowskis Verehrung für den Kanzler einen Anteil. Als er Leutnant in Torgau war, hatte er sich, seiner Mutter wegen, um eine Audienz bei Bismarck bemüht, die ersten Absagen ignoriert, dann die Empfehlung hochrangiger Vorgesetzter eingeholt, erneut geschrieben und um Gehör gebeten. Und im Juli 1893 hatte der ehemalige Kanzler, den der junge Kaiser, Wilhelm II., aus dem Amt gedrängt hatte, Herrn Said Ruete tatsächlich zu einem Mittagessen nach Friedrichsruh eingeladen.

Er traf, in Gala-Uniform, viel zu früh auf dem Landsitz ein, stieg schwindlig vor Aufregung aus dem Wagen, ging vor dem Haus eine gute Viertelstunde auf und ab. Dabei blickte er ständig auf die Uhr und hoffte, dass die Dienerschaft ihn nicht von drinnen beobachtete. Schlag zwölf zog er die Türglocke, Hunde begannen zu bellen. Der junge Mann, der ihm öffnete, begrüßte ihn mit routinierter Freundlichkeit und stellte sich als Doktor Chrysander vor, Bismarcks Sekretär und Hausarzt. In der Eingangshalle trat ihm, nachdem er seinen Hut abgelegt hatte, die weißhaarige Hausfrau, Fürstin Bismarck, entgegen, sie lächelte würdevoll, überließ dem Besucher die Fingerspitzen zum Handkuss und wies ihm den Weg zum Esszimmer. Dort saß der Alte, in der Nähe des gedeckten Tischs, dösend in einem Ohrensessel, zu seinen Füßen zwei Doggen. Auf seinen Knien war eine Zeitung ausgebreitet, die ihm entglitten war; am Boden, neben den Hunden, lag eine zweite. Dieser Anblick erschreckte Said, er hatte Haltung erwartet, einen immer noch strammen Mann mit gut gebürstetem Schnurrbart und buschigen Augenbrauen wie auf den zahllosen Bildern, die er von ihm gesehen hatte. Doktor Chrysander, der plötzlich wieder bei Said stand, sprach den Dösenden halblaut an: »Durchlaucht, Ihr Gast ist da: Herr Leutnant Ruete«, und das genügte, damit ein Ruck durch Bismarck ging. Er straffte sich, schaute forschend zur Tür, er rief die Hunde, die den Besucher beschnuppern wollten, in scharfem Ton zurück, schickte sie mit einem Fingerschnippen unter den Tisch. Sie gehorchten, ohne Laut zu geben. Als Bismarck aufstand, erschrak Said wieder. Er hatte ihn sich nicht so hochgewachsen und voluminös vorgestellt, zudem trug er das Waffenkleid eines preußischen Generalobersten. Das war, wie der Sekretär Said zuflüsterte, dem Umstand geschuldet, dass er einen Offizier zu Gast hatte; bei solchen Gelegenheiten erweise er durch seine Kleiderwahl dem Militär die Ehre.

Said salutierte, schlug die Absätze zusammen. Bismarck reichte ihm die Hand, die weich und kühl war. »Erfreut, Sie auch persönlich kennenzulernen, Herr Leutnant«, sagte er mit tenoraler Stimme; man hätte bei ihm eher einen Bass vermutet. Diesen Worten ließ er ein kleines, meckerndes Lachen folgen. »Sie und Ihre Mutter haben uns ja vor Jahren schon einige Male beschäftigt.«

»Das stimmt«, sagte jemand in Saids Rücken, ebenfalls lachend. »Wie Sie feststellen können, bereitet sich mein Vater auf seine Gäste vor.«

Es war Herbert, Bismarcks ältester Sohn, kleiner als der Vater, aber ebenso beleibt und mit einer Gesichtsfarbe, die stellenweise ins Purpurne ging. Auch Said hatte sich über die mögliche Tischgesellschaft ins Bild gesetzt, er wusste, dass Herbert von Bismarck zur Zeit seines Aufenthalts in Sansibar Staatssekretär im Auswärtigen Amt gewesen war; viele hatten ihn schon als Nachfolger des Vaters gesehen. Aber nach dessen Zerwürfnis mit Wilhelm II. hatte auch Herbert in familiärer Loyalität den Dienst quittiert, nun war er in den Reichstag gewählt worden und erhoffte sich davon eine neue Bedeutung. Zeitweise lebte er mit seiner Frau, der Gräfin Hoyos, auf dem väterlichen Ruhesitz, der ja eigentlich nichts anderes war als ein umgebauter Gasthof. Schwer vorstellbar, dass es einst, wegen der Affäre mit einer verheirateten Frau, beinahe zum Bruch mit dem Vater gekommen war. Das Gerücht ging damals um, Bismarck habe dem Sohn mit Selbstmord gedroht, falls er die anstößige Beziehung nicht aufgebe.

Man setzte sich, zu fünft nun, an den Tisch; die Hunde trotteten zu ihrem alten Platz beim Sessel, wo eine zerschlissene Hundedecke lag. Bismarck nahm an der Schmalseite den Vorsitz ein. Der Kragen beengte ihn, und er versuchte ihn mit zwei Fingern zurechtzurücken.

Das Essen: einfach, bäuerlich, Gesottenes mit Meerrettichsauce und Kartoffeln, vorab eine undefinierbare Suppe;

der Rotwein jedoch erlesen, der beste vom Rheingau, wie Chrysander an Saids Seite bemerkte. Vater und Sohn sprachen ihm kräftig zu, bald schon wurde die zweite Flasche entkorkt. Das Gespräch stockte, man wartete auf Bismarck, und der widmete sich grimmig dem zähen Siedfleisch. So gab es lediglich Bemerkungen zum launischen Sommerwetter, zum Stand der Ernte und darüber, wie stickig es sogar bei tieferen Temperaturen in Berlin sein könne. Mit zunehmender Besorgnis fragte sich Said, ob er überhaupt Gelegenheit haben würde, sein Anliegen vorzubringen.

»Da lob ich mir mein Friedrichsruh«, unterbrach Bismarck das Geplauder, in dem aber doch eine untergründige Spannung spürbar war, und schob den halbvollen Teller von sich. »Ich hab's nie gemocht, wenn man sich auf den Füßen steht.«

»Darum bist du ja so rasch vorangekommen«, ließ der Sohn sich vernehmen. »Du wolltest lieber vor der Menge stehen als mittendrin.«

Der Alte ging auf Herberts Bonmot nicht ein. Er musterte Said eingehend, der senkte den Kopf vor diesem wachen Blick. Überhaupt wirkte Bismarck, seit er am Tisch saß, beträchtlich verjüngt.

»Na, Herr Leutnant«, fragte er, »wie gefällt es Ihnen in unserer Armee?«

Keiner aß mehr weiter, nachdem der Tischherr angezeigt hatte, dass für ihn das Mahl beendet sei; man schaute auf Said, dem das Blut in den Kopf strömte.

»Ausgezeichnet«, sagte er nach einer Überlegungszeit, die ihm viel zu lang schien. »Es ist ja auch eine pädagogische Aufgabe.«

»Richtig!« Bismarck klatschte lobend in die Hände. »Junge

Männer, die so viele Flausen im Kopf haben, zu Soldaten zu erziehen, ist kein leichter Auftrag.« Er machte eine seiner berüchtigten Pausen, deutete dann mit dem Zeigefinger auf Said: »Haben Sie sich schon einmal duelliert, Herr Leutnant?«

Said versuchte seine Überraschung zu verbergen. »Nein, Durchlaucht, es gab keinen Anlass dazu, und ich muss gestehen, dass ich eigentlich gegen das Duell bin. Es erscheint mir als eine überholte Form der Ehrenrettung.«

»Überholt?« Bismarck räusperte sich sehr laut und wischte mit der Serviette seinen Mund ab. »Vieles gilt heute als überholt. Mag sein, dass man das Duell bald verbietet. Aber ich sage Ihnen« – er schlug mit der flachen Hand auf den Tisch, dass die Gläser klirrten und einer der Hunde kurz bellte – »es gibt keine bessere Schule der Männlichkeit als das Duell. Es gibt, außer dem Krieg, keinen besseren Weg, die eigene Angst überwinden zu lernen, als gerade das Duell. Dies nur, weil Sie die Pädagogik erwähnt haben, Herr Leutnant.«

»Diesen Weg bist du gegangen«, wandte sich Herbert an den Vater, und wieder war es nicht klar, ob seine Bemerkung leicht spöttisch oder ernst gemeint war. »Und er hat dich gewiss gestählt. Ich selbst habe ihn« – das galt nun Said – »auch vermieden.«

Hatte Bismarck in jungen Jahren ein Duell überlebt? Davon wusste Said nichts, es imponierte ihm indessen weniger, als der Alte sich wohl wünschte.

»Man muss sich vor dem Duell ernsthaft mit dem Tod konfrontieren«, sagte Bismarck, während seine Frau, die bisher kein Wort geäußert hatte, ihre Hand auf seinen Unterarm legte. »Man muss sein Verhältnis zu Gott überdenken. Und man kann, wenn es so weit ist, mit Absicht danebenschießen.«

»Mein Vater«, führte Herbert aus, »sprach einem Widersacher im preußischen Landtag, der ihn seinerseits beleidigt hatte, die gute Erziehung ab. Im Pistolenduell verfehlten die beiden einander. Ob mit oder ohne Absicht, sei dahingestellt.«

»Ach was«, fuhr ihm Bismarck über den Mund, und die Fürstin verstärkte ihren Druck auf seinem Unterarm. »Gezielt und geschossen haben wir beide. Und uns hinterher versöhnt. Darum geht es ja. Auch wenn mir in diesem Moment nicht unlieb gewesen wäre, den Gegner im Gras liegen zu sehen.« Sein Lachen klang dieses Mal gepresst. »Verstehen Sie mich recht, Herr Leutnant. Ich bin hier im Zwiespalt. Es gibt durchaus vernünftige Argumente gegen das Duell. Aber man sollte das Kind nicht mit dem Bad ausschütten. Und keinesfalls will ich mein Lob des Duells – oder der Werte, die dahinterstehen – auf den Waffengang zwischen Nationen übertragen. Bei Ersterem geht es um Individuen und ihren Ehrbegriff, beim Zweiten um den möglichen Tod von Tausenden. Und bei diesem zweiten muss man alles daransetzen, es zu vermeiden. Was leider unserem Kaiser in seinem jugendlichen Expansionsdrang nicht einleuchten will.« Er räusperte sich, das Räuspern war von bellender Intensität, die Hunde aber blieben stumm. »Bleibt zu hoffen, dass er es mit seinen außenpolitischen Provokationen nicht übertreibt. Die Folgen für das Deutsche Reich könnten desaströs sein.« Er hatte sich warm geredet, sturzbachartig kamen nach jeweils stockendem Beginn die Sätze heraus.

Niemand am Tisch nahm den Faden auf, es war klar, dass der Alte keinen Widerspruch dulden würde, auch sein Sohn spitzte bloß die Lippen, als pfeife er eine unhörbare Melodie. Inzwischen war abgeräumt und das Dessert, eine Himbeertorte, aufgetragen worden. Said erinnerte sich hinterher an keinen einzigen Dienstboten; so fixiert war er auf Bismarck gewesen.

»Nun«, wandte der sich zum Leutnant. »Ihre Mutter weilt also jetzt in Beirut. Sie ist heimgekehrt in den Orient. Und nach Deutschland will sie offenbar nicht zurück.« Wieder das Räuspern, ein langer Schluck dann aus dem Weinglas. »Ach, der Orient! Was wissen wir über das Leben unter Mohammedanern? Was über die Winkelzüge der osmanischen Politik? Wir delektieren uns am Bild des Fremdartig-Anziehenden, das Orientreisende uns vermitteln. Aber wir sollten vor allem einsehen, wie gefährlich der drohende Zerfall des Osmanischen Reichs für uns sein könnte. Das wirst du doch bestätigen, Herbert!«

Der Sohn setzte zu einer Antwort an, doch der wachsame Blick des Vaters war bereits wieder zu Said geglitten: »Herr Leutnant, Sie möchten ja, wie Sie schreiben, in den Orient versetzt werden, ins deutsche Konsulat von Beirut. Warum denn? Ihre Begründung ist mir zu ungenau.«

Said hielt die Gabel, mit der er ein Tortenstück aufgespießt hatte, in der Schwebe. »Es geht mir, Durchlaucht, um die vertiefte Kenntnis des Ostens. Ich bin, wie Sie mir hoffentlich glauben, ganz und gar Deutscher, möchte aber besser verstehen, woher meine Mutter stammt und wie mein Großvater, ein bedeutender arabischer Herrscher, ihre Weltsicht – und nicht nur ihre – geprägt hat.«

»Das hat sie ja aufgeschrieben!«, rief Bismarck. Said ließ verlegen die Gabel sinken. »Ich habe ein paar Seiten von Frau Ruetes Memoiren gelesen. Farbig und genau, detailverliebt sogar. Aber die innere Mechanik des Sultanats macht sie nicht begreifbar.« Er mäßigte den Ton. »Geht es Ihnen nicht auch darum, in der Nähe Ihrer Mutter zu sein? Ihr Ihre Unterstützung als Sohn anbieten zu können.«

»Das auch«, stimmte Said mit Überwindung zu. »Sie vermisst mich, ich habe sie seit drei Jahren nicht mehr gesehen. Sie ist verbittert geworden, sie lebt in bescheidenen Verhältnissen, auf ihr Erbe mag sie kaum noch hoffen. Und sie hegt leider einen tiefen Groll gegenüber Deutschland. Den will ich ihr ausreden, sie aufzuheitern versuchen.«

»Ich weiß, ich weiß«, fiel ihm Bismarck ins Wort. »Diese Geschichte. Wir konnten damals nicht anders. Es ging darum, mit England, was Sansibar betraf, einen Ausgleich zu finden. In solchen Angelegenheiten muss man manchmal über die Wünsche Einzelner, seien sie noch so berechtigt, hinweggehen.«

»Der Ausgleich«, schob Herbert dazwischen, »ist ja nun endgültig. Wir haben England die Kontrolle über Sansibar eingeräumt, dafür aber unsere Gebietsansprüche in Ostafrika durchgesetzt und Helgoland für uns gewonnen.«

Bismarck fegte ein paar Tortenbrosamen vom Tisch; wieder die warnende Hand der Fürstin auf seinem Arm. »Du willst doch nicht etwa dieses Machwerk verteidigen, das mein Nachfolger verbrochen hat? Wäre ich noch im Amt gewesen, hätte ich den Helgoland-Sansibar-Vertrag so niemals unterstützt. Nun spielen wir in Sansibar, das für uns als Handelsstützpunkt unersetzlich ist, die zweite Geige. Ein

Gleichgewicht sieht anders aus. Man hätte besser verhandeln müssen.«

»Gewiss«, beeilte sich der Sohn zu versichern. »Ich wollte dem Herrn Leutnant bloß den Status quo schildern…«

»Den er selbstverständlich kennt. Wissen Sie, Herr Leutnant, ohne unsern Teilrückzug aus Sansibar wären Sie vielleicht jetzt Sultan.« Ein rumpelndes Lachen folgte, in das der Sohn und der beflissene Chrysander einstimmten.

Saids Augenlider flatterten. »Sie überschätzen meine Talente, Durchlaucht. Dafür müsste ich in diesem Fall ja zumindest fließend Arabisch sprechen, was nicht der Fall ist. Da bin ich lieber Leutnant in Torgau.« Er stockte kurz und fasste neuen Mut. »Außer eben, ich werde nach Beirut geschickt. Es ist ja nicht ausgeschlossen, dass ich dort meine spärlichen Sprachkenntnisse verbessere.«

Bismarcks Gelächter verstärkte sich, und die Hunde begannen wieder zu bellen. »Dann hoffen Sie wohl noch immer auf den Thron?«

Said schüttelte vehement den Kopf, während Bismarck mit einem unwirschen Zuruf die Hunde zum Verstummen brachte. »Keinesfalls, Durchlaucht, das wäre widersinnig. Aber könnte sich denn das Auswärtige Amt nicht erneut dafür einsetzen, dass meine Mutter den ihr zustehenden Erbteil doch noch bekommt?«

»Nun«, mischte sich Herbert wieder ein, »die 6000 Rupien, mit denen Sultan Bargash Frau Ruete abfinden wollte, hat sie ausgeschlagen.«

Auch Said begann sich zu ärgern. »Weil es bloß ein Almosen wäre! Meine Mutter hat Plantagen besessen, Häuser, Pferde. Ihre Ansprüche sind durchaus fundiert.«

Bismarck gebot ihm mit erhobener Hand Einhalt. »Ich werde tun, was in meiner Macht steht. Mein Einfluss nimmt ab, doch ich kann mich an genügend Gewährsleute wenden. Und wenn Sie tatsächlich nach Beirut kommen, grüßen Sie Ihre Mutter von mir. Sie ist ja, alles in allem, eine bemerkenswerte Kämpferin.«

Said nickte, er kam sich schülerhaft vor und versuchte, zumindest in aufrecht-stolzer Haltung dazusitzen.

Die Torte war gelobt und gegessen worden. Die Hausherrin meldete sich erstmals zu Wort und schlug vor, nun ins Raucherzimmer hinüberzuwechseln, wo man Kaffee und Cognac servieren werde. Die Hunde folgten den Menschen. Erst jetzt merkte Said, wie stickig es im Haus war; das dunkel getäfelte Raucherzimmer war imprägniert von Tabakrauch, und dieser beißende Geruch schnürte ihm den Atem ab.

Der Fürst, flüsterte Chrysander Said zu, hasse Mücken, deshalb müssten auch im Sommer die Fenster geschlossen bleiben, er tafle der Insekten wegen nicht gerne draußen.

Die Herren nahmen Platz in geblümten Sesseln, die Hausherrin zog sich zurück, die Hunde lagen vor Bismarcks Füßen. Er stopfte seine lange Pfeife und zündete sie an, wozu er unter Brummen und Murren mehrere Versuche benötigte. Die anderen Herren begnügten sich mit Zigarren, die ein Diener anbot, auch Said nahm eine und litt unter den Rauchschwaden, die über ihn hinstrichen, und dem starken Schweiß in seinen Achselhöhlen, von denen ein stechender Geruch ausging.

Man kehrte nicht mehr zu den Themen des Tischgesprächs zurück; eigentlich konnte Saids Audienz als beendet gelten.

Doch Bismarck extemporierte nun in bissigster Art über die Dummheiten des Kaisers, der keine andere Sprache zu kennen scheine als die der Kriegsdrohungen und des Waffengetöses. Er hatte plötzlich Tränen in den Augen und sagte, wie im Selbstgespräch: »Wohin wird uns dieser Heißsporn noch führen? Hoffentlich nicht in einen großen Krieg. Darum sollten wir jeden Tag beten.« Und noch leiser: »Es gibt nichts Schlimmeres als zuzusehen, wie das eigene Lebenswerk Schritt um Schritt zerstört wird.«

»Ach, Papa«, meldete sich der Sohn mit erkünstelter Jovialität zu Wort. »Das ist der Lauf der Welt. Die Dinge ändern sich eben. Die junge Generation liebt es einzureißen, was die vorherige gebaut hat.«

»Halt du den Mund!« Bismarck stemmte sich in jähem Zorn halb vom Sessel hoch, ließ sich wieder zurückfallen. »Die Gelassenheit spielst du nicht besonders überzeugend. Und selbst wenn du recht haben magst mit deiner These vom ewigen Generationenkonflikt: Die Folgen eines Gesinnungs- oder Verhaltenswandels sind stets objektiv im Voraus zu bedenken. Das muss die oberste Maxime der Staatsführung sein. Wenn wir bloß unseren unbedachten Impulsen gehorchen, steuern wir mit vollen Segeln auf die Katastrophe zu.«

Bismarck ließ sich nun – zwischendurch vom Cognac trinkend – über seinen Nachfolger Caprivi aus. Dieser Schwachkopf habe aus handelspolitischen Gründen den Rückversicherungsvertrag mit Russland gekündigt, so werde er den Zar in die Arme Frankreichs treiben, damit würde Deutschland schlimmstenfalls zu einem Zweifrontenkrieg gezwungen, und genau diese Aussicht habe er, Bismarck, ein halbes Leben lang zu verhindern gewusst. Er schlug mit der flachen

Hand mehrmals auf die Sessellehne, wartete auf Zustimmung, sie kam von Chrysander und Said, während Herbert, der Sohn, beharrlich schwieg.

Er müsse sich, sagte Bismarck übergangslos, nun doch für ein Weilchen hinlegen, er sei ja – damit fasste er den Sohn ins Auge – in der Tat nicht mehr der Jüngste. Die Mittagsgäste erhoben sich wie auf Kommando, Said nahm salutierend Abschied vom Generalobersten, drückte dessen Sohn und dem Sekretär die Hand, verbeugte sich dankend vor der Hausherrin im Flur, hörte noch, dass Chrysander ihm zuraunte, man werde sich seines Falls gewiss annehmen; dann fand er sich draußen im vollen Licht des Sommertags und wusste gar nicht, wie ihm geschehen war.

Die offene Chaise stand im Schatten einer Linde, die beiden Pferde fraßen friedlich aus ihren Hafersäcken. Der Kutscher war auf dem Bock, weit nach vorn geneigt, eingeschlafen, die Peitsche lag im Gras. Said hob sie auf, tippte dem Mann, der nach Bier roch, mit dem Stiel auf die Brust. Das ließ ihn zusammenfahren und eine Entschuldigung stammeln. Said stieg ein, die Holperfahrt ging durch eine Pappelallee, deren Schattenmuster über ihn hinwegflatterte. War er enttäuscht von dieser Begegnung mit einem wahrhaft bedeutenden Mann? Oder doch beeindruckt, ja hingerissen? Er wurde sich nicht schlüssig. Dass Bismarck seine Marotten hatte, das wusste man, und dennoch schmerzte es, dass der Held für ihn jetzt auf menschliches Maß zurückgestutzt war. Zugleich hatte Said keine Ahnung, ob sein Anliegen weitergeleitet und bei den richtigen Stellen Gehör finden würde.

Sie waren bald beim kleinen Bahnhof. Said entlohnte den

Kutscher, setzte sich auf die Wartebank. Erst in anderthalb Stunden würde der nächste Zug fahren. Danach von Hamburg über Hannover und Magdeburg nach Torgau zu seiner Garnison; er würde am nächsten Morgen um sechs, eine Stunde vor Ablauf seines Urlaubs, dort eintreffen, gerade rechtzeitig für den Rapport. Noch stand die Sonne hoch, immer wieder verschwand sie hinter träge vorüberziehenden Wolkenfeldern. Er erinnerte sich daran, mit welcher Emphase – zwischen Faszination und Verachtung – Bismarck das Wort »Orient« ausgesprochen hatte.

Im Zug, allein im Abteil, schlief er ein, die Traumbilder folgten einander in verwirrendem Wechsel. Er war mit Bismarck auf der Elefantenjagd. Bismarck, der schwankte wie ein Betrunkener, rief ihm zu, er solle endlich schießen, aber Said sah keine Elefanten, sondern bloß Gänse, und als er schoss, fiel eine vom Himmel herab direkt vor seine Füße, und dann verwandelte sich die tote Gans in eine riesige Dogge, die mit blutender Flanke davonhumpelte. Von ferne schaute ihm die Mutter zu, sie hatte die Arme verschränkt und trug ein schimmerndes weißes Kleid, und er rannte zu ihr, doch plötzlich befand er sich im Schlafsaal der Kadettenanstalt und stürzte, zusammen mit seinem Freund Bernd, alle Betten um. Davon gab es so viel Staub, dass er hustend erwachte, aber es war der Rauch der Lokomotive, der in Schwaden durchs offene Fenster drang. Das Taschentuch, mit dem er sich die Stirn abwischte, wurde ganz rußig, und unvermittelt dachte er an die Fahrt mit den Schwestern und der Mutter nach Triest. Er fragte sich, warum Tony und Rosa noch nicht verheiratet waren. Er selbst durfte sich als Mann mehr Zeit lassen, und trotzdem stieg das Bild des Mädchens in ihm auf, das er beim Offiziersball in Torgau zum Walzer aufgefordert hatte, es war fast unanständig gewesen, wie innig sie sich aneinander geschmiegt hatten.

Ein paar Wochen danach wurde der Leutnant Said Ruete für ein Jahr nach Beirut versetzt. Wessen Fürsprache er dies zu verdanken hatte – der von Bismarck oder seinem Sohn –, fand er nie heraus.

Rudolph saß am Fenster im vierten Stock, blickte in die Nacht hinaus, wie so oft in den letzten Tagen. Den See konnte man bloß erahnen: ein riesiger blinder Spiegel, mattdunkel, nichts Erkennbares zeigte er mehr.

Was wäre aus Said ibn Sultan, seinem Großvater, unter westlichen Verhältnissen geworden? Vielleicht einer wie Bismarck? Oder ein aufgeklärter Herrscher wie Joseph II. von Österreich? Oder ein Präsident wie Abraham Lincoln, der den Bürgerkrieg gewagt hatte, um die Sklaverei abzuschaffen? Auch sein Großvater hatte, allerdings unter dem Druck der Briten, den Sklavenhandel auf Sansibar abgeschafft, er hatte aber zugleich den Machtbereich des Sultanats ausgedehnt und dann, nach der Eroberung von Mombasa, klugerweise auf Wirtschaftsbeziehungen und Handelsverträge mit England und den USA gesetzt. Weitsichtig war er gewesen, entschlossen, wo es nötig war, gütig, wenn es die Umstände erlaubten, ein sorgender Vater für die sechsunddreißig Kinder von seinen drei Haupt- und den vielen Nebenfrauen, ein toleranter Mohammedaner; so zumindest hatte Rudolph ihn, aufgrund vieler Augenzeugenberichte, geschildert. Dem großen Sultan ein kleines Buch zu widmen, war ein Zeichen der Wertschätzung gewesen – und der Versuch, die mütterliche Verwandtschaft auf seine Weise versöhnlich zu stimmen.

Mit dreizehn hatte man Said ibn Sultan auf den Thron gesetzt, umgeben von Beratern, die alle nach ihrem eigenen Vorteil strebten. Aber er hatte sich, ein halbes Kind noch, behauptet, die zerstrittenen Clans im Sultanat zur Einigung gezwungen. Wirklich nahe war ihm der Großvater durch die Tragödie mit seinem ältesten Sohn, Hilal, gekommen. Der war ein Querkopf, verstieß skrupellos gegen die Regeln im Palast, missachtete die Ermahnungen des Vaters. Der französische Konsul verführte ihn zu Trinkgelagen; Hilal wurde Alkoholiker, seine Wutausbrüche richteten sich auch gegen den Vater. Dieser bestrafte ihn mit Hausarrest, schließlich enterbte er ihn. Hilal floh, er wollte sich auf einer Mekkareise läutern. Bereits auf der ersten Zwischenstation, in Aden, starb er an einem heftigen Fieber. Die Trauer des Vaters sei unermesslich gewesen, berichteten die Zeugen. Said ibn Sultan habe sich tagelang eingeschlossen, man habe sein Schluchzen durch alle Wände gehört, der Gebetsteppich sei von Tränen durchnässt gewesen. Gerade den missratenen Sohn hatte er am meisten geliebt, und er machte sich die größten Vorwürfe, an ihm versagt zu haben.

Das einzige Porträt, das es von Said ibn Sultan gab, zeigte einen stolzen bärtigen Mann mit wachen Augen, die Züge weder weich noch hart. Salme, die kleine Tochter, hatte er oft auf den Schoß genommen, hatte mit ihr gespielt, ihr Süßigkeiten zugesteckt. Noch jetzt beneidete Rudolph sie um dieses Privileg. Wie gerne hätte auch er sich in den Armen des Sultans geborgen gefühlt, seinen Geruch eingeatmet, den er sich herb vorstellte, aber nicht abweisend, Zimt passte dazu, ein Hauch von den Ställen, frischer Schweiß, und die Hände, die ihn packten und hochhoben, waren kräftig, mit zarten Fingerkuppen.

Wäre er, der Namensgleiche, nicht vielleicht doch ein würdiger Nachfolger des Großvaters geworden? Er belächelte diese alte Phantasie. Weit lieber wäre er ein erfolgreicher Friedensstifter gewesen – und nicht einmal in der eigenen Familie hatte er, wenn er an Brandeis und Troemer dachte, für Frieden sorgen können.

10

Vor kurzem war ich bei der Prinzessin Victoria, und sie sagte mir, dass sie meinen Said in ihren Palast einladen wolle. Allein dies beweist Dir doch, mein Bruder, wie sehr wir in Europa von den königlichen Familien geehrt und geschätzt werden. Sie alle wären glücklich zu erfahren, dass sich Deine Gefühle mir gegenüber besänftigt haben. Sie alle sind erstaunt darüber, dass Du Dich nie erkundigst, was für ein Leben wir in Deutschland führen.

Das Jahr im Beiruter Generalkonsulat, 1894, daran versucht sich der alte Mann auf dem Sofa seines Hotelzimmers zu erinnern. Wie zuverlässig ist das Gedächtnis, wie launisch? Es waren keine bedeutenden Aufgaben, die ihm, dem jungen Militärattaché, zugewiesen wurden, sie nahmen auch bloß einen Teil seiner Arbeitszeit in Anspruch. Er hatte Kontakte mit syrischen Offizieren zu pflegen und Berichte über diese Gespräche zu verfassen, er schätzte die Stärke der osmanischen Armee und Marine ein, er erledigte – ungern – administrative Geschäfte im Zusammenhang mit an- und ablegenden deutschen Schiffen, mit an- und abreisenden Landsleuten. Dies alles war oft langweilig und wurde bald zur Routine. Aber was er draußen, in den Gassen der

Vielvölkerstadt, rund um die Moscheen und Kirchen, durch alle Poren in sich aufnahm, das war die Welt der Mutter, der er nun wieder so nah war wie als Kind, denn er wohnte in ihrem gemieteten Haus, zusammen mit den Schwestern. Es kam ihm manchmal vor, als hätte ein Dschinn sie alle vier aus Rudolstadt weggetragen, und da waren sie nun, fünfzehn Jahre älter, in einer anderen Welt, in einem wärmeren Klima, in helleren und größeren Räumen. Sie schauten sich ungläubig an; wie von selbst nahmen sie eingespielte Verhaltensweisen wieder auf und versuchten zugleich, sie abzulegen. Said, als Erwachsener, empfand Zärtlichkeit gegenüber der fragilen und doch so zähen Mutter, aber bisweilen, an Abenden, an denen ihre klagenden Monologe das Essen in die Länge zogen, brach ein Groll gegen ihren Starrsinn in ihm auf, den er allerdings nie offen zeigte.

»Die Bismarcks, der alte und der junge«, behauptete sie, »haben mich aus Deutschland vertrieben. Und niemand«, sie zog das ›ie‹ in die Länge, »niemand im Deutschen Reich hat sich wirklich für meine Belange eingesetzt.«

»Das ist gar nicht wahr, Mama«, hielt ihr Said mit beherrschter Freundlichkeit entgegen. »Erinnere dich doch an all die Leute, die dir helfen wollten.«

»O doch«, widersprach sie, indem sie sich am Tisch gerade aufrichtete. »Warum sonst bin ich denn hier an der syrischen Küste gelandet?« Sie hob die Stimme und brachte mit ihren Zischlauten die Kerzenflamme vor ihr auf dem Tisch zum Flackern. »Habe ich denn nicht alles dafür getan, mich im fremden Land einzuordnen und anzupassen? Habe ich nicht meine Kinder zu guten Deutschen erzogen? Habe ich nicht auch für Deutschland große Opfer gebracht?

Ja« – da schüttelte sie heftig den Kopf – »so ist es, niemand hat mich unterstützt! Niemand wird mir je helfen!«

Said beteuerte, er, der deutsche Leutnant, unterstütze sie doch mit voller Überzeugung, irgendwann werde es ihm gelingen, die Phalanx der Unversöhnlichen in ihrer Familie aufzuweichen und den Sultan ihr gegenüber großzügig zu stimmen. Wenn er die Mutter auf diese Weise zu beruhigen versuchte, hatte er oft eine Sprechhemmung; hinter den tröstenden Sätzen, die er in mehreren Anläufen formulierte, versteckten sich andere: »Du hast dir das schließlich selbst eingebrockt!« Oder: »Mach dich doch nicht dauernd zum Opfer, Mutter!« Dies schon nur zu denken, belastete sein Gewissen, solche Sätze wagten sich erst viel später in ver-klausulierter Form hervor. Ihre Dispute konnten durchaus mit einem Weinkrampf Emilys enden. Je nach ihrer Laune warfen die Schwestern dann dem Bruder Kaltherzigkeit oder Tatenlosigkeit vor; er hätte, sagte Tony, bei Bismarck für Emily bestimmt mehr herausholen können, er sei leider alles andere als ein feuriger Rhetoriker, und Said fragte sich selbst, ob er in Friedrichsruh gut genug argumentiert, ob er nicht letztlich versagt hatte.

So zeigten sich in seinem Verhältnis zu den Schwestern die ersten Risse. Ihm schien, dass sie viel zu oft ihre Tage vertrödelten. Natürlich ersparten sie durch die Hausarbeit, die sie übernahmen, die Bediensteten. Sie schneiderten zudem ihre eigenen Kleider und gingen auf dem Markt einkaufen. Sie lernten fleißig Französisch und Englisch, ein wenig Arabisch, sie lasen Romane, sie schrieben Briefe und korrigierten die von Emily, sie betreuten abwechselnd an einigen Nachmittagen gebrechliche Alte im christlichen Krankenhaus. Schön und gut. Aber wie sah ihre Zukunft aus? Sich mit Said darüber zu unterhalten, verweigerte Tony mit wegwerfendem Lachen, und Rosa wandte sich einfach stumm von ihm ab. Sie wollten in diesem seltsam zeitlosen Leben, im Zustand des Ledigseins verharren, sie hatten sich eingeschlossen in ein Gehäuse, an das die Außenwelt nur sachte pochen durfte. Brandeis warf, drei Jahre später, den ersten Stein in diesen Schutzraum, der Stillstand wurde aufgehoben, zum Glück und zum Leidwesen Tonys, und auch Rosa folgte den Konventionen und verlobte sich mit einem aufstrebenden Offizier. Was wäre aus den Schwestern geworden, wenn sie noch jahrelang in Beirut geblieben wären? Vielleicht doch, paradoxerweise, freiere Menschen? Said selbst träumte davon, die Offizierslaufbahn aufzugeben. Ob er es eines Tages wagen würde, mit zugekniffenen Augen in eine unbekannte Zukunft zu springen, wusste er nicht.

Saids Vorgesetzter, der Generalkonsul Paul Schröder, war kein Diplomat im üblichen Sinn, seine Leidenschaft gehörte den Sprachen des Orients, darum war er zuvor Dolmetscher auf der kaiserlichen Botschaft in Konstantinopel gewesen. Seine Frau ertrug die Hitze schlecht, sie war mit der erwachsenen Tochter nach Deutschland zurückgekehrt und hoffte, dass Schröder in nächster Zeit ein Lehrstuhl in Berlin angeboten würde und er den diplomatischen Dienst verließe.

Er war ein umgänglicher und doch eher introvertierter Mann, er arbeitete an einer grundlegenden linguistischen Studie über die Phönizier, er beherrschte das Türkische und das Arabische in Wort und Schrift und ermunterte Said, ihm nachzueifern. Wenn es nichts anderes zu tun gab, erlaubte er dem Untergebenen, im Salon des Konsulats sprachwissenschaftliche Werke zu konsultieren und sich mit Hilfe von Lehrbüchern einen arabischen Grundwortschatz anzueignen, den er abends bei der Mutter oder auf der Straße erproben konnte. Schröder riet Said, sich einen Privatlehrer fürs Arabische zu nehmen. Doch Said entschied sich dagegen. Es hätte Emily zu sehr gekränkt, vom Sohn übergangen zu werden, und umgekehrt wusste er genau, dass sie bei regelmäßigen Lektionen dauernd aneinandergeraten wären. Er fand es unerträglich, wie streng sie auf die richtige Aussprache achtete, wie unwillig, gar enttäuscht sie ihn korrigierte. Bei ihren früheren unsystematischen Versuchen, ihm etwas Alltagsarabisch beizubringen, war sein Widerstand oft so groß gewesen, dass sich in seinem Kopf eine Leere ausgebreitet hatte und er als vernagelt und lernunwillig erschien. Mit den Schwestern war es im Übrigen nicht viel anders; am eifrigsten hatte sich, wie so oft, Rosa gezeigt, aber mehr als die häufigsten Redewendungen wollte oder konnte auch sie sich nicht merken.

Es kam vor, dass Schröder ihm Schreibübungen mit arabischen Schriftzeichen empfahl und ihm für einen halben Nachmittag nützliche Vorlagen aushändigte. Dann saß Said an seinem Pult, schrieb konzentriert mit Schwellstrichen, Pünktchen und Verzierungen von rechts nach links, und obwohl von draußen Kindergeschrei und die Rufe von Melonenverkäufern hereindrangen, sah er sich plötzlich als Skriptor in einem mittelalterlichen Kloster. Er murmelte das Wort, das er gerade schrieb, vor sich hin und überlegte, dass die Möglichkeit, der Sprache durch die Schrift Dauer zu verleihen, alle Hochkulturen miteinander verband, sie aber zugleich im Lauf der Geschichte immer wieder gegeneinander aufgebracht hatte. Im Namen der Bibel und des Korans waren unendliche Mengen an Blut geflossen. Was konnte ein einfacher Leutnant dagegen tun? Wenig, auf dieser Stufe war man im Wesentlichen Befehlsempfänger. War es nicht besser, sich einfach der Schönheit der Schriftzeichen zu widmen?

Schröder hatte den gleichen Jahrgang wie Emily, 1844. Es war nicht zu übersehen, dass er ihre schlanke Erscheinung mit wohlwollenden Blicken musterte, ja, ihr ein wenig den Hof machte. Die Witwe Emily indessen gab sich zugeknöpft, wie Said genau registrierte, ihre Bitterkeit färbte auch auf ihr Verhalten gegenüber offiziellen Vertretern des Deutschen Reichs ab. Der Privatmann Schröder galt ihr wenig; er war ja ohnehin verheiratet, zumindest auf dem Papier. Bloß wenn er, ungeachtet der Gesellschaft, in der sie sich befanden, mit ihr Arabisch sprach, hellte ihr Gesicht sich auf, konnten ihre Augen verführerisch blitzen und sie für Momente verjüngen. Wohin eine nähere Beziehung zwischen Schröder und Emily hätte führen können, malte sich Said gelegentlich in nutzlosen Phantasien aus; er hätte nichts dagegen gehabt, in Schröder, spät noch, einen Stiefvater zu bekommen, anders als die Schwestern, die heimlich über den Generalkonsul spotteten. Sie nannten ihn unter sich, mit übertriebenen Nasallauten, Embonpoint, er war ihnen zu weich in seiner Art, sie zogen, wie sich noch zeigen sollte, die entschlossenen und kantigen Männer vor.

Schröder kannte sich im Labyrinth der Gassen aus. Mit ihm besuchte Said, meist gegen Abend, Moscheen und christliche Kirchen, auch Synagogen, von denen es in Beirut wimmelte. Sie spiegelten eine jahrhundertealte Geschichte, in der grausame Eroberungen durch Christen und Muslime, aber auch Phasen der gegenseitigen Duldung aufeinandergefolgt waren. Schröder erzählte packend davon, brachte die Steine der alten Bauwerke gleichsam zum Sprechen. In der großen Moschee vor den Toren der Stadt, die auf dem Fundament einer Kreuzfahrerkathedrale stand, war Said dieser widersprüchlichen Geschichte am nächsten. Das hohe blaue Gewölbe im Innenraum, verschwimmend im Dämmerlicht, ließ ihn still werden, und das Freitagsgebet, dem sie als Ungläubige barfuß, an der Wand stehend, beiwohnen durften, ergriff ihn durch seine Feierlichkeit stärker als jeder christliche Gottesdienst, bei dem er oft genug nur verdrossene Routine gespürt hatte. Die Choreographie des Aufstehens, Sich-Beugens und Hinlegens, vollzogen von Hunderten weißgekleideter Männer, ihr Murmeln, ihre Allah-Rufe, die einhellige Bereitschaft, sich in dieser Stunde Gott zu weihen, ja hinzugeben, das Spiel des Lichts über diesen miteinander verbundenen Leibern: dies alles fand ein ungeahntes Echo in ihm, weckte eine Sehnsucht dazuzugehören, es machte ihm begreiflicher, was seine Mutter vermisste, seit sie dem Islam abgeschworen hatte. Die Frauen waren zwar in der Moschee abgetrennt von den Männern und unsichtbar für sie, aber er wusste, dass sie die Gebete auf gleiche Weise verrichteten. Er fragte Emily, ob sie nicht auch mit ihm die große Moschee aufsuchen wolle, da erstarrte ihr Gesicht in Abwehr; mit einem rigorosen »Nein!« wies sie ihn zurück. Er begriff, dass ein solcher Besuch zu viel in ihr aufgerührt hätte.

Mit Schröder saß er nach solchen Streifzügen in einem der kleinen Lokale, im gedeckten Suk, umgeben vom Stimmenlärm der vorbeifließenden Menge, sie tranken den starken türkischen Kaffee, und Schröder rühmte das heutige Beirut als Hort der Toleranz. Auch die Christen vertrügen sich untereinander, was ja alles andere als selbstverständlich sei, und er zählte auf: die maronitische Kirche, die griechisch-orthodoxe, die armenisch-katholische, die anglikanische, die lutherische. Alle hier zugegen!

»Sie streiten sich doch dauernd darum, wer das richtige Christentum vertritt«, wandte Said ein.

»Gewiss. Aber Verfolgungen und Vertreibungen hat es hier schon seit Jahrzehnten nicht mehr gegeben. Ist das nicht das Wesentliche? Selbst die Juden haben ihren gesicherten Platz in der Stadt, ganz anders als in Russland.«

»Gerade in diesem religiösen Durcheinander und Nebeneinander können doch alte Konflikte jederzeit wieder aufflammen. Meinen Sie nicht auch?«

»Gut möglich. Aber die gegenseitige Nähe bietet offensichtlich auch die Chance, Vorurteile und diffuse Ängste abzubauen. Erstaunlich zum Beispiel, dass in Beirut Sunniten und Schiiten miteinander auskommen. Die sind sonst überall zerstritten.« Schröder beugte sich so weit vor, dass der kleine Kaffeetisch ins Wackeln geriet. »Sie mögen einwenden, was Sie wollen, Herr Leutnant, aber ich behaupte: Beirut beweist, dass Menschen unterschiedlichen Glaubens fähig sind, friedlich zusammenzuleben. Leider ist es immer viel leichter gewesen, den Hass zu schüren, als das Anderssein des Nachbarn zu ertragen.« Schröder nickte unverwandt zu diesen Worten, als verjage er so alle Zweifel.

Said nickte auch und genoss in kleinen Schlucken den bitteren Kaffee.

Er reiste zurück nach Deutschland, in die Garnison von Torgau; so war es vereinbart. Er wurde zum Premier-Leutnant befördert, er drillte junge Männer und brachte ihnen das Kriegshandwerk bei, das er zuinnerst doch ablehnte. Kriege hatten stets nur Scheinordnungen geschaffen und Unglück gebracht. War er, Said, nicht durch seine Herkunft berufen, sein künftiges Leben dem Ausgleich zwischen feindlichen Parteien zu widmen? Schröder hatte einen Keim in ihn gelegt, der zu wachsen begann. Er blieb mit dem Generalkonsul in Briefkontakt, es zog ihn zurück in den Orient, und dieser Impuls war stärker als der Ehrgeiz, möglichst rasch Hauptmann oder Major zu werden. Seine militärische Laufbahn stagnierte. Er galt als mittelmäßiger, zu wenig fordernder Offizier, seine nächste Beförderung wurde von Jahr zu Jahr zurückgestellt.

Zu jener Zeit fing er an, sich für Eisenbahnen zu interessieren, nicht zuletzt durch die Korrespondenz mit James Rennell Rodd, der im britischen Generalkonsulat in Kairo arbeitete. Mit ihm hatte Said zuerst dienstlich zu tun gehabt, dann hatten sich ihre brieflichen Themen ausgeweitet. Rodd wies Said darauf hin, dass die Eisenbahnlinien im ganzen Nahen Osten, so wie früher die Flüsse, zu Lebensadern der Region wurden. Said schrieb zurück, jeder neue Schienenweg – auch der geplante zwischen Konya in Anatolien und Bagdad – fördere nicht bloß den wirtschaftlichen und technischen Fortschritt, sondern auch die Völkerverständigung und damit den Frieden. Rodd antwortete mit Sympathie, er wusste, dass Said seiner beruflichen Zukunft eine radikal andere Richtung zu geben hoffte, und eines Tages tönte er an, für einen fähigen jungen Mann wie Said könnte bald eine Stelle als Eisenbahninspektor der ägyptischen Bahnen frei werden; das setze keine technischen Qualifikationen voraus, aber organisatorischen Sachverstand und administrative Fähigkeiten. Said erklärte sich zunächst als ungeeignet für eine solche Aufgabe. Als aber Rodd schrieb, er habe auch den französischen Chefingenieur von Said Ruete überzeugt, begann sein Widerstand zu bröckeln. Die Verheißung, im Orient etwas Nützliches zu tun, gewann die Oberhand; er bewarb sich beim französisch-englischen Trust um die Stelle.

Fünf Monate, nachdem er zum ersten Mal davon gelesen hatte, war er Inspektor der ägyptischen Bahnen geworden. Eigentlich unfassbar, ein Karrieresprung, den er nicht für möglich gehalten hätte. Seine Umgebung indessen war befremdet, sogar entrüstet oder entsetzt. Die Mutter zeigte sich pikiert, dass er nicht wenigstens versucht hatte, in Beirut eine Anstellung zu finden; Tony spottete in der gleichen Briefsendung über die Eisenbahnleidenschaft kleiner Jungen und fragte ihn, ob er sich nicht mit einem der neuen Spielzeugmodelle der Firma Märklin begnügen wolle, auch dies sei ein Beispiel erfinderischer deutscher Technik. Die Offizierskameraden, die er ins Vertrauen zog, verstanden ihn nicht; wenn man schon den Militärdienst aufgebe, dann doch zugunsten einer sicheren Beamtenlaufbahn, in der er bis zum Staatssekretär aufsteigen könnte. Das alles focht Said wenig an. Ihm blieb aber – und davor war ihm bange –, dem Garnisonskommandanten in Torgau seine Entscheidung mitzuteilen und den Abschied förmlich einzureichen.

Oberst Schulz saß hinter seinem Schreibtisch, den schweren Leib eingeklemmt zwischen Lehne und Kante, und Said, der das schriftliche Gesuch übergeben hatte, versuchte die mündliche Begründung zu Ende zu bringen, als der Oberst ihn unterbrach. Was der Herr Premier-Leutnant vorhabe, schrie er ihn an, sei geradezu Landesverrat, zumindest Fahnenflucht.

»Es ist alles ganz legal, Herr Oberst«, gab Said mit mühsam aufrechterhaltener Gelassenheit zurück; er hatte sich vorgenommen, den Tadel des cholerischen Vorgesetzten kalten Blutes über sich ergehen zu lassen. »Ich verfüge über die Ausreiseerlaubnis des Auswärtigen Amtes, über alle notwendigen Visa, und ich hoffe, dass Sie mir für die Jahre, die ich hier verbracht habe, ein günstiges Zeugnis ausstellen.«

Der Oberst atmete schwer hinter seinem Schreibtisch und hörte gar nicht auf ihn. »Ausgerechnet Sie als Eisenbahninspektor! Sie, ein Mann, der seit langem durch innere Schlaffheit auffällt. Und dann noch in einer englischen Kolonie, wo sie von Horchern und potentiellen Feinden umgeben sind! Das ist doch lächerlich!« Sein Mund öffnete und schloss sich einige Male stumm.

»Ich habe mich entschieden, Herr Oberst«, sagte Said, nicht ohne Pathos. »Ich will in Zukunft dem Frieden und der Völkerverständigung dienen.«

»Ach so!« Der Oberst stieß ein meckerndes Lachen aus und legte seine Hand ironisch auf die Herzgegend. »Wen haben wir da? Leutnant Ruete als Friedensapostel. Sie glauben doch nicht im Ernst, dass Eisenbahnen dem Frieden dienen, zumal im umkämpften Orient? Eisenbahnen sorgen für effizienten Menschen- und Warentransport. C'est ça. Und dazu gehören oft genug, wie Sie wissen sollten, Soldaten und Waffen.« Das Schnaufen des schwergewichtigen Kommandanten steigerte sich zur Lautstärke eines Blasebalgs. »Wer die wichtigen Eisenbahnlinien beherrscht, hat in jedem künftigen Krieg den Vorteil auf seiner Seite. Gerade im Orient, wo die Engländer uns überall in der Sonne stehen. Ihnen also stellen Sie Ihre Arbeitskraft zur Verfügung. Ich möchte darauf am liebsten sagen: Pfui!« Nun lachte er wieder. »Aber da Ihre Talente in diesem Bereich sehr beschränkt sind, können Sie dem Deutschen Reich wohl nicht übermäßig schaden.«

Said bemerkte, dass er die Uniformmütze in seinen Händen zu zerknautschen begann. »Ich strebe keineswegs danach, meinem Vaterland zu schaden, Herr Oberst«, wagte er zu widersprechen. »Die neuen Schienenstränge führen durch Wüsten und Gebirge, durch Tunnel und über Brücken. Wenn sie von vernünftigen Menschen gebaut und genutzt werden, fördern sie Handel und Kontakte, und damit tragen sie dazu bei, Kriege zu vermeiden, statt sie zu schüren.« Er suchte mit trockenem Mund nach einem versöhnlichen Schlusssatz. »Das ist zumindest meine Hoffnung.«

Der Oberst hatte an seinen Schnurrbarthaaren herumgekaut, nass hingen sie am Mundwinkel herab. Für sein Schnurrbartkauen war er berüchtigt. »Hoffen Sie weiter, Sie Träumer. Sie werden hart genug erwachen. Und gehen Sie jetzt.« Er holte noch einmal lautstark Atem und wölbte die Brust vor. »Gehen Sie in Frieden, möchte man sagen.« Er blinzelte, seine Stimme wurde weicher. »Melden Sie sich beim Administrator. Er wird alles Nötige veranlassen.«

Said nahm Haltung an, salutierte; der Oberst erlaubte ihm

mit einem geknurrten »Runn!« abzutreten. Noch heute erinnerte sich Rudolph an den Schweißgeruch in der Kommandatur, der sich mit dem von Mottenkugeln vermischte, und an seine maßlose Erleichterung, als er über die Schwelle in den Kasernenhof trat, wo gerade eine Kompagnie exerzierte. Es war aus! Er hatte es geschafft! Ein neues Leben lag vor ihm wie die Bahn von Sommerlicht, die ihm zwischen den Schattenmassen zweier Gebäude den Weg zu weisen schien. Und jetzt, auf dem Sofa in seinem Hotel, sah er wieder, als ob die Bilder sich überlagern würden, den rötlichen Sandplatz vor dem Palast in Sansibar vor sich, scharf in Schatten und Licht geteilt, den Platz, den er mit seiner Mutter durchquert hatte, um zu Bargash zu gelangen, und er wusste, dass es ihm in seinem Leben immer stärker darauf angekommen war, zwischen Licht und Schatten auch die subtilen Übergänge zu erkennen.

Dann ist er plötzlich in Ägypten, im hellen, dunstigen Licht des Ostens, das abends klar und überwältigend intensiv wird, er pendelt zwischen Kairo und Alexandrien, er ist nicht mehr Leutnant, sondern Monsieur oder Mister Ruete, er trägt nicht mehr die beengende Uniform, sondern leichte Kleider. Die Kenntnisse, die er benötigt, eignet er sich rasch an, sein Gedächtnis funktioniert hier besser als in Strategiekursen oder Waffenkunde. Er hält sich stundenlang, mit seinem diensteifrigen Boy, im Hauptbahnhof von Kairo auf, in diesem schwindelerregenden, lärmigen Durcheinander, er überprüft die Einhaltung der rudimentären Fahrpläne und ist zufrieden, wenn die Züge, für die er zuständig ist, nicht mehr als eine oder zwei Stunden Verspätung haben. Er kontrolliert die Sauberkeit der Wagen erster und zweiter Klasse, die Tragkraft der Güterwagen, er begleitet die Mechaniker auf ihrer Inspektionstour, vergewissert sich, dass sie die Räder abklopfen, Ventile auswechseln, nachschauen, ob der Wassertank rinnt. Er unterzeichnet Protokolle, leitet Schadensmeldungen weiter, diskutiert mit Kollegen über Sinn und Unsinn von Sicherheitsmaßnahmen: ob man die Polizei aufbieten soll, um das Fahren auf dem Dach zu verhindern, ob das Mitführen größerer Haustiere wie Ziegen oder Schafe in der dritten Klasse verboten werden soll. Er fährt selbst regelmäßig in der zweiten Klasse mit, Richtung Alexandrien, und übernachtet auf Baustellen im Nildelta. Schon in dieser Klasse, wo die reicheren Einheimischen dominieren, fühlt er sich anfangs auf einem anderen Planeten, belästigt durch Zwiebel- und Knoblauchgerüche, laute Unterhaltungen von Großfamilien, die sich zwischen überquellenden Taschen und Koffern zusammendrängen. Die vielen Kinder sitzen zu zweit, zu dritt auf einem Sitz oder auf irgendeinem Schoß, pressen sich an die verschleierten Mütter, verfolgen einander schreiend und lachend durch die verstopften Gänge. An die Hitze gewöhnt er sich, nicht aber an die dauernde Esserei. Man isst aus Tüten, Tonschalen, Blechgeschirren, ein Chor von Schmatzen, Rülpsen, Schluckgeräuschen, man trinkt aus Wasserschläuchen, bietet ihm frische Feigen an, halb getrocknete Datteln. Junge Frauen sehen ihn an; der Schleier lässt die Blicke umso beredter sein, sie locken, sie necken ihn: Wer bist du, Fremder? Er wagt nicht zurückzuschauen, obwohl dunkle, sorgsam geschminkte Augen, die Form der Körper, die sich unter den Gewändern abzeichnen, ein Prickeln auf seiner Haut erzeugen. Er denkt an seine Mutter, die in dieser Verhüllung den Hamburger Kaufmann bezirzt hat; man will die Enthüllung und weicht vor ihr zurück, denn sie zerstört das Geheimnis, das die Anziehung steigert. War es so bei seinem Vater?

Irgendwo – der Schaffner in der prunkvollen Uniform hat den Inspektor daran gemahnt – steigt er aus, vom Boy begleitet, der das Gepäck schleppt; viel zu groß ist der Koffer für den mageren Jungen, doch das ist hier so Brauch, es lässt sich nicht ändern. Tanta heißt die Station, sie wird von englischen Soldaten bewacht. Mit einer Draisine zur Baustelle, Richtung Zugazig, in die Halbwüste, es ist die Linie, die in zwei Jahren Ismailia erreichen soll, die Stadt am Suezkanal, an der er vor vierzehn Jahren im Schiff, mit Dombrowski, vorbeifuhr. Er wischt sich den Sand aus den Augen, den der Wind heranträgt. Er wird erwartet, mit lauwarmem deutschen Bier begrüßt, vom Bauführer, einem Franzosen, herumgeführt, ihnen folgt ein Schwarm aufgeregter Ägypter; am Rand der Menge stehen von Kopf bis Fuß verhüllte Frauen. »Nimmt alles seinen geregelten Lauf?«, fragt Said. »Wird der Zeitplan eingehalten?« Er versucht, Ausreden und Beschwichtigungen zu durchschauen, verstohlene Zeichen zu deuten. Die mittleren Ränge, sofern sie aus Ägypten stammten, seien anfällig für Bestechungen, hat ihm der Vorsitzende des Trusts gesagt, man schanze einander Aufträge zu, streiche Provisionen ein, er solle die Augen offen halten. Eingreifen kann er nur aufgrund von Denunziationen, dann aber gibt er sich unnachsichtig, entlässt Überführte; es warten viele, um ihre Stellen einzunehmen. Manchmal schlägt ihm deswegen offene Feindschaft entgegen. Hier aber, auf der Strecke nach Ismailia, ist alles in Ordnung.

Er verbringt die Nacht im Zelt, die meisten schlafen im Freien auf Matten. Viel zu viele Kissen hat man für ihn, den Inspektor, aufgeschichtet; dieser Respekt ihm gegenüber ist ihm manchmal unheimlich, er ist doch so jung. Voller Begehren auch, wider Willen, es glüht in solchen Nächten in ihm, er denkt mit Beschämung an die trostlosen Bordellbesuche während seiner Leutnantszeit. Draußen ein Sternenhimmel, wie er in Deutschland nie zu sehen ist. Und in dieser Nacht schlüpft eine Frau zu ihm ins Zelt, vielleicht hat jemand sie geschickt. Sie legt sich nackt zu ihm, umfängt ihn unter geflüsterten Worten, die er nicht versteht, sie befreit ihn sachte von seinem Schlafanzug. Ihre Weichheit, ihr Duft. Sandelholz? Moschus? Er stellt sich unbeholfen an, sie zeigt ihm, wie es geht, sie steigert mit kundigen Händen und Lippen seine Erregung, tut alles Verbotene, das er sich je gewünscht hat, lässt ihn umgekehrt ihre Haut in aller Freiheit erkunden. Ein Verschmelzungsgefühl von berauschender Kraft, Ohnmachtsnähe, ein Schrei, und nach einer Zeit der Ermattung alles wieder von vorn, zu neuen Gipfeln. Später – graut schon der Morgen? – tastet er nach seinem Geldbeutel, er gibt ihr ein paar Münzen, seiner Geliebten für wenige Stunden. So nah ist sie ihm gekommen, dass er es nicht über sich bringt, sie als Hure zu verachten; wenn schon, müsste er sich selbst dafür verachten, dass diese Frau für ihn nahezu gesichtslos blieb. Er hat einen Körper geliebt, der sich ihm hingab, und dazu seinen eigenen, der sich mit dem anderen vermählte, denn eine Hochzeit war es für ihn, ein Aufstrahlen aller Möglichkeiten zwischen Mann und Frau, und nicht einmal ihren Namen weiß er.

Der Boy, der vor dem Zelteingang geschlafen hat, schaut

Said verschmitzt an, sagt aber nichts. Möglicherweise hat die Unbekannte ihm, dem Mitwisser, sogar einen Teil von Saids Geld abgegeben. Unmöglich, unter den Frauen des Lagers die Gefährtin der Nacht zu erkennen. Hatte sie helle Haut, dunkle? War sie eine Nubierin? Ihnen sagt man nach, sie seien in der Liebe die Erfahrensten. Noch später hört er bei verstohlenen Gesprächen unter Franzosen, Nubierinnen seien größtenteils beschnitten. Er traut sich nicht zu fragen, was das heißt, beschafft sich dann auf Umwegen ein medizinisches Fachbuch, liest darin nach, dass die klitorale Beschneidung das Lustempfinden von Frauen stark vermindert, und ist nun tief beschämt, dass er geglaubt hat, auch er bringe die Zeltbesucherin zum Höhepunkt. Sie hat ihn vorgespielt, nimmt er an; trotzdem bleibt diese Begegnung für ihn auf ihre Art vollkommen, eine sexuelle Initiation, die in ihrem Verlauf den Melodien glich, zu denen sich arabische Sängerinnen so virtuos aufschwingen.

Noch ein weiteres Mal – nun aber in Kairo, in seinem Appartement –, als sein Verlangen nicht mehr zu bändigen ist, kauft er sich körperliche Liebe, in der Hoffnung, er könne die Intensität der Zeltnacht wiedererleben. Die Frau jedoch, mindestens zehn Jahre älter als er, lässt ihn nach dem Akt in würgender Enttäuschung zurück, alles lief hastig und routiniert ab, bei Kerzenlicht, aber sie starrte an ihm vorbei ins Leere. Eine Zeitlang fürchtet er, sich mit Syphilis angesteckt zu haben. Ein Arzt, dem er sich anvertraut, beruhigt ihn, das starke Brennen in der Harnröhre komme wohl am ehesten von seinen Gewissensbissen. Er schämt sich vor sich selbst, verdammt den Trieb, dem er sich ausgeliefert fühlt, und kann, wenn er sich abends durch Kairos schlecht beleuchtete Gassen treiben lässt, den Blick nicht von biegsamen Frauenfiguren wenden, die ihm entgegenkommen, ihn beinahe streifen, so dass er einen Moment lang den Geruch ihrer Körper einzuatmen glaubt. Dass orientalische Frauen Gesichter haben, vergisst er bisweilen, und gerade dies versetzt ihn in eine nutzlose Erregung. So anders ist diese verhaltene Sinnlichkeit als jene der eingeschnürten Europäerinnen, die ihm auf Gesellschaften begegnen. Und doch müsste er eine Wahl zwischen ihnen treffen; das zögert er hinaus, lange genug, bis er dann in London, in der National Gallery, Therese kennenlernt. Ein monatelanger, von den Konventionen vorgegebener Weg bis zum ersten Kuss, zur Hochzeitsnacht. Bei ihrer behutsamen körperlichen Annäherung weiß er, was von ihm erwartet und gefordert wird. Seine Braut ist voller Unschuld und zugleich voller Vertrauen. Wohl schon in der ersten Nacht wird Werner gezeugt. Und mit der Zeit gelingt es ihnen, ein sexuelles Einvernehmen zu erreichen, bei dem beide auf ihre Kosten kommen. Unerreichbar, eine Utopie schrankenloser Lust bleibt aber ein Leben lang diese eine Nacht im Zelt, die er, das sagt er sich oft genug, in seiner Erinnerung bestimmt verklärt. Aber als leuchtendes Zentrum seiner Liebeserfahrung lässt sie sich nicht eliminieren. Das bewegt und verwundert Rudolph jetzt noch, in seinem Luzerner Zufluchtsort; nie hätte er gewagt, Therese davon zu erzählen.

Nur ein Erlebnis während seiner Inspektorenzeit macht auf ihn einen ähnlich starken Eindruck; es sind die Pharaonengräber in Theben, die er auf Urlaub besucht. Der Abstieg aus der Sommerhitze in die kühlen Gruften, die Wandmalereien mit ihren Menschenreihen, festgehalten in undeutbaren Gesten, ins Licht gebracht von den Laternen der viel zu geschwätzigen Guides, die leeren Särge, die Mumien im Museum, geschrumpfte Köpfe wie aus Alpträumen: all das verbindet sich zu einer Erfahrung von Zeitlosigkeit und zugleich der Unausweichlichkeit des Todes. Im Kontrast dazu scheint es für ihn bloß noch einen erstrebenswerten Ort zu geben: die Gegenwart, in der er sich selbst vergessen kann. Diese eine Nacht im Zelt.

Anderthalb Jahre lang spielte er mit Ausdauer und Fleiß die Rolle des Inspektors. Doch je mehr er sich in dieser eigentümlichen Berufslandschaft heimisch fühlte, desto klarer wurde ihm, dass all das seinen ursprünglichen Hoffnungen nicht entsprach. Was wollte er eigentlich? Dem Frieden dienen, der Völkerverständigung, wie auch immer. Das war abstrakt, das war pathetisch. Dennoch kam ihm die Distanz zwischen seiner akkuraten Arbeit und seinen wirklichen Zielen immer größer vor. Er hatte von Spannungen zwischen eingewanderten jüdischen Siedlern in Palästina und den dort ansässigen Arabern erfahren, es gab das Wetteifern der Großmächte um das Erbe des Osmanischen Reiches, das offensichtlich seinem Zerfall entgegenging. Das waren die großen Fragen, mit ihnen wollte er zu tun haben. Außerdem missfiel ihm ein neuer Vorgesetzter, der schneidige Ingenieur Jadot, der Said in ratterndem Französisch vorrechnete, dass er zu wenig genau hinschaue, zu oft ein Auge zudrücke. Er bekam einen Monat Urlaub, um nach Beirut zu reisen, zu Antonies Hochzeit. Die Feier empfand er als ein Trauerspiel, Tony hatte Besseres verdient als den rüpelhaften Brandeis. Doch er bemühte sich um Höflichkeit, er wollte die Schwester nicht kränken. Es kam dann doch zu einigen hitzigen Wortwechseln. Nach seiner Rückkehr konnte er sich nur schwer dazu aufraffen, seine beruflichen Aufgaben seriös zu erfüllen. Auf Ende 1899, zur Jahrhundertwende, kündigte er seine Stelle; so verhinderte er, dass man ihm zuvorkam.

Zurück nach Berlin. Er versuchte, den brieflichen Kontakt mit der Mutter und den Schwestern aufrechtzuerhalten. Das gelang ihm schlecht. Bis Antonie aus der Südsee zurückschrieb, dauerte es ohnehin Monate, und es war ihm nicht möglich, auf die launigen Sätze von Rosalie, hinter denen sich so viel verbarg, in gleicher Weise zu antworten. Emilys wenige Zeilen hingegen, die sie oft unter Rosas Briefe setzte, wühlten ihn auf. Auch wenn sie nichts Weiteres enthielten als die Beteuerung ihrer Liebe und die besten Wünsche für ihn, las er daraus den Vorwurf, dass er ihr nicht zur Seite stehe, sich als Sohn zu wenig um sie kümmere. Ihre Handschrift vor Augen, sah er sie vor sich: Immer dünner war sie im Lauf der Jahre geworden; zugleich hatte sich in ihren Zügen etwas Hartes, ja Herrschsüchtiges hervorgearbeitet. Dabei hatte ihr Blick manchmal ein kindliches Flehen, das gleich wieder erlosch. Sie war schon lange nicht mehr Salme, und ganz und gar Emily war sie nie geworden.

11

Es wäre gewiss nicht nötig gewesen, uns in all diesen Jahren so hart zu behandeln. Denke daran, mein Bruder, dass wir sterben werden. In wenigen Jahren wird keines der Kinder unseres Vaters mehr leben in dieser vergänglichen Welt.

Wie war es, Salme? Erzähl es mir. So jung warst du, als die Liebe verbotenerweise über dich kam, schön warst du mit deinen ebenmäßigen Zügen, der hellen Haut deiner tscherkessischen Mutter. Doch dein Gesicht durftest du ja meinem Vater lange gar nicht zeigen.

Sie hört zuerst – so stellt es sich Rudolph vor – die Stimme des Fremden, der ins benachbarte Gebäude eingezogen ist, der Vertreter einer Hamburger Firma, Hansing & Co., die Gerüchte laufen rasch herum im Palast und seinen Nebengebäuden. Ein imposanter Mann soll er sein, noch jung, er kauft Kopra, Sisal, Harz, Häute, Palisander, Nelken, er liefert Gewehre, Baumwollwaren, Kohle, er zahle bessere Preise als der Konkurrent O'Swald, habe von ihm zudem fähige Mitarbeiter abgeworben. Man muss ihm also auch Tüchtigkeit zugestehen, Klugheit. Heinrich heiße er. Heinrich Ruete. Was für Namen! Deutsch ist eine zungenbrecherische Sprache, und doch hat sich Salme die fremden Laute gemerkt.

Alles, was mit der Welt außerhalb Sansibars zu tun hat, zieht sie an. Die Insel hat sie auf ihrem Pferd genügend erkundet, es gibt anderes, weit weg, das sie kennenlernen möchte.

Die Stimme vernimmt sie zuerst – abends oder nachts, wenn er aus dem Kontor heimgekehrt ist – durch die offenen Fenster auf der anderen Gassenseite. Tief ist sie, warm und doch gebieterisch. Ab und zu versteht sie Worte auf Suaheli, das er nahezu perfekt spricht; er gibt den Dienstboten Anweisungen: die Teller hierhin, die Stühle an den alten Platz, und warum liegt hier Staub? Eines Abends – ja, so könnte es gewesen sein – ist die Dachterrasse drüben belebt, er gibt eine Gesellschaft. Lauter Europäer, fast alles Männer, dunkel gekleidet, aber mit strahlend weißen Kragen. Das Hin- und Herhuschen der Diener bei Kerzenschein, ihre tanzenden Schatten, Gelächter, Gläserklirren. Sie spioniert hinter ihrem vergitterten Fenster, schleicht sich dann, um besser beobachten zu können, auf ihre eigene Terrasse, die etwas höher liegt als seine, und glaubt ihn, am Kopfende der Tafel, zu erkennen, das Gesicht beschienen von einer der Lampen, die an Schnüren hängen. Ein dunkler Bart, aber wer trägt denn keinen? Etwas Gütiges in seinen Zügen, etwas ganz Eigenes, das sie in Unruhe versetzt. Wer bist du?, fragt sie in Gedanken und hält sich im Schatten, als der Mond höher steigt. Die Unruhe bleibt, seine Stimme klingt in ihr nach. Es ist der Sultanstochter verboten, sich einem Ungläubigen zuzuwenden, das wissen auch ihre Dienerinnen, aber Wachträume kann ihr niemand verbieten, auch ihr Halbbruder Majid nicht, der auf dem Thron sitzt.

So hat es angefangen, stellt er sich vor. Irgendwann hat Heinrich sie, von Terrasse zu Terrasse, angesprochen, sie, die verschleierte Prinzessin; dass sie sich anderswo begegnet sein könnten, ist unwahrscheinlich. Grüße zuerst, mehr nicht, und doch verursachen sie Herzklopfen, Schlaflosigkeit. Kleine belanglose Gespräche als Nächstes, über die Gasse hinweg. Ob es dem Fremden in Sansibar gefällt, was er gerne isst, warum Salme in der Stadt wohnt und nicht auf einer der Plantagen, die sie von ihrem verstorbenen Vater geerbt hat. Sie dämpfen die Stimmen. Aber hört ihnen nicht trotzdem jemand zu? Wird nicht schon herumgetratscht, dass Salme im Begriff ist, sich mit dem Deutschen einzulassen? Oder gilt diese Art der züchtigen Unterhaltung noch als harmlos? Heinrich mag den Klang von Salmes Stimme und sie den seinen, und wenn Rudolph, der Sohn, in sich hineinhorcht, hat auch er ihren noch im Ohr, dunkel ist er, nur an den Rändern hell. Er kennt ihre Stimme auch ganz verschattet, aus den Zeiten, als die Mutter tagelang im Bett blieb. Aber für den Mann, in den sie sich verliebte, muss sie lockend und schmeichelnd geklungen haben; so hat sie doch manchmal auch zu ihm, zum Jungen, gesprochen, halb summend, tief über ihn gebeugt, wenn er krank war.

Im Lauf der Wochen werden die nächtlichen Gespräche intensiver. Sie kreisen wohl um Zukunftspläne, um das, was ihre verschiedenen Umgebungen für einen jungen Mann, eine junge Frau vorsehen. Eigentlich müsste Salme mit einundzwanzig schon verheiratet sein; aber sie hat – sagt sie das lachend, hintersinnig? – bisher alle Bewerber ausgeschlagen, und der Sultan Majid zwinge sie zu nichts. Noch nicht. Ein eigenartiges Verhältnis hat sie zu diesem Bruder, das wird Heinrich allmählich aus ihren Andeutungen klar und aus dem, was er sonst erfährt: Sie sei in eine Intrige verwickelt gewesen, die ihren anderen Halbbruder, Bargash, hätte auf den Thron bringen sollen. Der Sturz Majids sei verhindert, Bargash verbannt worden, und der großzügige Majid habe sich mit den Aufrührern, also auch mit Salme, versöhnt und sie nur für einige Monate unter Hausarrest gestellt. Salme fürchtet dennoch Majids langen Arm; so scheint es zunächst undenkbar, dass sie sich zu Heinrich oder er sich zu ihr begibt. Trotzdem finden sie einen Weg, sich zu treffen, der Wunsch, einander nahe zu sein, wird übermächtig. Was kann man, denkt Rudolph, nicht alles auf eine verschleierte Frau projizieren? Und was mag sich Salme, die im Harem aufgewachsen ist, vom weltläufigen Heinrich erhoffen? Da ist etwas Magnetisches zwischen den beiden; auch Begehren kommt immer stärker ins Spiel.

Verkleidet sich Salme als Mann? Werden Haussklaven bestochen, damit sie schweigen? Finden die Verliebten einen Weg, sich auf dem Land zu treffen, auf einer von Salmes Plantagen? Oder anderswo? Auch auf ihrem Sterbebett, als sie in Gedanken nochmals nach Sansibar reiste, wollte Emily nicht verraten, was damals wirklich geschah; unwirsch reagierte sie auf Rudolphs vorsichtige Erkundigung: »Lass mir meine Geheimnisse!« Danach aber griff sie nach seiner Hand und hielt sie, um Atem ringend, lange fest. Also das Stelldichein im Irgendwo, beide zu Pferd, vielleicht üppiges Grün ringsum, wirbelnde Hufe, dann der gemächliche Gang, der Halt am Meeresstrand. Heinrich sieht Salme erstmals unverschleiert, sie schenkt ihm ihr Gesicht, ängstlich, dass er's nicht schön genug findet. Es fällt schwer, sich die Eltern als Liebende vorzustellen, in inniger Umarmung, da ist die Scham, die solche Bilder wegwischen will, und dennoch sind sie da. Wo liegen sie wohl, die beiden? Drinnen oder draußen? Jetzt kennen sie keine Rücksichten mehr. Ist es Liebe? Tollkühne Blindheit? Was Salme tut, wird nach der Scharia durch Steinigung bestraft. Entgleitet ihr alles in der Umarmung? Bringt ihr Gefühlsaufruhr sie um den Verstand? Die Haut des anderen als Offenbarung, die Sprache der Fingerspitzen, der Lippen, Weichheit und Widerstand, man verliert sich in den Berührungen.

Wie sanft, wie kenntnisreich war Heinrich? An Verhütung dachte er nicht, Salme wurde schwanger. Wann hat sie es bemerkt? Eine Katastrophe: dass der Ungläubige mit der Muslimin ein Kind gezeugt hat, stellt das Leben von beiden in Frage. Und auf der Insel heißt es nun hier und dort, zwischen dem Deutschen und Salme gebe es eine unziemliche Beziehung; von denen, die eingeweiht sind, hat jemand geplaudert. Das kommt Majid zu Ohren. Er weiß, dass er die Pflicht hätte, die Schwester vorzuladen, sie zum Geständnis zu zwingen, sie hinrichten zu lassen. Aber er zögert, die Gerüchte könnten auch falsch sein. Ein paar Frauen im Palast setzen sich für Salme ein, so lässt er die Dinge noch eine Zeitlang schleifen, verfügt aber, dass Salme beschattet wird.

Und sie in ihrem Zustand? Heinrich im Wissen darum, wie elend er das Gastrecht missbraucht hat? Sie steht gewiss Todesängste aus. Erst jetzt wird ihr bewusst, was sie gewagt und was sie verspielt hat. Es bleibt ihr nur die Flucht. Heinrich seinerseits ist in größter Sorge um sie, um das ungeborene Kind, um seine Stellung als Handelsagent. Vergreifen wird man sich an ihm nicht, da fürchtet Majid zu sehr die Rache der Deutschen, aber Heinrich kann mit niemandem über mögliche Auswege reden. Oder doch? Dass er Salme heiraten will, hilft ihm beim Sultan nicht, im Gegenteil. Soll er den deutschen Konsul ins Vertrauen ziehen? Den Kollegen und Konkurrenten von O'Swald, den spöttischen John Witt? Er hätte wohl doch ein minimales Verständnis für die heikle Lage seines Landsmanns. Und ein Schiff von O'Swald liegt im Hafen vor Anker, die ›Mathilde‹, auf ihr käme Salme am schnellsten von Sansibar weg.

Die Situation spitzt sich zu. Von Majid bekommt Salme einen Brief, in dem er sie ermächtigt, eine Pilgerreise nach Mekka im Schiff seines obersten Eunuchen zu unternehmen. Das ist, mit anderen Worten, ein Befehl, der einem Todesurteil gleichkommt, denn sie weiß, dass andere Frauen in ähnlichen Umständen von einer solchen Reise nicht zurückgekehrt sind. Der Brief bedeutet, dass Majid die Wahrheit erfahren hat. Was als Nächstes geschieht, ließ Emily zeitlebens im Dunkeln. Es gibt den Versuch, Salme auf die ›Mathilde‹ zu bringen. Ein Sklave berichtet dem Sultan davon, der lässt den Hafen überwachen. Der erste Fluchtversuch misslingt. Unter dem Vorwand der teuren Pilgerreise hat Salme schon einen Teil ihres Besitzes, darunter auch Sklaven, veräußert. So etwas sickert durch, es gibt kein Zurück mehr. Bei Emily Seward, der Frau des britischen Konsulatsarztes, sucht sie Hilfe, Salme kennt sie von Empfängen als verständnisvolle Gastgeberin. Mrs. Seward, eine kleine, unscheinbare Frau, stets sprungbereit, ist Salme äußerst gewogen; es gefällt ihr, in diese hochromantische Geschichte einzugreifen, und vielleicht kann sie sich ja später rühmen, ein Leben gerettet zu haben. Jedenfalls bringt sie mit Charme und Hartnäckigkeit den britischen Konsul Kirk dazu, einen neuen Fluchtversuch einzufädeln. Pasley, der Kapitän der britischen Fregatte ›Highflyer‹, die auf ihre Abfahrt wartet, spielt dabei die entscheidende Rolle. Die Verschworenen wählen als günstigstes Datum den 24. August, den Tag vor dem muslimischen Neujahrsfest, an dem es Brauch ist, abends im Meer zu baden. Hunderte werden sich in Volksfeststimmung am Strand versammeln, da fällt Salme weniger auf, wenn sie kurz nach Sonnenuntergang in ein Boot steigt. Zudem wird sie vorschieben, sie wolle eine Halbschwester am andern Ende der Stadt besuchen. Alles klug ausgedacht, aber der Plan kann an unerwarteten Hindernissen scheitern.

Die letzten Stunden vor der Flucht müssen für Salme unerträglich gewesen sein. Das Wissen, dass sie die Welt, die sie kennt, hinter sich lassen oder sterben wird, der Wille – der nun auch ein Zwang ist –, diesem einen Mann, dem Auserwählten, zu vertrauen. Die Zweifel, die sie ersticken muss, sonst ist sie gelähmt und nicht mehr handlungsfähig. Die Sorge um das Kind in ihrem Bauch, dessen Zukunft – wie ihre – ungewiss ist.

Was folgt, hat Konsul Kirks Sohn später in einem Brief an Rudolph beschrieben. Mit zwei Dienerinnen geht Salme an den Strand; ihr Gepäck ist, getarnt und auf verschlungenen Wegen, schon an Bord der ›Highflyer‹ gelangt. Sie hat so viel Bargeld – Dollars – in allerlei Taschen dabei, wie sie auf sich tragen kann, ohne Verdacht zu erregen. Die Schaluppe der ›Highflyer‹ wartet auf sie mit drei Matrosen. Die Dienerinnen begreifen nicht, weshalb ihre Herrin ins Boot steigt, sie weigern sich, ihr zu folgen. Die erste wird von den Matrosen gepackt und hineingehoben, die zweite rennt laut schreiend davon, sie glaubt an eine Entführung. Ein Auf-

ruhr entsteht am Strand, man hat Salme erkannt. In höchst-
möglichem Tempo rudern die Matrosen zum Mutterschiff,
das schon unter Dampf steht. Kaum ist Salme das Fallreep
hochgeklettert, legt die ›Highflyer‹ ab. Es scheint, als wende
sie sich zunächst nach Süden, doch als der Hafen außer Sicht
ist, dreht das Schiff nach Norden ab.

Die Stadt Aden haben Salme und Heinrich als Treff-
punkt vereinbart, aber erst in ein paar Wochen oder Monaten. Heinrich muss viele Dinge erledigen, bevor er ihr nach-
reist; immer noch ist er davon überzeugt, dass Majid ihm
kein Haar krümmen wird, und er behält recht. Der Sultan
zeigt sich zwar, wie man es von ihm erwartet, zornig über
Salmes Verrat und sendet eine Protestnote an den britischen
Konsul, aber er ist gewiss auch erleichtert, dass es ihm erspart bleibt, seine Schwester nach islamischem Recht zum
Tod verurteilen zu müssen. Heinrich lässt er eine Zeitlang
noch unbehelligt gewähren; er wird aber nun gemieden von
den Einheimischen und weitgehend geschnitten von den Europäern, die befürchten, dass sein unverantwortliches Handeln letztlich ihnen allen schaden wird.

Und Salme? Sie habe, meldet der Kapitän später an Konsul
Kirk, auf rührende Weise bekundet, wie dankbar sie ihren
Rettern sei. Auf der siebentägigen Fahrt in den Golf von
Aden, so imaginiert es Rudolph, brennt sich die Gewissheit
in sie ein, dass sie alle Brücken hinter sich abgebrochen hat
und sich, als Person, neu erfinden muss. Ihre Gefährtinnen
aus dem Palast, die sie von jung auf kennt, Chole, Sharifa,
Zayana: sie werden Salme verdammen, keine mehr von ihnen wird sie wiedersehen, und die Insel, die ihr Leben ausmachte, ist hinter dem Horizont verschwunden. Gleichzeitig

lockt Europa, die Stadt Hamburg, von der ihr Heinrich so oft erzählt hat; in die Angst vor dem Neuen und Unbekannten mischt sich auch die Zuversicht, sich dort frei bewegen zu können, ohne Schleier, geachtet von der Bürgerschaft, denn sie wird die Gattin eines erfolgreichen Kaufmanns sein. Schon auf dem Schiff zieht sie sich europäisch an. Mrs. Seward hat ihr eine Kiste passender Kleider mitgegeben, Blusen und taillierte Röcke, an die sie sich, mitsamt der komplizierten Unterwäsche, erst gewöhnen muss. Aber die Entscheidung, sich in kürzester Zeit alles Europäische anzueignen, ist unwiderruflich.

In Aden – das hat Heinrich vorgeschlagen – bezieht sie Quartier bei Bonaventura Mass und seiner Frau, einem spanischen Paar, das sie schon in Sansibar kennenlernte. Er war dort Kaufmann, einer, der auch mit Sklaven handelte; als dies von den Briten unterbunden wurde, ließ er sich am Golf nieder. Nun beginnt in Aden das lange Warten auf Heinrich. Nach der Euphorie über die gelungene Flucht schleichen sich wieder Zweifel ein. Ist auf ihn wirklich Verlass? Wird er sie nicht im Stich lassen? Und was dann? Jeden zweiten Tag kommt der anglikanische Kaplan ins Haus und unterrichtet sie in den Grundlagen des Christentums; das hat sie mit Heinrich so vereinbart. Sie will den neuen Glauben in sich einpflanzen, sie will so schnell wie möglich als deutsche Christin gelten. Es ist keine Sehnsucht in ihr, Jesus von Nazareth als ihren Herrn anzunehmen; die Taufe ist einzig das Mittel zum Zweck, Heinrich heiraten zu können. Dürr erscheint ihr manchmal, was der Kaplan sie lehrt, makaber zudem, einen Gefolterten, der am Kreuz hängt, als Gott zu verehren. Ist nicht Mohammed viel irdischer, hinreißend in seiner prophetischen Glut? Aber Salme lernt gehorsam die Gebete, die der Kaplan ihr vorsagt; zu Gehorsam verpflichtet ist die Frau in beiden Religionen.

Heinrichs Ankunft verzögert sich. Er schreibt ihr, dass er für seine Firma zunächst noch auf den Seychellen genügend Kaurimuscheln für den Handel mit Westafrika erwerben müsse, er bittet sie um Geduld, versichert sie in zärtlichen Worten auf Suaheli seiner Liebe. Weiter warten also, während das Kind in ihrem Leib wächst. Sultan Majid – er sieht sich nach wie vor als ihr Hüter – wendet sich in einem Brief an den britischen Residenten in Aden. Er fordert ihn auf, seine Schwester nach Sansibar zurückzuschicken und ihr in seinem Namen den Umgang mit Europäern zu untersagen; sie müsse bis zu ihrer Abreise bei einer streng muslimischen Familie wohnen, und keinesfalls dürfe sie mit Heinrich Ruete nach Hamburg reisen. Gehe sie auf all das ein, werde er Milde walten lassen. Aber Salme lehnt seine Forderungen ab, wenn auch mit Anflügen von Unsicherheit. Das Appartement, das hochgestellte Araber ihr anbieten, will sie nicht, sie hat nun schon an der Freiheit geschnuppert, die sie in Europa vorzufinden hofft. Die europäische Kleidung, die sie trägt, wird sie nicht mehr gegen die arabische eintauschen, das versichert sie dem Residenten, und er meldet dies nach Sansibar, wo Majid ein weiteres Mal Salmes wegen in Zorn gerät.

Am 7. Dezember 1866 – das hat Rudolph durch briefliche Erkundigungen herausgefunden – kommt Salmes Sohn zur Welt, assistiert wird der britische Arzt von zwei einheimischen Hebammen, die den Mann mit Selbstverständlichkeit entmachten. Es ist eine erstaunlich leichte Geburt; der Vater erfährt allerdings lange nichts davon. Die ersten Monate des Kleinen lenken Salme von ihren übrigen Sorgen ab. Sie wird von ihrer Gastfamilie und vom Kaplan dazu gedrängt, das Kind taufen zu lassen. Das geschieht Anfang April in der englischen Kapelle; Heinrich nennt sie es, nach dem abwesenden Vater. Knapp zwei Monate später taucht er endlich auf, drei Viertel eines Jahres hat Salme in Aden ohne ihn ausgeharrt. Die Wiedersehensszene stellt Rudolph sich tränenreich vor, überschwenglich, mit Vorwürfen von Salmes Seite: Warum bist du so lange weggeblieben? Warum hast du so wenig geschrieben? Doch das Kind, das nach dem ersten Fremdeln den Vater anlacht, schafft ein Band zwischen ihnen, das Salme unzerreißbar scheint. Noch am selben Tag wird auch sie getauft, sie nimmt zu Ehren Emily Sewards deren Namen an; und nach der Taufe folgt die Trauung, die zugleich das Kind legitimiert. Aus Salme bint Said ist auf dem Papier Emily Ruete geworden. Am nächsten Morgen bereits brechen sie auf, zu dritt, mit Marseille als erstem Ziel, in eine vertraute Welt für Heinrich, ins Unbekannte für Emily.

Über dieses erste Kind, den kleinen Heinrich, Rudolphs älteren Bruder, all die Jahre kein Wort, nicht die kleinste Erinnerung. Dass es ihn gab, hat die Mutter in sich verschlossen. Er muss auf der Reise nach Hamburg gestorben sein. Wo? Woran?

1923, als sie in Lindau, ein Jahr vor ihrem Tod, ein paar Frühlingstage miteinander verbrachten, fragte er die Mutter danach. Ein Hinweis in einem Brief des Vaters, der beim Aufräumen zufällig in einem Psalmenbuch zum Vorschein gekommen war, hatte ihn darauf gebracht. Sie saßen auf einer

Bank an der Uferpromenade, der Himmel leuchtete in klarstem Blau, und Emily erstarrte, als habe er einen schlimmen Geist heraufbeschworen. »Das ist lange her«, brachte sie nach einer quälenden Pause hervor. »Ich will darüber nicht reden.« Und flüsternd nachgeschoben, als müsse sie dies begründen: »Ich kann nicht…« Eine Aura von Untröstbarkeit war um sie, die ihn daran hinderte, seine Hand auf ihren Arm zu legen; sie war eine Weile ganz verstummt, und er fragte sich, ob sie überhaupt noch atmete. Plötzlich gab sie sich einen Ruck, sie stand auf und wollte zurück ins Hotel. Er wusste nun: Über das tote Kind würden die drei lebenden Geschwister nie etwas erfahren. Aber wie musste es damals in ihr ausgesehen haben! Was für ein Schmerz, das Wesen zu verlieren, das für sie das Bindeglied zum neuen Leben war! Übergangslos und in hartem Tonfall begann die Mutter, die nun doch Arm in Arm mit ihm ging, davon zu reden, wie man der horrenden Inflation in Deutschland am besten begegnen könne. Die kleine Rente in englischen Pfund, die ihr das Sultanat nach jahrelangem Feilschen gewährte, erwies sich zu diesem Zeitpunkt als Segen. Emily hatte deshalb – nach Rudolphs Zureden – auf alle weiteren Ansprüche verzichtet; und dies erfüllte sie zwischendurch immer noch mit einem Zorn auf das knauserige Sultanat wie auf den Sohn, dem sie vorwarf, übervernünftig zu sein.

Das zweite Kind, das lässt sich errechnen, wird bereits auf der Reise gezeugt, vermutlich kurz nach dem Tod des ersten. In was für einer Stimmung wohl? Als bewusster Akt, dem Tod ein neues Leben entgegenzusetzen? In jener Verzweiflung, die zwei Körper zueinander drängt, damit der

Geist vergisst? Heinrich: der Einzige, der sie hält, Vater, Bruder, Geliebter, Freund, alles zugleich. Er bereitet sie aufs Hamburger Leben vor, versucht ihr zu erklären, wie sich die norddeutschen Verhaltensweisen von denen auf Sansibar unterscheiden, bringt ihr erste deutsche Sätze bei. Diese Rolle, denkt sich Rudolph, muss auch den Vater überfordert haben; mit Heinrich aber kann er sich, da er ein Schemen, ein fotografisches Schwarz-Weiß-Gesicht bleibt, gar nicht auseinandersetzen. Auf seine immer gleichen Fragen wird er nie eine Antwort bekommen: Was hat dich bewogen, diese fremde Frau unter Lebensgefahr zu verführen und nach Hamburg zu verpflanzen? War es wirklich Liebe? War es der Kitzel, dich auf ein exotisches Abenteuer einzulassen? Und warum, Vater, bist du dann so leichtfertig vom Pferdetram gesprungen? Warum hast du dich überrollen lassen? Warum hast du eine Mutter von drei kleinen Kindern ins Unglück gestürzt? Diese Mutter, die für Said, für Rudolph immer aus Fleisch und Blut war, die Mutter, deren Hand seine Stirn kühlte, die Mutter, die ihn weggab, die Mutter, die zuließ, dass er als politischer Spielball missbraucht wurde, die Mutter, die so lange der Mittelpunkt seiner Welt war.

Wieder kehren die Lindauer Tage zurück, sieht er vor sich die Fläche des Sees, des Schwäbischen Meers, sucht das andere Ufer zu erkennen, das im Morgendunst unsichtbar geworden ist. Sie beide auf der Hotelterrasse am Frühstückstisch, stark gerösteten Toast mochte sie, dick mit Butter und Honig bestrichen; ihre kulinarischen Vorlieben hatten sich längst europäisiert. Wie zerbrechlich Emily schon wirkte! Als hüllten ihre Kleider bloß noch einen ausgemergelten Kinderkörper ein. Und doch war so viel Zähigkeit in ihr. Eine

Kämpferin war sie jahrzehntelang gewesen; ihr unstillbares Heimweh hatte sie ausgehalten, den Tod des Ehemanns, die Verstoßung durch die Brüder, die verborgene Armut. Und immer hoffte sie, ihrem Schicksal noch eine Wende geben zu können, den Bruch, den sie herbeigeführt hatte, zu kitten. Sie übertrug den Wunsch nach Wiedergutmachung auf den Sohn; auch er kämpfte, letztlich in ihrem Namen, darum, von den orientalischen Verwandten als gleichrangig anerkannt zu werden. Die erste Einladung zu einem Empfang des Sultans von Sansibar in London, 1928, war ein Sieg, die Verleihung eines Sansibarischen Ordens ein Triumph, den er nicht offen zeigte, sondern für sich auskostete, im inneren Dialog mit der toten Mutter: Siehst du, ich habe erreicht, was du wolltest, ich, dein Sohn.

Emilys erste Zeit in Hamburg. Es fällt schwer, sich in den Zustand hineinzuversetzen, den sie in ihren Briefen beschreibt. Ihr Kind hat sie verloren, das soll niemand wissen, sie ist ja schon wieder schwanger. All das Fremde ringsum wird zur Last, die sie nicht abschütteln kann. Es ist Sommer, ein üblicher Sommer im Norden, mit heißen Tagen hie und da, Regenphasen zwischendurch, aber Emily friert. Wenn andere draußen kurzärmelig herumspazieren, legt sie sich einen Schal um, und sitzt sie am Fenster, breitet sie eine Wolldecke über sich, damit sie nicht zittert. Ein Haus an der Alster hat Heinrich gemietet, eine Villa, herrschaftlich sei sie, sagt er, einer Prinzessin angemessen, mit Blick aufs Wasser, das sie doch so liebt. Wie klein sind jedoch die Zimmer, und wie widersinnig mutet es sie an, dass die Türen dauernd geschlossen bleiben müssen. Diese komplizierten, viel zu großen Möbel mit Schubladen aller Art, die Sessel, in denen man sitzt wie in Schraubstöcken. Die hundert Gegenstände, die man in der Küche benötigt, Schneebesen, Korkenzieher, Messer und Messerchen aller Art, Trichter, Käsereibe, Zitronenpresse: lauter Wörter, die ihr lange nicht in den Kopf wollen. Nichts da von Luft und Licht, von Vorhängen, die sich im leichten Wind bauschen, vom Ein und Aus fröhlicher Besucherinnen.

Sie steht unter Heinrichs Protektion, er kommt für sie auf, das ist die Pflicht des deutschen Mannes. Tagsüber lässt er sie allein, von halb neun bis vier Uhr sitzt er im Büro, und was er dort tut, braucht sie nicht zu kümmern. Der Umgang mit den beiden Dienstmädchen, die er angestellt hat, ist schwierig. Sie nehmen ihr alles ab, wie von ihm befohlen. Aber diese undurchschaubaren Mienen, ihre kalten Augen, das Adergeflecht auf den roten Wangen, die drallen Körper in steifen Kleidern und Schürzen. Wenn Emily etwas Ungewohntes von ihnen will, rennt sie gegen eine Wand, sie versteht anfangs kaum ein Wort von dem, was sie sagen. Bauernmädchen seien es, erklärt ihr Heinrich, billiger als solche mit langer Erfahrung und doch gelehrig genug.

Wie verbringt sie die Tage bis zur neuerlichen Geburt? Ins Freie muss sie, so oft wie möglich, dazu hat zum Glück der Arzt geraten. So geht sie Tag für Tag kilometerweit an der Alster entlang, mit ausgreifenden Schritten, viel zu eilig für die Passanten, die ihr nachschauen. Einige wissen, wer sie ist: eine arabische Prinzessin; man hat in der Zeitung über sie berichtet! Es dauert lange, bis sie sich in gebrochenem Deutsch verständigen kann, darum meidet sie spontane Gespräche. Aber von der Bewegung wird ihr warm, auch wenn ihr heftiger Wind entgegenweht. Manchmal glaubt sie Salzgeruch zu atmen, dann weitet sich ihre Brust. Das Meer! Am Meer möchte sie sein, auf dem Meer käme sie zurück zu ihrer Insel. Ab und zu bleibt sie eine Weile am Wasser sitzen, sieht Wolkenschatten über die unruhige Fläche gleiten, vergisst das jenseitige Ufer, ist wieder das Kind, das am Strand von Beit il Mtoni mit Steinen spielt, mit Muscheln und ausgebleichten Ästen. Eine weiße Katze hat sie mitgebracht aus Sansibar, ein anmutiges Tier, einen lebendigen Trost. Wenn sie die Katze auf dem Schoß hält, die Nase ins Fell drückt, glaubt sie ganz schwach – wie aus weiter Ferne – die Gewürze ihrer Insel zu riechen, Nelken, Muskat, Safran, Kreuzkümmel, das Gemisch, das dem faden deutschen Essen fehlt. Die Köchin ist bestürzt, als Emily darauf besteht, reichlich Currypulver über den Kohl zu streuen. Ein neues schwieriges Wort lernt sie von ihr: *ungenießbar.* An Tagen, an denen sie sich besonders einsam fühlt, nimmt sie die Katze in einem gepolsterten Korb auf ihren Gängen mit, lässt sie dort drin miauen, da weiß sie wenigstens, dass jemand bei ihr ist.

Am Wochenende fährt Heinrich manchmal in der Droschke mit ihr an die Elbe, zum Hafen, er führt sie durchs Gedränge der Hafenarbeiter, erklärt ihr, was für Waren in den Kisten und Fässern stecken, die ein- und ausgeladen, von Kränen herumgeschwenkt werden. Wie viele der Schiffe, fragt sie sich, fahren nach Afrika, wie viele von ihnen landen auf ihrer Insel? Sie zuckt zusammen, wenn sie ein schwarzes Gesicht sieht, es ist ihr jedes Mal, als würde sie für Augenblicke nach Sansibar gezaubert. Heinrich will nicht, dass sie die dunkelhäutigen Matrosen anspricht, es wäre, gibt er ihr zu verstehen, unter ihrem Stand.

Ihr Bauch schwillt an. Spätabends, nebeneinander im Bett, legt Heinrich die Hand auf die Wölbung; das tote Kind versuchen sie aus ihren Gedanken zu verbannen. Es wird kälter, Emily benötigt draußen einen Schirm oder ein Regencape. Mit Erstaunen sieht sie dem Fallen der Blätter zu, dem Blättertanz im Wind, sie lässt sich nicht davon abbringen, im eigenen Garten die welken Blätter zusammenzurechen, stapft und schlurft mit kindlicher Freude durch die raschelnden Haufen. Sie hält es in den Räumen, in denen nun geheizt wird, fast nicht aus. Ein wollenes Halstuch um sich zu wickeln, Stiefel, einen Mantel mit Pelzbesatz zu tragen, hasst sie zwar, aber sie darf sich, wie Heinrich sie ermahnt, nicht erkälten. So viele Schichten auf ihrer Haut, so schwerfällig ihr Gang. Wie lange ist es her, dass sie barfuß den Strand entlanglief, in einem leichten Kleid, wenn auch verschleiert? Gestern war es, nein, vor einer halben Ewigkeit, sie hat nicht geahnt, wie schneidend, wie erbarmungslos das Heimweh sein kann. Trotz der Kälte nimmt sie die Katze mit, die sich unruhig im Korb bewegt. An günstigen Stellen lässt Emily sie heraus, und wenn sie Locklaute von sich gibt, kommt das Tier zu ihr zurück, lässt sich kraulen und wieder in den Korb heben. Doch eines Tages – es ist früher Dezember – bleibt die Katze verschwunden. Emily wendet sich an die wenigen Passanten, die bei diesem Wetter unterwegs sind, erkundigt sich in rudimentärem Deutsch nach ihrer weißen Katze, die sie mit den Händen in der Luft nachzeichnet: spitze Ohren, langer Schwanz, dazu ein Miauen, das die Angesprochenen zum Lächeln bringt. Eine ältere Frau zeigt ihr mit Gesten, dass sie eine Katze gesehen habe, gerade vorhin. Mit ihr zusammen geht Emily an die Stelle zurück, doch alles Rufen und Locken nützt nichts, das Tier kommt nicht zum Vorschein. Wenn Emily der Katze ein Halsband mit einem Glöckchen angelegt hätte, macht ihr die Frau verständlich, wäre die Suche einfacher. Hätte nicht auch Heinrich diese Idee haben können? Durchnässt und verzweifelt kehrt sie in die Villa zurück. Die Dienstboten nehmen ihren Kummer nicht ernst, für eine andere Katze sei rasch gesorgt, und auch Heinrich, als er endlich da ist, bietet ihr an, schon morgen einen Ersatz zu kaufen; aber vielleicht wolle sie ja lieber einen Kanarienvogel oder einen Pudel, den sie an die Leine nehmen könne, oder gleich beides. Sie weint eine Weile in seinen Armen, sie ist ihm dankbar, doch sie spürt, dass er nicht wirklich versteht, was die weiße Katze für sie bedeutet. Einige Tage noch sucht sie erfolglos nach ihr. Ein Dienstmädchen, Leonie aus dem Mecklenburgischen, äußert den Verdacht, das gutgenährte Tier sei von irgendeinem Hungerleider aus den Armenquartieren gefangen und geschlachtet worden. Das will Emily nicht hören; sie fährt dem Mädchen über den Mund wie noch nie. Es dauert Wochen, bis sie sich mit dem Verlust abgefunden hat. Der Pudel und das Windspiel, zwei Welpen, die ihr Heinrich schenkt, ersetzen die weiße Katze nicht, lenken Emily aber doch ein wenig ab.

Am meisten zu schaffen machen ihr in dieser Anfangszeit die gesellschaftlichen Anlässe, bei denen Heinrich sie, nicht ohne Stolz auf ihre Herkunft, als seine Gattin präsentiert. Die Oper ist ihr völlig fremd; Heinrich denkt indessen, Meyerbeers *Die Afrikanerin*, die teilweise in Ostafrika spielt, müsse sie heimatlich berühren. Er bringt sie dazu, sich festlich zu kleiden und einen langen, bunt gemusterten Seidenschal zu tragen, unter dem sie ihre Schwangerschaft verbirgt. Ihr Erscheinen wird beachtet; in den Pausen richten sich, zu ihrer Verlegenheit, viele Operngläser auf sie. Die Handlung, der sie notdürftig zu folgen vermag, stößt sie ab, die Musik ist ihr zu laut, zu grell, die Phantasiekostüme findet sie lächerlich. Nie mehr Oper!, schwört sie danach. Aber Heinrich sagt in fürsorglichem Spott, sie werde sich daran gewöhnen wie ja schon an vieles.

Schlimmer sind die Abendessen, zu denen sie, an Heinrichs Arm, erscheinen muss. Die Trinksprüche und Tischreden versteht sie nicht, von Sansibar zu erzählen, ist ihr zuwider, weil dies bloß ihr Heimweh verstärkt. Und immer wieder verwechselt sie, zum heimlichen Amüsement der Gäste, die Reihenfolge des Bestecks bei den einzelnen Gängen; sie lehnt es auch ab, mehr als ein Glas Wein zu trinken, er vernebelt ihren Kopf, und dann kann es geschehen, dass sie plötzlich laut auf Suaheli mit Heinrich zu disputieren beginnt. Am schlimmsten aber sind die Gesellschaften, die sie zu Hause, in den eigenen vier Wänden, zu geben hat. Da lastet die ganze Verantwortung der Hausherrin auf ihr. Sie muss befrackte Lohndiener engagieren, das Menu zusammenstellen; mit jedem falschen Schritt blamiert sie sich vor den Gästen. Heinrichs Geschäftsfreunde sind dabei, manchmal die Schwiegereltern, die Emily mit freundlicher Reserve behandeln. Alles am richtigen Ort auf dem strahlend weißen Tischtuch, diese Unmenge an Gläsern, an denen kein Fleckchen zu sehen sein darf, die Schüsseln und Schüsselchen, Blumensträuße, deren Geruch den Essgenuss stört. Wozu dieser Aufwand? Ihr Leben lang hat sie mit den Fingern gegessen, nichts erscheint ihr so künstlich und nutzlos wie die Handhabung von Messer und Gabel. Die Tischordnung – nämlich, dass Frauen und Männer nebeneinandersitzen – widerstrebt ihr ebenfalls, denn sie ist die strikte Trennung der Geschlechter gewohnt, und doch muss sie sich nun an die europäische Sitte halten, die laute Fröhlichkeit der Tischrunde ertragen, das Gelächter von Halbbetrunkenen. Und sie muss sich im Small Talk bewähren, im nichtssagenden, von stetem Lächeln begleiteten Hin und Her deutscher Sätze, die sie auswendig lernt und wie ein Papagei wiederholt: Ach ja, mir geht es sehr gut. Und wie geht es Ihnen? Ich komme bestens zurecht. Die Geschäfte laufen gut für meinen Mann. Ach so, das ist ein Curry, eine Spezialität aus Sansibar, ich habe ihn nicht allzu scharf gemacht. Die Damen spielen auf ihre Schwangerschaft an, erkundigen sich vorsichtig nach deren Verlauf. Das mag sie nicht, sie errötet, weicht aus, sagt höchstens: Nächstes Jahr, im März ist es so weit. Ach so, ach ja, ach nein.

Tief erschöpft ist sie nach solchen Abendessen, als sei alle Energie aus ihr weggeflossen und werde nun beim Abwasch mit den Speiseresten und Saucenschlieren vollends weggespült. Heinrich, das ist nicht zu übersehen, will auftrumpfen mit seiner arabischen Prinzessin und ihrer raschen Verwandlung in eine vorbildliche deutsche Hausfrau; er ermahnt sie, zu allen Eingeladenen gleichermaßen freundlich – charmant, sagt er – zu sein, auch zu den dickleibigen Herren, die sie unverschämt anstarren und ihre Suppe laut schlürfen. Sie soll auch dann nicken, wenn sie etwas nicht verstanden hat (und das ist oft der Fall). Er tadelt sie hinterher, wenn sie vergessen hat, den Ehrengästen oben am Tisch den Wein persönlich nachzuschenken.

»Ist das so wichtig?«, fragt sie ihn.

»Ja«, erwidert er resolut. »Dem Geschäft nützt es, wenn unser Haus einen guten Ruf hat.«

Den guten Ruf, den erwirbt sie nur, wenn sie keine Fehler macht und sich *züchtig* benimmt. Und zugleich soll sie *glänzen* und Ehre einlegen für Heinrich.

Ein paar Wochen vor Weihnachten wird, in seinem Auftrag, eine lebende Schildkröte ins Haus an der Alster geliefert; sie ist mit einem Schiff aus Sansibar gekommen, und sie wird dem Weihnachtsessen eine festliche Note verleihen. Sich so etwas leisten zu können, zeugt von Wohlstand, und diesen Eindruck will Heinrich, der inzwischen eine eigene Import-Export-Firma gegründet hat, um jeden Preis erwecken. Die Schildkröte wird in der halbvollen Badewanne deponiert. Das ist Emily ganz recht, immer noch hat sie Hemmungen, selbst in die Badewanne zu steigen. Sie ist daran gewöhnt, sich in fließendem Gewässer zu waschen; ihr ekelt, ohne dass sie es laut sagt, vor dem stehenden Wasser, auch wenn Fichtennadelsalz es grün färbt. Die Schildkröte kommt ihr vor wie ein lebendiges Zeichen aus ihrer Heimat, jeden Tag kauert sie eine Weile vor der Badewanne und schaut zu, wie das Tier träge im Wasser schaukelt. Du und ich, sagt sie in Gedanken zu ihm, wir sind weit weg von unserer Insel, und wenn die Schildkröte dann ihren Hals streckt und wendet, fühlt sie sich verstanden, auch wenn sie weiß, wie widersinnig dies ist. Ein trauriger Tag, als das Tier – sie hat es ja gewusst – getötet wird. Heinrich, der abends die Tränen in ihren Augen entdeckt, schüttelt den Kopf: »Mein Gott, du Liebe, wie kannst du einer Schildkröte nachtrauern! Du hast doch deine Hunde.« Und bald, denkt er wohl, hast du wieder ein Kind. Zum Glück nötigt Heinrich sie am Tisch nicht, von der Turtlesoup zu kosten; allein der Geruch führt beinahe dazu, dass sie sich erbricht. Aber sie beherrscht sich, zwingt sich zum Lächeln und gibt sich Mühe, ihren Schwiegervater, der die Suppe rühmt und sich nachschöpfen lässt, nicht zu hassen. Beinahe ein Liebesbeweis ist es indessen, dass Heinrich sich mit ein paar Löffeln begnügt und dann den Teller, Emily zuzwinkernd, von sich wegschiebt.

Der Kirchgang am Heiligen Abend: wie befremdend, dass die Gläubigen vor dem Allmächtigen nicht niederfallen, viel zu lang die Predigt, eintönig der Gemeindegesang. Die Kerzenbeleuchtung immerhin gefällt ihr. Sie ist nur eine halbe Christin, keine aus ganzem Herzen, und diese Einsicht verfolgt sie bis in den Schlaf. Auch der Austausch der Geschenke vor dem Christbaum ist neu für sie, verstörend. Sie erschrickt über den Pelzmantel, den sie von Heinrich bekommt. Er soll sie wärmen, sagt er; aber Pelze, wendet sie ein, sind doch nicht für Menschen bestimmt. Ihm zuliebe zieht sie den Mantel an und kommt sich unförmig darin vor, doch draußen schützt er sie in der Tat gegen die Eiseskälte, die Elbe und Alster zufrieren lässt.

Schlittschuh laufen an Silvester. Nicht im bizarrsten Traum hätte sie sich vorstellen können, dass die Fläche, über die sonst Schiffe gleiten, von Tausenden bevölkert wird, die sich ohne festes Ziel auf Kufen bewegen. Man leiht ihr Schlittschuhe aus, sie ist ungeschickt, stolpert und schwankt, fällt sogar, sie traut der Eisschicht unter ihren Füßen nicht.

Zwei, drei Mal schneit es, und Emily lernt, was Flocken

sind, wie sie auf der Handfläche schmelzen, wie Spuren im Schnee entstehen. Sie hustet eine Zeitlang, schluckt bitteren Sirup dagegen. Der Winter dauert viel zu lange, und als sich der Frühling ankündigt, bekommt sie ihr Kind, Antonie, Thawka mit zweitem Namen. Stillen soll die Mutter nicht selbst, Heinrich will ihrer Entkräftung vorbeugen. Eine Amme kommt ins Haus, neidisch schaut Emily zu, wie sie dem Säugling die Brust gibt. Doch die Tage sind kurzweiliger jetzt, sie haben einen eindeutigen Mittelpunkt, der willkommener Unruheherd ist. Emily besteht darauf, in der Nacht aufzustehen, um das schreiende Kind, das bald schon die Flasche nimmt, zu trösten. Ihre Furcht, es könnte sich wiederholen, was mit dem kleinen Heinrich geschehen ist, behält sie für sich; nicht einmal mit ihrem Mann spricht sie darüber. Aber Antonie ist kräftig, sie gedeiht ohne Probleme, und Emily fühlt sich, mit dem Kind auf dem Arm oder im Wagen, von der ganzen Umgebung besser akzeptiert als vorher. Zugleich wächst sie ins neue Leben hinein, schlägt erste fadenfeine Wurzeln in vielem, was ihr am Anfang unbegreiflich, ja widerwärtig schien. Bloß Schweinefleisch, das ihr Heinrich immer wieder schmackhaft zu machen versucht, lehnt sie nach wie vor ab; einen Schweinekopf, einen Schweineschwanz im Metzgerladen zu sehen, verursacht ihr Übelkeit. Gerade weil sie Heinrich bisweilen deutlich widerspricht, ja, ihm die Leviten liest, begehrt er sie umso stärker. In Jahresabständen kommen die beiden nächsten Kinder zur Welt, Said und Rosalie Ghaza, sogleich nur Rosa genannt, alle drei sind Frühlingskinder, im März und im April geboren. Die Villa an der Alster widerhallt von Kinderlachen, Kindergeschrei, in das sich das Bellen der Hunde, die Rufe der

Dienstboten mischen. Auf dem Sonntagsspaziergang gleichen die Ruetes den anderen Hamburger Familien, die in den Parks und am Elbufer unterwegs sind. Tony, die Älteste, spricht Deutsch; die zärtlichen Worte auf Suaheli, die Emily zu ihr sagt, versteht sie zwar, erwidert sie aber in der Sprache der Dienstboten und ihres Vaters. Die Geschwister, daran erinnert sich Rudolph genau, haben später auch unter sich nur Deutsch gesprochen, bis es dann auf der Reise nach Sansibar darum ging, mit Wörtern und Wendungen in Suaheli zu bezeugen, dass sie die Welt ihrer Mutter zu einem Teil ihrer eigenen machen wollten.

Es gibt vage Pläne von Heinrich, nach Sansibar zurückzukehren, um die eigene Firma, die sich von Hansing & Co. abgetrennt hat, auf solidere Beine zu stellen. Doch Sultan Majid macht dem deutschen Konsul klar, dass ein solcher Schritt unerwünscht sei und er für Ruetes Sicherheit weder garantieren könne noch wolle. Ruete habe das Volk von Sansibar beleidigt und müsse nun die Konsequenzen für sein Handeln tragen; er brächte durch sein Wiedererscheinen nicht bloß sein eigenes Leben, sondern auch das der anderen Europäer in Gefahr. Die deutschen Behörden, das wird Heinrich mitgeteilt, würden es als Affront erachten, wenn er auf diese Umstände keine Rücksicht nähme. Das kommt einem Reiseverbot gleich. Muss er sich daran halten? Im ersten Moment allerdings wird Emily von Heinrichs Absicht beflügelt; das eine Wort, Sansibar, macht sie taub für alle unüberwindbaren Schwierigkeiten. Wie schön wäre es, ihre drei Kinder unter Palmen aufwachsen zu sehen, wie stolz wäre sie, sich den ehemaligen Gefährtinnen als Mutter zu zeigen! Doch in Heinrichs Plan gibt es für sie keine Rückkehr nach Sansibar, er würde allein hinreisen, er käme nach drei, vier Monaten zurück. »Mit so kleinen Kindern«, sagt er zu ihr und küsst sie auf die Stirn, »kannst du doch nicht so lange unterwegs sein, das ist völlig undenkbar. Und wie Majid auf deine Ankunft reagieren würde, wissen wir nicht.«

Er hat recht, und das ist bitter; sie gleitet in eine tiefe Niedergeschlagenheit hinein, die sie – das erste Mal – für Tage ans Bett fesselt. Ratlos steht Heinrich vor ihr, versucht sie zu trösten. Seine Reisepläne muss er begraben. Er hat keine andere Wahl, als seinem Agenten die Geschäftsabwicklung vor Ort anzuvertrauen. Das macht er ungern, und hinterher, nach seinem Unfalltod, wird sich herausstellen, dass der Agent ihn betrogen hat.

Entscheidend für Emily ist, dass ihr Mann in Hamburg bleibt. Sie erlebt nun doch, vor allem in der Sommerzeit, intensive Glücksmomente mit den Kindern, und was den gesellschaftlichen Umgang angeht, erreicht sie einen Stand mittlerer Zufriedenheit, der ihr bisweilen zu einem echten Lächeln verhilft. Was am 2. August 1870 geschieht, wirft sie völlig aus der Bahn. Auch jetzt noch ist Rudolph, wenn er an Emilys nachgelassene Briefe denkt, erschüttert von der Dramatik jener Tage. Sich ihre erste Zeit in Hamburg zu vergegenwärtigen, tut weh genug; was aber nach Heinrichs Unfall folgt, ist für sie so qualvoll, dass der Sohn vor den Bildern, die sich einstellen wollen, die Augen verschließt. Nichts davon hat sich eingeprägt in seinem Gedächtnis, er war zu klein damals, erst anderthalbjährig. Doch die Trauer der Mutter, ihr trostloses Alleinsein, ihre innere Abwesenheit: das muss sich aufs Kleinkind übertragen haben. Vieles, was er unternahm, war von Anfang an mit einer Melancholie grundiert, die er gar nie richtig verstand. Andererseits haben Emily wohl gerade die Kinder die Kraft gegeben, die Trauer und die Demütigungen, denen sie ausgesetzt war, zu ertragen.

Er ist aufgestanden, hat die Schreibtischlampe angeknipst. Das kleine Bündel mit den Fotos der Mutter liegt in einer anderen Schublade als die Schatulle mit den Orden. Er streift das Gummiband ab, blättert sich wieder einmal durch die Fotos. So zart Salmes Gesicht, fragend der Blick auf den Porträts, die Heinrich in Auftrag gab; er überredete sie dazu, sich im orientalischen Kostüm ablichten zu lassen. Er war ja, in den Augen der Hamburger Haute Volée (auch in seinen?), der Verführer, der Eroberer einer Prinzessin; dass sie eine war, sollte man sehen. Sie war sein Stolz, warum denn nicht? Und er liebte sie mit Entschlossenheit, mit festen Händen, so stellt es sich der Sohn vor. Was wäre aus der Ehe geworden, hätte Heinrich weitergelebt? Immer, wenn er die junge Salme betrachtet, schaut Rudolph auch die späteren Aufnahmen an, die ihm die Schwestern überlassen haben. »Du warst zeitlebens ihr Liebling«, sagte Rosa mit einer deutlichen Spitze zu ihm, als sie den Nachlass unter sich aufteilten. »Nimm, was du willst.« Wie ein Gesicht sich verändern kann! Das letzte Porträt von 1916: beinahe ausgemergelt die Züge, etwas tief Resigniertes im Ausdruck, die hohe Stirn, vom dunklen Hut umrahmt. Das Foto mit dem gezackten Rand entgleitet ihm, fällt auf seinen Schoß. Wer hat es überhaupt gemacht? Tony in Berlin? Nicht einmal das weiß er. Er greift nach seiner Brust; das Stechen wird vergehen, wenn er tief ein- und ausatmet. Nichts Gravierendes, hat der Arzt nach der letzten Untersuchung gesagt, er empfehle ihm aber dringend, größere Anstrengungen zu meiden. Rudolph blickt auf die Uhr: Zeit, den Speisesaal aufzusuchen.

12

Wenn Du Dich, mein Bruder, entscheidest, Dich mit uns zu versöhnen, werden der deutsche Herrscher und seine Familie sich darüber freuen, vor allem die Gattin seines Sohns, Victoria, die Tochter der Königin von England. Sie steht uns treu zur Seite. Wenn ich sie besuche, fragt sie mich stets, ob Du noch zornig auf mich seist, und wenn ich dies bejahen muss, ist sie tief betrübt.

Typoskript von Antonie Brandeis-Ruete, Bad Oldesloe, geschrieben im März 1945, aufgefunden in ihrer zerstörten Wohnung.

Die ersten Seiten fehlen… Brandeis würde nicht glauben, was er sieht. Wir alle hätten uns, als der Krieg anfing, geweigert, die Bilder von den verwüsteten Städten für wahr zu halten. Und Brandeis, vormaliger Landeshauptmann in der Südsee, gestorben vor fünfzehn Jahren, wäre ein aufrechter und blinder Nazi gewesen, wäre es geblieben bis zum bitteren Ende. Ich selbst war lange genug von der segensreichen Kraft der deutschen Kultur überzeugt, die andere Völker auf einen besseren Weg zu bringen vermöchte. Aber Gewalt lehnte ich ab, und ich vergesse nicht, wie oft Brandeis deswegen meine Schwachheit rügte.

Gleichgesinnte glaubte ich nach der Rückkehr aus Jaluit im Frauenbund der Deutschen Kolonialgesellschaft zu finden, unter vernünftigen Frauen, die in unseren Schutzgebieten die hygienischen Verhältnisse und schädlichen Ernährungsgewohnheiten verbessern, Schulen und Spitäler gründen wollten. Ich übernahm Aufgaben im Vorstand, mein Kochbuch für die Tropen hatte mir dazu die Tür geöffnet. Wir beteiligten uns 1911 mit einer eigenen Koje an der internationalen Hygieneausstellung in Dresden, ein Jahr später, an der Ausstellung ›Die Frau in Haus und Beruf‹, wo wir eine tropentaugliche Küche im Zelt aufstellten und die erzieherischen Aufgaben der Frauen von Kolonialbeamten auf großen Tafeln bebilderten und beschrieben. Beide Ausstellungen waren Großerfolge, zu Zehntausenden kamen die Besucher. Brandeis indessen, wir lebten damals in Berlin, belächelte meinen Aktivismus, wie er es nannte. Sein Spott wirkte verbittert, die erzwungene Pensionierung hatte ihn aus der Bahn geworfen. Er wusste kaum, was er mit seiner Zeit anfangen sollte. Unablässig hackte er auf den Töchtern und auf mir herum. Mich machte er immer deutlicher zu seiner Feindin. Bei jeder Gelegenheit klagte er über das Unrecht, das ihm widerfahren sei. Ihn einfach aus dem Amt zu jagen! Dabei habe er mit den harten Bestrafungen von Eingeborenen nur pflichtgemäß deutsches Recht durchgesetzt. Ich wusste es anders, aber nach ein paar schlimmen Zusammenstößen hütete ich mich davor, ihm zu widersprechen. Am härtesten traf Brandeis, dass ihm bei seinem Abschied nicht einmal ein Verdienstorden verliehen wurde. Die Liste mit den Namen neuer Ordensträger, die in der Zeitung stand, durchging er mit empörten Ausrufen. Nachts hörte ich ihn im Nebenzimmer manchmal in undeutlichen Wortkaskaden über Kaiser und Kaiserreich schimpfen. Dennoch meldete er sich, als der Krieg ausbrach, ohne Zögern als Freiwilliger. Wilhelm II. hatte beteuert, er kenne keine Parteien mehr, nur noch Deutsche. Diesem geheiligten Bund fühlte sich Brandeis eben doch zugehörig. Er, der alte Haudegen, wollte für sein Land an der Front kämpfen, im Pulverrauch, im Granatenhagel. Vielleicht schwebte ihm vor, ehrenhaft zu fallen und damit die Schmach, die auf ihm lastete, auszulöschen. Man schickte ihn aber in die Etappe, wo er bloß die Feuerkraft unterschiedlicher Verbände zu berechnen hatte. Das beschämte ihn zutiefst. Wenn er auf Urlaub zu Hause war, vermied er es, darüber zu sprechen. Mir offenbarte er in einer schwachen Minute, wie viel Kraft es ihn kostete, in einer solchen subalternen Funktion seine Pflicht zu erfüllen. Er alterte schnell, kein Wunder nach den langen Aufenthalten in den Tropen. Seine Hände zitterten immer stärker, und das konnte er nur schlecht verstecken. Nach ein paar Monaten wurde er in den Postdienst versetzt, eine neue Demütigung aus seiner Sicht; ob er da Feldpostbriefe zensierte oder bloß fehlgeleitete Pakete auf den richtigen Weg sandte, erfuhren wir nie. Als der Krieg zu Ende war, kam er endgültig nach Hause, es gab keine Verwendung mehr für ihn. Er war nun zweiundsiebzig und sah aus wie achtzig, mit eingefallenen Wangen, erloschenem Blick, einem breitbeinigen unsicheren Gang. Dauernd suchte er den nörgelnden, bisweilen lautstarken Streit mit mir. Es war ihm egal, worum es ging, ob um einen bestimmten Pfeifenkopf, den ich verlegt haben sollte, oder um seine Geringschätzung der Frauenkolonialschule in Rendsburg, in deren Aufsichtsbehörde ich jahrelang saß.

»Wir haben doch alle Kolonien verloren!«, blaffte er, auf einem Streichholz kauend. »Was soll denn diese ganze Mühe, höhere Töchter für das Leben in den Tropen vorzubereiten. Das ist reinweg lächerlich!«

Die Ausbildung der Frauen diene der Völkerverständigung, erwiderte ich; ihre Fähigkeiten könnten überall in den Tropen eingesetzt werden.

»Völkerverständigung!«, höhnte er. »Glaubst du eigentlich an den Weihnachtsmann?«

Statt zu antworten, verließ ich schweigend das Zimmer. Das Gelächter, das er mir hinterhersandte, klang unglücklich. So klein waren inzwischen seine Siege.

In vielen schlaflosen Nächten hatte ich mich von diesem Mann schon losgesagt und mich nicht getraut zu handeln. Die Töchter nahmen Partei für mich, fürchteten aber – wie ich – den Skandal und die soziale Ächtung, die eine Scheidung nach sich zieht. Auch Emily, die meine Situation schon früh durchschaut hatte, riet zum Durchhalten: Brandeis, um zwei Jahrzehnte älter als ich, werde vor mir sterben, dann stünden mir noch etliche Jahre in Freiheit bevor. Diese Aussicht war ungewiss, und sie tröstete mich nicht.

Als die Töchter 1920 aus dem Haus waren, verlangte ich von Brandeis nach einem hässlichen Streit die Trennung – nicht aber eine amtliche Scheidung, das ließ meine Forderung weniger radikal erscheinen. Er lief zornrot an, wieder einmal fehlte nur wenig, und er wäre auf mich losgegangen. Mittlerweile war ich jedoch physisch stärker als er; ich glaube, ich hätte zurückgeschlagen. Anderntags erschien er gebeugt und übernächtigt zum Frühstück. Er sei einverstanden, murmelte er, ohne mich anzusehen, er werde sich in Säckingen niederlassen, in seiner süddeutschen Heimat. Er habe Verwandte dort, die würden ihm eine Wohnung besorgen. Von seiner Pension werde er so viel abzweigen, dass es für meinen Lebensunterhalt reiche. Dieses Einlenken des Haustyrannen rührte mich. Die eine Nacht hatte offenbar genügt, ihm klarzumachen, dass wir zusammen bloß ins Verderben laufen würden.

Zwei Wochen später war er weg. Ich konnte es kaum glauben, er verschwand aus meinem Leben, als hätte es ihn nie gegeben. Und er hielt sogar Wort, was das Geld betraf. Dafür war ich ihm dankbar und staunte, dass er mir jeweils zu meinem Geburtstag eine höfliche Gratulationskarte schickte, ebenso wie er nie vergaß, die Töchter zu beschenken. Ich zog von Berlin nach Hamburg und sah ihn nicht wieder, aber ich fuhr, zehn Jahre nach der Trennung, im Dezember 1930, zu seinem Begräbnis; das war ich ihm trotz allem schuldig. Die Töchter, die mit dem Vater einen spärlichen Kontakt aufrechterhalten hatten, waren auch da, die ältere mit ihrem Mann. Aus Gretchen war Margaretha geworden. Sie hatte einen veritablen Freiherrn und Schlossbesitzer geheiratet, mit dem sie ein paar Jahre später in die USA emigrierte. Von ihr hatte ich mich schon damals entfremdet, während Johanna mir immer noch nahestand.

Es war ein kalter Dezembertag, als wir uns mit einer kleinen Trauergemeinde um das Grab versammelten. Des Toten wegen wurden nicht viele Tränen vergossen; meine Augen röteten sich höchstens vom Wind, der sogar Schneeflocken mit sich trug. Wer von der Brandeis-Sippe gekommen war, versuchte mich zu ignorieren. Der Freiherr allerdings, der im Lodenmantel an der Seite Margarethas stand, erregte Aufsehen. Zum Trauermahl gingen wir mit, ohne explizit eingeladen worden zu sein; solche Freiheiten nahm ich mir jetzt heraus. Ein entfernter Verwandter in SA-Uniform, der am Nebentisch saß, erzählte uns in breitem süddeutschen Dialekt, Brandeis habe den Aufstieg der NSDAP noch mit klarem Verstand verfolgt und Hitler zugetraut, Deutschland von Judentum und Kommunismus zu befreien. In den letzten zwei Jahren sei er allerdings schwächer geworden, habe vieles durcheinandergebracht, am Ende nur noch gebrabbelt. Seine Frau mischte sich ein: Im Altersheim – das wisse sie aus sicherer Quelle – habe sich Brandeis nachts bisweilen in der Südsee gewähnt und nach mir gerufen: »Tony, Tony!«, das habe man bis auf die Straße hinaus gehört. Ich müsse dem lieben Eugen, sagte sie, indem sie mich argwöhnisch musterte, trotz allem viel bedeutet haben. Das traf mich an empfindlicher Stelle. Vielleicht hatte ich mich doch zu wenig bemüht, in Brandeis den liebesbedürftigen und einsamen Mann zu sehen. In meinen Träumen kehrte er hin und wieder zurück, der Ort war immer Jaluit. Einmal hielt er mir seine Hand hin, auf ihr lagen ausgefallene gelbe Zähne, und als er trübsinnig lachte, zeigte er mir, zu meinem Schrecken, einen zahnlosen Mund. Ein anderes Mal lief er mit Trippelschritten einem Huhn hinterher, es gelang ihm, es zu packen und ihm den Hals umzudrehen. Dann warf er es in die Luft, und es flog mit verdrehtem Hals davon. Und wieder sein Lachen, spöttisch und unglücklich zugleich; dieses Lachen wurde ich nicht los.

Als er damals starb, fragte ich mich oft, warum zwischen mir und Brandeis nie eine wirkliche Zuneigung gewachsen war. Es gibt viele Gründe dafür, aber der tiefste Grund lässt sich nicht ausleuchten. Soll ich's Schicksal nennen? Ich hätte mir – und das beschämt mich nachträglich – bisweilen sogar seinen Tod gewünscht. Für meine Mutter hingegen war der Unfalltod ihres Mannes eine Tragödie. Sie mag Heinrich nachträglich idealisiert und einiges, was zwischen ihnen schwierig war, beschönigt haben; aber dieser 2. August 1870 – der Deutsch-Französische Krieg hatte gerade begonnen – stürzte sie in die tiefste Verzweiflung. Ich habe oft versucht, mir diese Tage, ihre Lage damals auszumalen, ihrem Gefühlschaos näherzukommen, wohl auch deshalb, weil da doch in mir, anders, als ich lange glaubte, ein Erinnerungsschatten vorhanden ist. Nun streift er mich wieder.

Einige Seiten fehlen oder sind rußgeschwärzt … Emily liegt mit Fieber im Bett, sie ist dabei, die viermonatige Rosa, die sie nun doch gestillt hat, zu entwöhnen, sie bekommt Eisumschläge. Die Nachrichten vom Krieg machen sie ganz elend, die Begeisterung auf der Straße, das Hurrageschrei begreift sie nicht. Wie können Christen gegen Christen ziehen? Ich will zu ihr, zur Mutter, werde von der Kinderfrau abgehalten. Einen Gutenachtkuss bekommen Said und ich dann doch, das schreibt sie später in ihren nie abgeschickten Briefen, und plötzlich glaube ich, den Kuss auf meiner Wange zu spüren. Heinrich ist am späten Nachmittag mit der Pferdebahn weggefahren, um seinen kranken Vater zu besuchen, meinen Großvater, der mir stets so streng vorkommt. Nun wartet Emily auf Heinrichs Rückkehr, die sich immer weiter verspätet. Jedes Pfeifsignal der auf der Alster vorüberfahrenden Dampfboote lässt sie zusammenfahren. Die Angst hält sie wach. Es wird dunkel, Stunde um Stunde vergeht, auch die Kinderfrau kann Emily nicht beruhigen. Mitternacht und darüber hinaus, jemand zieht die Hausglocke. Das Dienstmädchen öffnet die Haustür, Gemurmel, zögernde Schritte, es sind nicht die von Heinrich, eine fremde Stimme. Emily nimmt alle Kraft zusammen, steht auf, beugt sich im Nachthemd übers Treppengeländer, ruft nach ihrem Mann. Klingt dieses flehentliche »Heinrich, Heinrich« nicht jetzt noch in meinen Ohren? Emily kämpft mit dem Dienstmädchen, das die Treppe hinaufgelaufen ist und sie festzuhalten versucht, sie will hinaus, zu ihm, denn es ist etwas Schreckliches geschehen, nun ist es klar. Ein Mann versperrt ihr den Weg, Heinrich lebe, sagt er, sie solle sich fassen, er sei Arzt. Er redet weiter auf sie ein, wiederholt sich, endlich versteht sie: Auf dem Heimweg in der Pferdebahn sei Heinrich zu früh abgesprungen und gestürzt, die Räder hätten ihn überrollt und verletzt. Aus eigener Kraft habe er sich zu einer Droschke begeben und sei mit ihr ins nächste Krankenhaus gefahren. Man habe ihn verbunden, er habe den Arzt gebeten, Emily persönlich zu benachrichtigen, das habe er nun getan. Wie schwer die Verletzungen seien, will sie wissen, man solle ihr nichts vormachen. Der Arzt weicht aus, und das kann nichts anderes bedeuten, als dass man um Heinrich ernsthaft bangen muss. Sie verliert jede Beherrschung. »Ich will ihn sehen«, schreit sie, »wir fahren zu ihm!«

»Seien Sie vernünftig, gnädige Frau«, ermahnt sie der Arzt. »Um diese Stunde wird man sie am Krankenhausportal abweisen.«

»Nein!«, fällt sie ihm ins Wort. »Wenn Sie mich nicht mitnehmen, gehe ich zu Fuß. Und wenn man mich nicht hineinlässt, warte ich die ganze Nacht vor dem Eingang.«

Auch davon habe ich wohl etwas mitbekommen, ich soll zu weinen begonnen haben, doch meine Mutter ist nicht in der Lage, darauf zu achten. Sie bettelt, fleht, droht in ihrem gebrochenen Deutsch, mischt Brocken ihrer Muttersprache darunter, bis der Arzt einwilligt, sie mitzunehmen, sie müsse sich aber erst noch richtig anziehen. Die Bediensteten helfen ihr in die Kleider, ihre Hände flattern, sie zittert am ganzen Leib. Keinen einzigen Knopf – sehe ich das wirklich vor mir? – kann sie selbst schließen. Dann die Fahrt zum Krankenhaus, die ihr endlos vorkommt. Die Stadt wirkt wie ausgestorben, Laternen schaukeln im Wind, sie sagt ununterbrochen vor sich hin, als wäre es eine Beschwörungsformel: »Er darf nicht sterben! Er darf nicht sterben!« In der Eingangshalle des Krankenhauses muss sie warten, wieder viel zu lange, bis der Sanitätsinspektor erscheint. Er gibt ihr zu verstehen, dass in Krankenhäusern Besuchszeiten gelten, an die sich auch Angehörige zu halten haben. Doch Emily protestiert: Wie unmenschlich sei es, sie von ihrem Mann zu trennen, er benötige ihren Trost, ihre Pflege! Zwei Krankenschwestern kümmern sich um sie, wollen ihr etwas Beruhigendes einflößen. Sie wehrt sich dagegen, läuft den Korridor auf und ab, schimpft und klagt in zwei oder drei Sprachen, sie rauft sich die Haare, weint so laut, dass es allen, die sich unterdessen versammelt haben, ins Herz schneidet. Nur mit Gewalt, das sieht der Inspektor ein, ließe sich Emily wegschaffen. Gerührt von ihrer Verzweiflung, sichert er ihr zu, sie könne ihren Mann, wenn der leitende Chirurg ihn untersucht und verbunden habe, für eine Viertelstunde sehen, aber nur, wenn sie gefasst bleibe und den Verletzten nicht zusätzlich belaste. Da wird sie plötzlich ruhig, verspricht, diese Anordnung zu befolgen, sie setzt sich, trinkt das Wasser, das man ihr reicht. Wieder dehnt sich die Zeit ins Unerträgliche, bis der Chirurg, den man erst wecken musste, endlich eintrifft. Noch länger dauert es, bis er mit verschlossener Miene aus dem Behandlungszimmer kommt, dem Inspektor einen Wink gibt, mit ihm eine Zeitlang flüstert. Was verhandeln sie? Warum sagt man ihr nicht ehrlich, wie es um Heinrich steht?

Es ist drei Uhr morgens, als man sie zu ihm lässt. Das Zimmer schlecht beleuchtet, sie sieht ihn kaum. All diese fremdartigen Gerüche. Er erkennt sie, grüßt sie, sehr leise, auf Suaheli, mit Mühe hält sie sich aufrecht. Ja, er habe starke Schmerzen, sagt er, die Brust sei eingedrückt. Der zerschmetterte Arm liegt unter der Decke, sie nimmt seine freie Hand, hält sie fest, bis der Inspektor sie ermahnt, Heinrich schlafen zu lassen. Jedoch dürfe sie von morgen an bei ihrem Mann bleiben, sie bekomme ein Zimmer direkt neben seinem. Man gestatte diese Ausnahme für eine orientalische Frau.

Was für Stunden! Was für Tage! Emily wird heimgebracht, sie hält es im Schlafzimmer nicht aus, verbringt den Rest der Nacht, in eine Decke gehüllt, auf dem Balkon, schaut fröstelnd zu, wie die Sterne verblassen. Sie betet zum Gott der Bibel, zum Gott des Korans oder zu beiden, was spielt das für eine Rolle? Bei Tagesanbruch wartet sie drinnen darauf, dass die Kinder wach werden, umarmt sie unter Tränen. Auch hier taucht aus dem fast Vergessenen eine schwache Erinnerung auf: Meine Mutter drückt mich an sich, so heftig, dass auch ich, wie Said, zu weinen beginne. Ihr Gesicht ganz verändert. Etwas Schlimmes ist im Raum, etwas Dunkles, es kommt von ihr, der Mutter, ich strample, mache mich los,

drücke mein Gesicht an den Schürzenbauch der Kinderfrau. Emily ist schon wieder unterwegs zum Krankenhaus,
sie erzählt es in ihren Briefen. Das Warten im Korridor, bis
Heinrich neu verarztet ist, dann sein Anblick bei Tageslicht. Eine Stirnwunde, eine Schädelwunde, es fehlt ihm ein
Ohr, getrocknetes Blut überall. Am schlimmsten, sagt der
Chirurg, sei es um die Brust bestellt, es gebe wenig Hoffnung. Doch die Hoffnung redet sie sich ein, Heinrich ist ja
fieberfrei an diesem zweiten Tag, er spricht ruhig mit ihr,
von langen Pausen unterbrochen. Ob es den Kindern gut-
gehe, fragt er, ob noch genug Vorräte im Haus seien, was im
Garten blühe. Sie zwingt sich zu Antworten, die beiläufig
klingen wie seine Fragen, sie verscheucht mit einem Fächer
aus Sansibar die Fliegen von seinem Bett. Beide essen nichts
an diesem Tag, man muss Heinrich zum Trinken zwingen.
Gegen Abend kommt das Fieber, er beginnt zu phantasie-
ren, gibt Anordnungen, als wäre er in seinem Kontor. Unter
diesen Umständen darf Emily jetzt doch nicht hier über-
nachten. Sie hat es aufgegeben, gegen die Krankenhausregeln
zu kämpfen, sie ist erschöpft, will ihre Kräfte schonen.

Die Nacht verbringt sie zu Hause im Kinderzimmer, sie
hat sich eine Matte genommen, sie zwischen die Kinderbet-
ten gebreitet. Wir drei sind das, was ihr bleiben wird, und
vielleicht habe ich geahnt, wie sehr sie uns braucht, habe im
Schlaf gespürt, wie ihre Lippen über meine Wange streifen,
wie ihre Hand meine Stirn berührt.

Das Martyrium setzt sich fort, ein Wechsel zwischen auf-
keimender Zuversicht und neuem Schrecken. Am nächsten
Morgen scheint es Heinrich besserzugehen, Emily steigert
sich in die Illusion einer möglichen Heilung, sie will den

Schwerverwundeten nach Hause nehmen, wo ihm doch alles vertraut sei. Die Ärzte untersagen es, sie erlauben Emily nicht einmal, dass sie Heinrichs blutverkrusteten Bart schneidet. Am Abend verschlechtert sich sein Zustand rapid, sie wird weggewiesen, und als sie wiederkommt, ist an seinen Wunden der Brand eingetreten. Die verletzten Glieder haben sich blau verfärbt, nun gehe es mit ihm zu Ende, wird ihr bedeutet. Heinrich redet wirr, will dauernd aufstehen, muss von drei Krankenwärtern gebändigt werden. Wieder wird sie fortgeschickt, sie verwünscht die Unmenschlichkeit des Krankenhausbetriebs, sie betet zu Hause auf den Knien darum, dass Heinrich von seinen Qualen erlöst werde. Noch einmal – es ist der vierte Tag – erkennt er sie und bittet um frische Kirschen, aber es gibt Anfang August keine mehr, und Heinrich verliert kurz darauf das Bewusstsein. Sie kann bloß noch seine heiße Stirn mit Kölnischwasser betupfen.

Er stirbt am frühen Abend unter ihren Augen, dies wenigstens ist ihr vergönnt. Sie klammert sich an ihn, als die Schwestern ihn waschen, ihm das Totenhemd anziehen. Sie will ihn betrauern, sie will ihn beweinen, wie es Sitte ist auf Sansibar. Aber hier gehe das nicht, sagt man ihr, sie dürfe aus hygienischen Gründen nicht beim Toten bleiben. Sie weigert sich, ihn loszulassen, sie muss mit Gewalt von ihm weggerissen werden, und auch der Inspektor, der auf sie einredet, kann ihren Zorn und ihren Jammer nicht mildern.

Die Beerdigung wird, über ihren Kopf hinweg, für den dritten Tag nach dem Tod festgelegt, machtlos ist sie all den fremden Regeln ausgeliefert. Darf es mich wundern, wenn sie schreibt, sie habe sich ein Unheil gewünscht, das ihrem Leben und dem der Kinder ein Ende mache? Und ist es Einbildung, wenn ich plötzlich meine Mutter vor mir sehe, wie sie zu Hause die Treppe hinauf- und hinunterläuft und nach meinem Vater ruft: »Heinrich, Heinrich!«, und wie ich ihr weinend folge, obwohl mich die Kinderfrau daran zu hindern versucht? Ja, ich sehe die Mutter vor mir, sie reißt einen Mantel vom Haken, wirft ihn auf den Boden, hängt ihn wieder hin, sie nimmt einen Hut, schleudert ihn weg, schreit laut auf. Wie sie diese Nacht überlebt, weiß ich nicht. Gebete helfen nicht. Gott hat kein Wunder gewirkt, mit ihm hadert sie noch lange. Sie ist jetzt allein, heimatlos in einem Land, das ihr feindselig vorkommt, kalt selbst im Sommer. Der Mann, der ihr Geliebter war, ihr Dolmetscher, ihr Beschützer, der Brennpunkt ihres Lebens, hat sie verlassen. Das Heimweh überfällt sie in dieser Nacht mit ganzer Wucht. Peinigend die Erinnerungen an Sansibar. Das Licht, die Wärme, der vertraute Klang der Sprache, das vielstimmige Lachen der Schwestern. War nicht alles falsch, was sie getan hat? Sie, eine Abtrünnige, eine Verräterin in den Augen der Zurückgebliebenen. Wenn wir nicht wären, wir drei Kinder, gäbe es kein Zaudern, sie bräche auf von einer Stunde zur anderen, kehrte zurück zu den Ihren, würde wieder Muslimin, denn sie wird doch nie etwas anderes sein als eine halbe Christin.

Am Begräbnistag wird der zugenagelte Sarg in die Wohnung gebracht. Sie darf ihn nicht öffnen, um vom Toten Abschied zu nehmen, auch dies ist in Hamburg untersagt, ebenso wenig findet ihr Wunsch Gehör, im Leichenwagen mitzufahren. Da sind Männer, der Pastor, der Leichenbestatter, ihr strenger Schwager Johann, die wissen, was sich gehört. So geht sie als Einzige, gefolgt von ein paar Droschken mit den Trauernden, im Nieselregen neben dem Wagen her den weiten Weg zum Friedhof Ohlsdorf, wo sich die Grab-stätte für die Familie Ruete befindet. Der Pastor hat Mitleid mit ihr, bietet ihr einen Platz in seiner Droschke an, was sie endlich, durchnässt bis auf die Haut, annimmt.

Sie hält sich jammernd am Sarg fest, bevor man ihn in die Grube senkt, man schreibt diese Gefühlsausbrüche der Un-beherrschtheit einer Orientalin zu. Auf der Rückfahrt ist sie in einer Art Nebel; zu Hause findet sie alles wie ausgestor-ben, obwohl wir Kinder auf sie warten, von Leonie in Halb-trauer gekleidet. Haben wir die Arme nach ihr ausgestreckt? Haben wir geweint? Das Gewicht ihrer Trauer lastete auch auf uns und hat unser Leben überschattet, jahrelang. Für sie bedeuteten wir in diesen Tagen eine Last. Tief bereute sie spä-ter, dass sie so empfand, es gab mir einen Stich, als ich diese Sätze in ihren nachgelassenen Briefen las.

Erst allmählich bekam sie wieder Boden unter den Füßen und fand die Kraft, sich uns zuzuwenden. Sie erkannte, dass es ihre Kinder waren, die sie am Leben hielten. Uns – und dem Verstorbenen – zuliebe blieb sie in Deutschland; sie sah es als ihre Pflicht an, dass wir im Land ihres Vaters aufwuch-sen. Dies alles, während ein neues triumphales Nationalge-fühl die Rivalitäten zwischen Preußen und seinen Konkur-renten wegschwemmte. Die Gewissheit wuchs, dass nach dem Sieg von Sedan und der Gefangennahme Napoleons III. ein vereinigtes Deutsches Reich entstehen würde. Davon ließ Emily wenig in sich eindringen, sie musste sich mit den Fol-gen ihrer plötzlichen Witwenschaft auseinandersetzen. Und da kamen die nächsten Schläge. Sie erfuhr, dass Witwen in Hamburg unter Vormundschaft gestellt, das Vermögen ihrem freien Zugriff entzogen wurde. Die beiden Vormünder, die sie bekam, hielten es nicht für nötig, sie über die Höhe des Kapitals zu informieren, das Heinrich hinterlassen hatte; sie sprachen ihr lediglich einen festen Monatsbetrag zu, über den sie verfügen konnte. Dann stellte sich heraus, dass die Firma ihres Manns infolge der Kriegswirren in Konkurs zu gehen drohte. Dazu kam der dringende Verdacht, dass ein Vormund Veruntreuungen begangen und sie auf raffinierte Weise vertuscht hatte. War es der Stiernackige mit dem säuerlichen Lächeln, der mich bei Besuchen immer hochhob? Emily verteidigte ihren Heinrich gegen die Beschuldigungen dieses Mannes, der behauptete, der Tote habe einen Teil seines Vermögens nach der Rückkehr aus Sansibar verspekuliert. Heinrich, ein Spekulant? Das konnte, das durfte nicht sein; ob er es trotzdem war, wurde nie aufgeklärt. Dies alles steigerte Emilys Unglück noch. Es bedeutete ja, dass sie ihre Lebensführung stark einschränken musste; das Haus an der Alster samt Dienstboten war auf die Dauer nicht zu halten. Dann aber erwachte ihr Widerstandswille, sie wusste wieder, schreibt sie, worum es ging: um das Wohl der Kinder, und das hieß auch, eigene Bedürfnisse radikal zurückzustellen. Gegen Ende ihres Lebens machte mich diese Selbstaufgabe, die sie gerne herausstrich, bisweilen misstrauisch. Ich bewunderte ihren Kampfgeist, als es um ihr Erbe ging; sie kämpfte aber, so sehe ich's jetzt, nicht nur für uns, sondern immer auch für sich und für ihr Ansehen als Prinzessin, das sie wissentlich verscherzt hatte. Ihr dies vorzuhalten, hätte ich zu ihren Lebzeiten nie gewagt; es macht mir auch jetzt, mehr als zwanzig Jahre nach ihrem Tod, große Mühe, mich auf solche ketzerischen Gedanken einzulassen. Meine Geschwister würden sie mir kaum verzeihen. Selbst dann nicht, wenn sie Ähnliches dächten.

Eine Seite unleserlich, mit Brandspuren… und nur zwei Monate nach dem Tode Heinrichs erreichte sie die Nachricht, dass der Sultan, ihr Halbbruder Majid, unerwartet gestorben war. Mit Majid, dem brüderlichen Beschützer ihrer Kindheit, wäre eines Tages, so hatte sie es sich ausgemalt, eine Versöhnung möglich gewesen. Mit Bargash, der ihm auf dem Thron folgte, schrumpfte diese Aussicht, auch wenn sie sich später einredete, er würde sich zu ihren Gunsten erweichen lassen. Nach seinem Putschversuch gegen Majid hatte sie sich von ihm losgesagt; dies vergaß er ihr nie. Der neue Todesfall warf sie zurück in die innere Ödnis, in der Heinrich sie hinterlassen hatte (es sind ihre eigenen Worte). Sie soll am Tag darauf weggelaufen sein. Man fand sie am Wasser, in der Nähe einer Dampferstation, sie sagte: »Ich bin ein Fremdling hier«, und wiederholte dauernd diesen einen Satz. Man brachte sie zurück, der Arzt gab ihr Mittel gegen ihre unerträglichen Kopfschmerzen. Manchmal schloss sie sich stundenlang mit uns dreien im Kinderzimmer ein, sie betrachtete uns stumm, rührte sich nicht, wenn Rosa, die Kleine, weinte. Ich glaube, ich war es, die das Schwesterchen zu trösten versuchte, ich war es, die die Tränen meiner Mutter trocknete. Die Kinderfrau ließ sie erst herein, wenn das Klopfen an der Tür stürmisch wurde.

Es begann der allmähliche – und gut getarnte – Abstieg in die Armut, es begann die Phase der Umzüge, eine halbe Odyssee, die uns in andere Städte und in immer kleinere, billigere und heruntergekommenere Wohnungen führte. Unter den bescheidenen Verhältnissen habe ich als Kind nicht übermäßig gelitten; was mir zu schaffen machte, war jeweils der Verlust der vertrauten Orte, der Abschied von Nachbarn und Bekannten, an die ich mich gewöhnt hatte. Zum Glück blieb uns die Mutter. Auch wenn sie oft genug im Trübsinn versank, auch wenn wir sie auf unsere kindliche Weise aufrichten mussten statt umgekehrt, war ihre Zuwendung unser Lebenselixier. Wir waren wohl etliche Male nahe daran, sie ebenfalls zu verlieren, und ich weiß nicht, was dann aus uns geworden wäre. Mit Herzklopfen las ich die Passagen in ihren Briefen, die von Selbstmord handeln; möglicherweise rettete sie ihre islamische Prägung davor, dem Todestrieb nachzugeben, der sie in jener Zeit oft genug heimsuchte. Wer wirklich an Gott glaube, meinte sie, könne und dürfe sein Leben nicht wegwerfen; der christliche Glaube sei aber bei vielen ein reiner Buchstabenglaube, der nicht im Herzen verwurzelt sei, und so vermöge er die erschreckende Zahl von Selbstmorden in Deutschland nicht zu verhindern.

Sie biss sich durch. Was hatte sie nicht alles an versteckten und offenen Demütigungen auszustehen! Wie sehr strengte sie sich an, uns Kindern ein Leben in bürgerlich-deutscher Ehrbarkeit zu ermöglichen! Sie wurde von den Vormundschaftsbehörden schikaniert, ihrer mangelhaften Deutschkenntnisse wegen wie ein Dummkopf behandelt, auf der Straße als Ausländerin begafft, bestaunt, beschimpft. Der Prinzessinnen-Nimbus half ihr kaum noch, und was für Hunderttausende in den Arbeitervierteln Deutschlands Alltag war, widerfuhr nun auch ihr. Sie musste sparen, sie lief meilenweit, um zu günstigem Mehl, zu billigen Eiern zu kommen, an Fleisch war oft wochenlang nicht zu denken. Dienstboten lagen schon im zweiten Witwenjahr nicht mehr drin, so musste sie selbst putzen und die Wäsche besorgen. An Wäschetagen zeigte sie uns abends ihre rotgeschwollenen Hände und zwang sich, darüber zu lachen. Das alles war uns lange nicht richtig bewusst, aber wir ahnten, wie schwierig es für sie war, und halfen mit unseren kleinen Händen, wo wir konnten. Wenn der Vormund, der das Restvermögen verwaltete, nicht rechtzeitig das Monatsgeld überwies, verkaufte sie wieder einen Teil ihres Schmucks, einen Perlenring, eine goldene Schnalle, und feilschte mit knauserigen Juwelieren, damit wir Kinder ein Stückchen Schokolade zu essen bekamen. Dazu bemühte sie sich, durch Arabisch-Unterricht selbst etwas Geld zu verdienen. Doch wer wollte in Rudolstadt schon Arabisch lernen?

Zum Glück fand Emily auch Leute, die ihr zugetan waren und uns unterstützten. Da waren Vermieterinnen, die uns aus ihrem Garten beschenkten, Körbe voller Äpfel vor die Tür stellten, Blumenkohl, Gurken, manchmal auch einen Blumenstrauß. Da waren Nachbarn, die uns abgelegte Kinderkleider überließen. Da war der Gelehrte, der Emily im Tausch gegen Arabischlektionen mit der Astronomie und anderen Fächern vertraut machte und sie trotzdem großzügig bezahlte. Und da war vor allem die alte Baronin von Tettau, die schnaufend die steile Treppe zu unserer Wohnung hinaufstieg. Sie nahm großen Anteil an Emilys Geschichte, sie war die Erste, die versprach, der Prinzessin ihr Erbe zu verschaffen, und sie warb jahrelang in höchsten Kreisen dafür, dass Deutschland auf Sultan Bargash Druck ausüben müsse.

Zum Beispiel wandte sie sich – das habe ich erst Jahre später herausgefunden – über eine ihr bekannte Kammerzofe an die Kronprinzessin Victoria, die Tochter der englischen Königin und Gattin Friedrich Wilhelms von Preußen, und brachte sie dazu, über diplomatische Kanäle beim Sultan zugunsten Emilys zu intervenieren. Dasselbe taten auch andere Mitglieder des europäischen Adels. Aber Bargash wies sämtliche Einmischungsversuche empört von sich.

Ich mochte die Baronin sehr, vor allem, weil sie uns bei jedem Besuch Bonbons zusteckte, klebriges Zuckerzeug mit Zitronengeschmack, das wir andächtig lutschten. Auch ihre Kleider rochen ein wenig nach Zitrone, und wenn sie meine Wangen tätschelte, ging von ihren Händen ein zarter Rosenduft aus. Ich mochte ihre dunkle Stimme mit den gemütlichen Verschleifungen; sie erzählte uns gerne Märchen. Vorher mussten wir ihr aber beweisen, dass wir Fortschritte im Lesen gemacht hatten. Auch die kleine Rosa kannte schon das Alphabet. Wir brachten uns vieles gegenseitig bei. Erstaunlich fand ich, dass die Baronin den Tee, den ihr die Mutter servierte, genüsslich aus der Tasse schlürfte, sie war doch eine vornehme Dame, und uns war das Schlürfen streng untersagt. Bevor sie ging, ließ die Baronin bisweilen ein weißes Couvert auf der Kommode liegen. Ich wusste, was darin war: eine Münze, meist war es ein neu geprägtes Zehnmark-Goldstück, ich wusste auch, wie viel für Mutter daran hing. Das ist eine Erinnerung von großer Deutlichkeit, ich glaube sogar – nachmittags schien die Sonne durchs kleine Fenster – den Staub über dem Papierweiß tanzen zu sehen, ich spüre, wie ich den Atem anhalte, als Mutter das Couvert mit einem Messer aufschlitzt, ich höre ihren Erleichterungsseufzer, als sie uns die Münze vorweist: »Heute Abend gibt's was Gutes, Kinder!« Wir rufen: »Wackelpeter, Wackelpeter!« Die Mutter tut so, als ob ihr grause, dann sagt sie lachend ein Wort, das sie von der Baronin gelernt hat: »Schleckmäuler!« Und wir wissen, dass sie für uns einen Vanillepudding anrühren wird.

Einige Seiten fehlen … und was für Kleider hast du eigentlich in diesen Jahren getragen? Dunkle, knöchellange Röcke, wie es sich für eine Trauernde gehörte, bis zum Hals zugeknöpfte Blusen. Schwarze, dunkelblaue, graue Stoffe, Leinen und Baumwolle, kein Samt, flache Hüte, ein Kopftuch manchmal, kein Schmuck. Einmal – es war noch in Hamburg – hast du mitten im Winter ein hellblaues Kleid mit weißen Rüschen angezogen, dich in einen Sessel gesetzt, die Hände auf die Knie gelegt, versonnen gelächelt. Das war ungewöhnlich, ich habe mich vor dich hingestellt und dich bewundert. Das Dienstmädchen, das wir damals noch hatten, war entsetzt: »Sie sind doch in Trauer, Frau Ruete. Sie müssen Schwarz tragen!« Du hast geantwortet: »Ich wollte bloß schauen, ob ich mich wohl darin fühle. Natürlich gehe ich in diesem Kleid nicht aus.« Das Mädchen schwieg. Ich war enttäuscht, dass du bald wieder die dunklen Farben trugst. Draußen sollte man dich so und nicht anders sehen.

Mit ihren Versöhnungsversuchen, die ja stets auch von der Hoffnung auf die Erbschaft begleitet waren, stieß Mutter Mal für Mal ins Leere. Das Schlimmste, lange vor den beiden Reisen nach Sansibar, war für sie gewiss die Episode in London, 1875. Davon berichtet sie ebenfalls in ihren Briefen.

Sie hatte erfahren, dass Bargash zu einem Staatsbesuch nach London kommen würde, und beschlossen hinzufahren. Alles wollte sie in die Waagschale werfen: niederstürzen vor ihm, flehen und weinen, ihn um Vergebung bitten, ihm klarmachen, dass sie ihm mit ihrer europäischen Erfahrung von Nutzen sein konnte.

Die Baronin vermittelte Kontakte zu Diplomaten. In den Wochen vor ihrer Reise lernte Mutter angestrengt Englisch und war überzeugt davon, dass der deutsche Botschafter in London ihr die nötigen Türen öffnen würde. Sie ließ uns Kinder während sieben Wochen allein. Ein schweigsames Dienstmädchen sorgte für uns, die Baronin schaute vorbei und brachte uns Lebensmittel. Ich erinnere mich schwach an diese Zeit, ich war siebenjährig, ich fragte jeden Tag, wann Bibi endlich zurückkomme.

Man half ihr nur halbherzig in London. Erst nachträglich durchschaute sie, dass die Engländer ein Treffen mit Bargash um jeden Preis verhindern wollten. Sie befürchteten, Bargashs Schwester werde den Sultan, der nur Arabisch sprach, auf die Seite der Deutschen ziehen, und sie wollten, dass er die Verträge zu den gewünschten Handelserleichterungen ohne Verzug unterschrieb.

Mutter logierte in einem billigen Hotelzimmer, sie bekam Besuch von einem hochrangigen Beamten im Außenministerium. Man dürfe einen Staatsgast nicht erzürnen, sagte Sir Bartle Frere in freundlichstem Ton zu ihr, und man wisse aus sicherer Quelle, dass Bargash seine Schwester nicht zu sehen wünsche, das möge sie bitte respektieren. Daraufhin fragte er sie, was ihr wichtiger sei: die Versöhnung mit ihrer mohammedanischen Herkunftsfamilie oder die Zukunft ihrer

Kinder? Das Erste sei ihr, der konvertierten Christin, ohnehin unmöglich; ans Zweite zu denken, sei ihre Pflicht. Er stellte Mutter vor die Wahl: Entweder sie verzichte darauf, sich Bargash zu nähern, dann werde die englische Regierung für das materielle Wohl ihrer Kinder sorgen. Oder sie schlage die Warnungen in den Wind, dann könne sie von England nicht die geringste Hilfe gewärtigen. Das Wohl der Kinder – da hatte Sir Bartle klug gepokert – trug den Sieg davon, gerade weil unsere Zukunft ungesichert war. Sie versprach nach schwerem innerem Kampf, sich vom Sultan fernzuhalten, sie studierte sogar die Gesellschaftsnachrichten in der Zeitung, um die Orte, wohin sich Bargash begab, zu meiden. Und sie vertraute darauf, dass die Engländer ihr Versprechen halten würden. Man beruhigte sie: Es gelte, zunächst noch einiges abzuklären, man müsse ausführliche Anträge verfassen. Erst als Bargash abgereist war, erhielt sie den Bescheid, dass eine finanzielle Unterstützung durch England leider nicht möglich sei. Sie habe ja einen Deutschen geheiratet; zuständig für alle Fragen des Unterhalts sei deshalb allein Deutschland. Ihre Enttäuschung muss grenzenlos gewesen sein, schlimmer noch: Sie fühlte sich von den Engländern hintergangen und bis ins Mark gedemütigt. Sie beschreibt dies in den Briefen mit drastischen, geradezu rachsüchtigen Worten.

In welchem Zustand Mutter war, als sie nach der langen Abwesenheit in Dresden eintraf, weiß ich nicht mehr. Ich habe sie oft genug in Tränen gesehen oder nahezu versteinert in ihrem Schmerz. Sie schrieb weitere Briefe an Bargash. Er antwortete nie… *Die nächsten Seiten gefleckt und unleserlich.*

Emilys finanzielle Lage besserte sich erst, als sie endlich ihren Witwenanteil ausgehändigt bekam. Sie wandelte russische und amerikanische Staatspapiere, dazu ungarische Eisenbahnobligationen in bares Kapital um, von dem sie nun zehren konnte. Der Anteil der Kinder hingegen blieb von Gesetzes wegen mündelsicher angelegt. Irgendwann kam ans Licht, dass der Advokat, der mit der Verwaltung des Vermögens betraut war, einen Teil davon in die eigene Tasche abgezweigt hatte. Es wäre zwecklos gewesen, ihn deswegen vor Gericht zu bringen; er kannte genügend einflussreiche Leute, die ihn gedeckt hätten. Sparen konnte Mutter, nachdem Said von der Kadettenanstalt Bensberg aufgenommen worden war und damit ein Esser weniger an unserem Tisch saß. Der Bruder tat mir leid, er litt unter der Trennung von uns. Aber es ging nicht anders. Woher sonst noch finanzielle Unterstützung kam, ist mir ein Rätsel, eines der vielen, die Mutter nie auflösen mochte. Möglich, dass Said, als er Rudolph geworden war, Emily vom Erbteil seiner vermögenden Frau regelmäßig etwas überwies; zumindest behauptete er das an ihrem Grab. Gegen Ende ihres Lebens, 1923, erhielt sie dann doch vom Sultanat in Sansibar eine kleine Rente, dafür musste sie alle übrigen Ansprüche aufgeben. Vermutlich drängte Said sie dazu, denn englische Pfund gewannen an Wert, je stärker sich die Reichsmark entwertete. Hunderttausend Mark für ein Brot! Eine Million! Die groteske Inflation traf auch mich. Ich lebte damals schon getrennt von Brandeis. An diese Wochen und Monate will ich gar nicht mehr denken. Nun war jedenfalls auch ich, wie ehemals Emily, dazu genötigt, einen Teil meines Schmucks zu veräußern. Und ich gebe zu, dass ich in der Zeit der Not für die Versprechungen der NSDAP ein offenes Ohr hatte. Hitlers Reden, in denen er eine Ausdehnung des deutschen Lebensraums nach Osten propagierte, beflügelten mich sogar, wenigstens eine Zeit lang. Wo sonst als im riesigen Osten, in neuen Schutzgebieten, sollten die jungen Frauen der Kolonialschule Rendsburg ihre Fähigkeiten anwenden können?

Schon wieder die Sirenen … *Hier bricht das Manuskript ab.*

13

Ich bin überzeugt, dass Du Deine Härte aufgäbest, wenn Du meine Kinder sehen würdest, mein Bruder. Sie lieben Dich in ihren Gedanken, sie möchten ihren Onkel umarmen können.

Nach der Rückkehr aus Kairo begann sich Said ernsthaft fürs Getriebe der Wirtschaft zu interessieren, fürs Bankensystem, fürs Hypothekarwesen, für Geldflüsse. Darauf gründeten ja oft genug Konflikte zwischen Reich und Arm, davon konnten Krieg und Frieden abhängen. Und wenn er Konfliktparteien in seinem Sinn überzeugen und beeinflussen wollte, ging es nicht an, sich mit oberflächlichen Kenntnissen zu begnügen. So nahm er sich vor, die Bankenwelt als Akteur zu betreten.

Er hatte ein konkretes Anliegen: Die europäischen Länder und also auch ihre Banken sollten den Baumwollanbau in Palästina und im Zweistromland in großem Stil finanzieren. Der regionale Wohlstand, der daraus entstünde, käme arabischen und jüdischen Kooperativen gleichermaßen zugute; er würde die Feindseligkeiten vermindern. Hier und dort stieß er auf Gehör, aber wirklich Bedeutsames geschah nicht. Durch die Heirat mit Maria-Theresia Mathias kam Said in Kontakt mit zionistischen Kreisen; er hörte viel von

Theodor Herzl, der als Gründer der zionistischen Bewegung galt, und er entschloss sich, nach Wien zu reisen und ihn für sein Baumwollprojekt zu gewinnen.

Herzl, der Jude aus Budapest, der feurige Rhetoriker, hatte eine klare Vision. Er forderte eine Heimstatt für die marginalisierten und verfolgten Juden aus aller Welt, einen autonomen Staat in ihrem Herkunftsgebiet auf palästinensischem Boden, an der Peripherie des serbelnden Osmanischen Reichs. Als Said bei ihm in der zionistischen Zentrale vorsprach, saß er mit gespreizten Beinen, schläfrig zurückgelehnt auf einem Stuhl, erhob sich aber schwungvoll und begrüßte den Besucher wie einen alten Freund. Erst nachträglich fiel Said auf, dass sie das Gespräch im Stehen geführt hatten, wobei Herzl in dauernder Bewegung blieb und immer wieder mit der einen oder anderen Hand über seinen gelockten Vollbart strich, in dem es leise knisterte, als sei er elektrisch geladen.

Die Sache mit den Baumwollfeldern war rasch abgehandelt. Er werde sich erkundigen, sagte Herzl, er wolle jeder Idee, die dem kargen palästinensischen Boden mehr Ertrag verspreche, nachgehen. Die jüdischen Siedler seien bekannt für ihren Fleiß und ihre Hartnäckigkeit, damit würden sie, nein, damit *müssten* sie die anders gearteten arabischen Kleinbauern anstecken. Ein jüdischer Staat wäre mit Sicherheit ein Vorbild für die ganze Region.

»Er darf aber«, sagte Said, »den Arabern nicht aufgepfropft werden. Ich bin dort herumgereist, Herr Doktor, man darf den Stolz der arabischen Bevölkerung nicht verletzen. Man muss mit ihren Anführern von Gleich zu Gleich verhandeln. Wie Sie vielleicht wissen, ist meine Mutter Araberin aus Sansibar, ich habe Einblick in die arabische Seele. Obwohl ich dem Judentum durch meine Frau ebenso nahestehe.«

Herzl ging, nein, hüpfte zwei Schritte auf Said zu. »Gewiss, lieber Freund, wir setzen auf unsere Überzeugungskraft. Mag sein« – seine Stirn furchte sich –, »dass wir den deutschen Kaiser doch noch auf unsere Seite bringen. Sie wissen bestimmt, dass Wilhelm der zionistischen Delegation vor drei Jahren auf seiner Palästinareise eine Audienz gewährt hat. In Jerusalem, an heiliger Stätte! Ich als Sprecher legte dem Kaiser dar, dass ein großer Teil der jungen deutschen Juden, vor allem jene mit sozialistischen und liberalen Ideen, in den neuen Staat übersiedeln würde.« Wieder ein kleines Hüpfen, und nun legte Herzl beschwörend die Hand auf Saids Unterarm. »Dies würde doch, sagte ich, das politische Leben Deutschlands von manchen nutzlosen Konflikten entlasten. Zudem konnte ich den Kaiser von einer Zusage der großen jüdischen Bankhäuser in Kenntnis setzen: Sie würden die Schulden des Osmanischen Reiches übernehmen, falls die Hohe Pforte dem neuen Staat genügend Land abtrete. Das Weltjudentum, fuhr ich fort, stehe dann sozusagen in der Schuld des Deutschen Reichs, man werde ihm gewiss das Protektorat über den neuen Staat einräumen.« Herzl ließ die Hand sinken, griff sich in den Bart. »Man muss einem Kaiser den Speck durchs Maul ziehen. Aber ach, mein Lieber, er wich aus. Schon vorher hatte ihn sein Außenminister wohl vor uns gewarnt. Die territoriale Hoheit des Osmanischen Reiches, beschied er uns, werde er auf keinen Fall antasten. Er ermuntere uns jedoch, unsere Bestrebungen fortzusetzen.« Herzl stöhnte theatralisch. »Abgespeist hat er uns, Ihr Kaiser, er will keine internationalen Verwicklungen wegen ein paar Hunderttausend Mausches, wie er wohl unter seinesgleichen sagen würde. Und er hat sich, wie ich nachträglich vernahm, im kleinen Kreis höchst abfällig über die Juden in Jerusalem geäußert. Kriecherisch und erbärmlich seien sie. Schmierig und verkommen, nur darauf aus, moslemische und christliche Nachbarn zu schröpfen! Shylocks in Massen!«

Die letzten Silben drangen so laut, beinahe knatternd an Saids Ohr, dass er zurückzuckte. »Keine glückliche Wortwahl«, sagte er. »Er hätte ebenso gut die Araber meinen können. Was er beschreibt, zielt auf die Armut, nicht auf die Rasse oder die Religion.«

»Verletzend ist es dennoch, oder nicht?«

Said fühlte sich unbehaglich im Bestreben, den Kaiser zu verteidigen und zugleich Herzl recht zu geben. »Gerade wegen solcher Äußerungen bin ich einem jüdischen Staat im Heiligen Land nicht abgeneigt. Bedenken Sie aber, Herr Doktor, dass sich die meisten Juden in Deutschland durchaus als Deutsche fühlen. Diese Leute wollen nicht auswandern …«

»Wenn es so ist«, fiel ihm Herzl ins Wort, »dann müssen wir offenbar noch mehr gedemütigt, geplündert und geschlagen werden. So lange, bis wir für diese Idee reif sind.«

»Sie übertreiben, Herr Doktor. Von den Verwandten meiner Frau – sie stammt aus Köln – ist meines Wissens noch nie jemand bespuckt oder beschimpft worden.«

»Und warum? Sie sind vermögend. Sie unterscheiden sich äußerlich nicht von christlichen Bürgern. Aber gehen Sie nach Osten, weit nach Osten, dann werden Sie eines Besseren belehrt. Haben Sie gehört, was in Russland geschieht?

Ein Pogrom nach dem anderen!« Herzl machte eine Pause, klatschte plötzlich überlaut in die Hände. »Und wissen Sie, was die Engländer uns jetzt vorschlagen? Einen Judenstaat in Uganda, sie wollen uns das Land sogar schenken, 12 000 Quadratkilometer Savanne. Inakzeptabel! Damit würden wir unsere Sache verraten. Wir gehören dorthin, woher wir kommen!«

»Aber wenn Sie zu hitzig vorgehen, Herr Doktor, nehmen Sie in Kauf, dass die Juden bloß noch als Eindringlinge gelten. Und damit schüren Sie den gegenseitigen Hass.« Said stockte, während Herzl gereizt an einem Bartbüschel zupfte.

»Ich nehme an, Sie werden eines Tages einen Vermittler brauchen, einen, der sich in die Lage beider Seiten einzufühlen weiß. In einem solchen Fall würde ich mich gerne empfehlen, sozusagen als ehrlicher Makler, zumindest als Übersetzer und Berater einer einflussreicheren Person.«

Herzl stutzte, maß ihn dann mit belustigtem Blick. »Ist das ein Bewerbungsgespräch? Das hätten Sie früher sagen können.«

Said schüttelte verlegen den Kopf. »Das war nicht meine Absicht. Ich bin jetzt darauf gekommen, weil …«

»Schon gut«, unterbrach ihn Herzl. »Ich merke mir Ihren Namen und« – das war nun sachte ironisch gefärbt – »Ihre Verdienste.«

Das Gespräch glitt ins Unverbindliche, noch einmal kam Said auf die Baumwolle zu sprechen, aber Herzl ging nicht mehr darauf ein.

Sie schrieben einander Briefe, und schriftlich verstanden sie sich leidlich, solange sie auf der Ebene der Ideen blieben. Weiter ging es nicht. Said hoffte auf eine Anstellung als politischer Berater bei der neugegründeten Deutschen Palästina-Bank oder, vielleicht doch durch Herzls Vermittlung, im Jewish Colonial Trust. Er bekam weder das eine noch das andere.

Durch seine ausgedehnte Korrespondenz machte er sich bei Vater und Sohn Gutmann bekannt. Der Vater, Eugen, war Vorsitzender der Dresdner Bank, der Sohn, Herbert, zehn Jahre jünger als Said, trieb die Gründung einer Deutschen Orientbank voran; geplant waren mehrere Filialen im Nahen Osten, unter anderem in Kairo, die den deutschen Einfluss massiv stärken sollten. Said Ruete zeigte sich als Kenner der ägyptischen Verhältnisse, dadurch fiel er den Gutmanns auf. Auch wenn er keine entsprechende Ausbildung durchlaufen hatte, hielten sie ihn für geeignet, die Filiale der Orientbank in Kairo aufzubauen und zu leiten. Sie rieten ihm allerdings zu einem klingenderen Namen. Bevor er mit seiner jungen Familie nach Kairo reiste, erlaubte ihm der Hamburger Senat, sich künftig Rudolph Said-Ruete zu nennen. Die neue Unterschrift übte er auf Schriftstücken aller Art, sogar auf Zeitungsrändern. Therese neckte ihn deswegen; sie riet ihm zu noch eindrücklicherem Schwung und etwas mehr Girlanden. Sie hatte sich lange dagegen gesträubt, mit einem kleinen Kind nach Kairo zu ziehen, es war schwierig gewesen, sie umzustimmen und ihr glaubhaft zu machen, dass sich hier für Rudolph eine einmalige Chance bot. Als sie endlich nachgab, weinte er vor Erleichterung.

So kam er, Anfang 1906, erneut nach Kairo. Sie bezogen eine große Wohnung mit Blick auf den Nil. Die Stadt war gewachsen, Therese erschien sie als angsterregendes Chaos.

Das änderte sich kaum während der vier Jahre, die sie dort blieben. Ihre Abneigung schlug sporadisch in hasserfüllte Abwehr um; sie sorgte dafür, dass ihr Sohn sich in der deutschen Schule vom Schmutz der Märkte und dem Geschrei der Gassenjungen fernhielt. Sein Vater hingegen zeigte Werner auf Wochenendstreifzügen die Stadt. Der Junge ließ seine Hand kaum je los, er wich vor verkrüppelten Bettlern zurück, warf dem einen oder anderen eine Münze zu, die ihm Rudolph gegeben hatte, lauschte staunend den Gesängen von Wasserträgern und Obstverkäufern, den Rufen, die vielstimmig von den Minaretten kamen. Das schönste Abenteuer war für ihn, nach dem Ritt auf einem Esel – es musste ein weißer sein – bei der Mykerinos-Pyramide vom Vater die verwitterten mächtigen Stufen emporgehoben zu werden. Gemeinsam erreichten sie die abgeflachte Spitze, von wo das Häusermeer, das sich im Dunst vor ihnen ausbreitete, unendlich schien. Hier fühlte sich Werner geschützt, seine Neugier erwachte. Längst nicht alle Fragen, die aus ihm hervorsprudelten, konnte der Vater beantworten: ob viele Mumien da drin lägen, ob es gefährlich wäre, nachts durch die Gänge zu gehen, ob die Wüste auf der anderen Seite jetzt so leer sei, weil man alle großen Steine hierhergebracht habe.

Werner hatte einen empfindlichen Magen, regelmäßig litt er an Durchfall, nach dessen Abklingen er lange durchscheinend aussah. Therese war in steter Sorge um ihn, die Atmosphäre in der Wohnung erinnerte Rudolph bisweilen an die Phasen seiner eigenen Kinderkrankheiten mit Haferbrei und dünnem Tee, an Emilys Bedrücktheit, ihre kühle Hand auf seiner Stirn.

Er wollte aber vor allem eines: sich in seiner neuen Position Respekt verschaffen. Mit aller Kraft bemühte er sich, seinen hochgesteckten Zielen näherzukommen, und das hieß, zwischen wirtschaftlichen und idealistischen Motiven der Kreditvergabe einen tauglichen Mittelweg zu finden. Er trieb die Erhöhung des Assuan-Staudamms voran, der 1902 eingeweiht worden war. Er gewährte, immer in Absprache mit den Chefs in Berlin, Kredite für die Hafenanlagen in Suakin am Roten Meer, für eine große Baumwollpresse in Alexandrien, für die Dampfschifffahrt auf dem Nil, für den Ausbau der Schmalspurbahnen im Nildelta. Dies alles im Blick auf das Gedeihen der ganzen Region; und wenn ihm von Landsleuten vorgehalten wurde, er spiele dadurch den Engländern in die Hände, die am Ende den Gewinn für sich abschöpfen würden, widersprach er heftig: Was er tue, nütze auch dem Export deutscher Maschinenhersteller, und dass dadurch die allgemeine Armut verringert werde, lasse er sich nicht ausreden.

Die brachliegenden Möglichkeiten des Baumwollanbaus ließen ihn nicht los. Er hatte Baumwollfelder im Nildelta und auf seinen Reisen durch Palästina gesehen, er wiegte die aufgesprungenen Kapseln mit den schneeweißen, luftigen Faserbällchen gerne in den Händen, betastete die nachgiebigen Fasern, schwerelos kamen sie ihm vor, winterlich rein trotz seiner Sommergefühle. Ja, wenn er die Augen zukniff, ergab sich der Eindruck einer von Schneeflecken hunderttausendfach gesprenkelten, getupften Fläche, und er träumte von Feldern, die sich, wie im Süden der USA, bis zum Horizont ausbreiteten. Entlang der Bagdadbahn, so sagte er sich, müssten Pachtgesellschaften entstehen, die den Baumwollanbau forcierten, sie müssten für eine wirksame Bewässerung sorgen und Kapital aufnehmen, um die neu erfundenen Erntemaschinen einzusetzen; gleichzeitig brächte die Bahn die Düngersäcke herbei. Gab es einen friedlicheren und rentableren Landwirtschaftszweig als diesen? Die Tiere mieden bekanntlich Baumwollsträucher, Diebesbanden ließen die Plantagen in Ruhe, sie stahlen lieber Korn und Mais. Dazu ein gesicherter Absatz im Welthandel und ein schneller Transport auf Schienen. Lauter Vorteile. Rudolph, als Bankdirektor, wäre bereit gewesen, hier in großem Maßstab zu investieren. Doch er stieß auf Widerstand im Mutterhaus, die Gutmanns drängten dazu, in Ägypten den Kauf deutscher Lokomotiven zu ermöglichen, statt wetterabhängige Landwirtschaftsprojekte zu unterstützen.

Rudolph war enttäuscht von der mangelnden Weitsicht der Chefs. Er schenkte Werner eine ganze Schachtel mit Baumwollbällchen, die noch an den Kapseln hingen, schaute zu, wie Werner sie sortierte, rupfte, Watte daraus machte, die er mit Wasser befeuchtete und knetete; einen Baumwollmann formte er daraus, als wäre es wirklich Schnee. Es war Mitte Dezember, Werner erinnerte sich an Weihnachten im vergangenen Jahr, sagte, er habe Heimweh. Therese schwieg, und Heimwehstiche empfand auch Rudolph, als sie mit anderen Deutschen Silvester feierten. Man ließ Raketen steigen, es tat ihm gut, Werner vor Begeisterung jubeln zu hören.

Von Baumwollfeldern träumte er hin und wieder. Kuriose Träume waren es. Er paddelte in einem Boot ins endlose Feld hinein, und die Baumwollbällchen hatten winzige Gesichter, lächelten ihn an, das stimmte ihn so froh, dass er sang, was er sonst nie tat. Eine Opernarie war es, »Dies Bildnis ist bezaubernd schön«, und neben ihm stand plötzlich Werner, so groß wie Rudolph, und er sang auch: »Federleicht, federleicht!« Und dann war er plötzlich im Meer, die Baumwolle verwandelte sich in Gischt, die Wellen gingen hoch, er wollte wegfliegen und konnte nicht. Oder er lag am Boden, fremde Männer mit Turban schichteten Baumwolle auf ihn, immer höher. Der Haufen war so leicht, dass ihn gar nichts schmerzte, ein einziger Atemstoß genügte, und die Baumwolle war weggepustet, der Himmel schien voller weißer Vögel zu sein.

Es kam die Zeit, da ihm die Einschränkungen und Vorschriften aus Berlin zu schaffen machten, ihn gar um den Schlaf brachten. Seine Arbeitstage waren nach wie vor ausgefüllt, meist aber mit Routinegeschäften; seine Ideen, die er doch präzise formulierte, verhallten im fernen Berlin, oft bekam er gar keine Antwort mehr auf seine Vorschläge. Um sich abzulenken, belegte er Vorlesungen an der Universität Kairo über die Ausbreitung des Islams, und er beschäftigte sich, obwohl sein Arabisch kaum besser geworden war, ernsthaft mit dem Koran. Generalkonsul Schröder hatte ihm seinerzeit eine Ausgabe im arabischen Urtext geschenkt, er nahm sie überallhin mit. Oft murmelte er den Anfang der ersten Sure vor sich hin: »Bi-smi 'llâhi 'r-rahmâni 'r-rahîmi.« Im Namen Gottes, des Gnädigen und Barmherzigen. Den ganzen Wortlaut hatte er im Kopf: »Lob sei Gott, dem Herrn der Menschen in aller Welt, dem Barmherzigen und Gnädigen, der am Tag des Gerichts herrscht. Dir dienen wir und Dich bitten wir um Hilfe. Führe uns den geraden Weg, den Weg derer, denen Du gnädig bist.« Es waren eindringliche

Worte; sie klangen nicht viel anders als manche Stellen im Alten Testament, und doch standen sich Gläubige, die sich von solchen Worten nährten, vielerorts als Feinde gegenüber. Warum waren sie nicht fähig, das Gemeinsame zu sehen?

Ein starker Kontrast zu diesem Privatstudium waren die Einladungen in die Häuser hochgestellter Araber. Die ausgelassenen Schlemmereien im Ramadan, nach Sonnenuntergang, behagten ihm nicht. Einmal nahm man ihn zu einer Bauchtanzvorstellung auf einem Nilschiff mit. Er war verstört, er hätte die Gastgeber gerne gefragt, ob dieser Tanz, der die Männer zum Hinstarren brachte, nicht den moralischen Ansprüchen der Imame widerspreche. Er zog es vor zu schweigen; dass er selbst zu diesen Männern gehörte, beschämte ihn. Die Erinnerung an die Zeltnacht schob er von sich weg, aber sie überfiel ihn bisweilen am Morgen früh mit einem schrankenlosen Begehren.

Die Bankgeschäfte wurden ihm zusehends fremder, im dritten Jahr erwog er den Bruch mit den Gutmanns. Einer zweimonatigen Reise durch Persien, die sie anordneten, widersetzte er sich nicht, er brachte aber nur kümmerliche Verhandlungsresultate zurück nach Kairo, dafür hatte er Dokumente zur persischen Geschichte in seinem Gepäck und eine ins Englische übersetzte Märchensammlung für den Sohn. Dieser Misserfolg machte beiden Seiten klar, dass die Direktorenstelle für Rudolph Said-Ruete nicht die sinnvollste Betätigung war. Man schied in Frieden voneinander, die Gutmanns gewährten ihm eine großzügige Abfindung, und Therese, die in Kairo stark an Gewicht verloren hatte, freute sich, nach London zu ziehen, wie Rudolph es plante.

Für ihn stand fest, dass er sich nun, als Privatier und Philanthrop, ganz seinen Vermittlungsbemühungen zuwenden würde. Er war nicht unvermögend. Zur Abfindung kam das, was er während vier Jahren in sicheren Papieren angelegt hatte. Thereses väterliches Erbe warf einiges ab, und Ludwig Mond, der erst vor kurzem gestorben war, hatte ihr eine überraschend hohe Summe hinterlassen, die sie als Frauengut selbst verwaltete, von der aber Rudolph nach Bedarf zehren konnte.

Die Schüsse von Sarajewo schienen allen Friedenshoffnungen ein Ende zu machen. Er hielt an ihnen fest, sie waren zu seinem Daseinsgrund geworden. Unermüdlich plädierte er für eine Versöhnung zwischen England und Deutschland, auch dann noch, als der Kriegsjubel alle Regungen der Vernunft wegschwemmte. Er fand sich damit ab, als Deutscher aus England ausgewiesen zu werden, und in Deutschland – auch bei den Seinen – als Landesverräter zu gelten; er hielt es für unabwendbar, dass sein Londoner Bankkonto eingefroren wurde. Luzern war ja in den Kriegsjahren ein schöner und friedlicher Ort. Auch hier strebte er nach öffentlichem Zuspruch und Anerkennung für seine Friedensbemühungen. Wenigstens die Meinungsführer eines neutralen Staats hätten sie doch würdigen können. Sie taten es nicht, und das kränkte ihn. Ach, die Eitelkeit ließ sich nicht austreiben.

Halb eins. So spät schon. Ein paar Schritte bloß vom Sofa zum Bett. Die Decke zurückgeschlagen vom Zimmermädchen, dessen Namen er dauernd vergisst. Wie müde einen diese herbeigeisternden Erinnerungen machen. Er hätte auch lesen können, statt sich mit Herzl zu messen. *Rot und Schwarz* von Stendhal hat er mitgenommen, eines seiner Lieblingsbücher. Oder sich wieder einmal in den Koran vertiefen, auf Verse stoßen, die er halb vergessen hat. Oder soll er einen weiteren Brief an Rosa schreiben, an ihre Adresse in Jena? Eine Antwort ist bisher nicht gekommen. Aber sie lebt vielleicht noch, die kleine Schwester, eine halbe Ewigkeit ist es her, dass er von ihr gehört hat. Sie waren einst eine Familie, eine vaterlose zwar, aber sie hielten zusammen. Rosa mochte kleine Tiere, daran erinnert er sich, Mäuse, Vögel, Eichhörnchen. Einmal, im Spätsommer, prallte ein Buchfink ans Fenster des Kinderzimmers, er lag verletzt im Garten, zwischen Ringelblumen. Rosa – sechs-, siebenjährig? – legte den Vogel in eine mit Gras ausgepolsterte Schuhschachtel, versuchte ihn mit Brosamen zu füttern, die sie zu Kügelchen formte. Sie ging ganz auf im Bestreben, die Nahrung mit einer Pinzette in den aufgesperrten Schnabel zu befördern. Jedes schwache Piepsen, jedes kleine Spreizen der Flügel galt ihr als hoffnungsvolles Lebenszeichen. Am nächsten Morgen war der Buchfink tot. Said sah ihn als Erster. Ihm graute vor dem reglosen Federbalg mit dem auf die Seite gekippten Kopf. Er nahm die Schachtel, leerte den ganzen Inhalt draußen hinter einem Strauch aus, streute mit beiden Händen Laub und Gras darüber. Als Rosa den Vogel verzweifelt suchte, gab er zu, ihn begraben zu haben. Noch nie war sie so wütend gewesen. Sie ging mit den Fäusten auf ihn los, er hielt ihre Hände fest, sie schrien einander an. Die Mutter war krank damals, sie bat von ihrem Zimmer aus mit klagender Stimme um Ruhe, Tony tadelte die zwei Jüngeren. Er zeigte Rosa draußen die Stelle, wo der Vogel lag. Der sei noch gar nicht tot gewesen, behauptete sie weinend, und das sei kein Grab, da könne jede Katze den Vogel stehlen. Ein richtiges Grab hob sie mit der Kinderschaufel aus, legte den Vogel hinein, und als er zugedeckt war, wollte sie, dass Said mit ihr ein Gebet sprach. Er sagte aber, er wisse keines. Sie wiederholte mehrere Male »Gott sei mit dir«, das kannte sie von der Baronin, und er faltete die Hände wie sie.

Rosa und Said. Sie trösteten einander, wenn die Mutter sich hinter ihre unsichtbare Mauer zurückzog. Da war eine stumme Nähe, anders als bei Tony, der Ältesten, die sich dazu zwang, die Geschwister mit mütterlichen Worten aufzumuntern. Vor Saids Eintritt in die Kadettenanstalt merkte Rosa genau, wie bang ihm zumute war, obwohl er sich, auch der Mutter zuliebe, jede Bemerkung verbot. Rosa trat, als er schon mit dem Koffer im Flur der Kölner Pension stand, zu ihm, sie legte eine Hand auf seine Wange, sie lächelte ihn an und sagte: »Es kommt schon gut, lieber Said.« Er konnte seine Tränen nicht mehr zurückhalten, sie wischte sie ihm stumm mit ihrem Taschentuch ab und lächelte weiter. Das vergaß er ihr nie. Tony, die Ältere, gab sich damals schon erwachsener, mahnte den Bruder mit Blicken zur Selbstbeherrschung. Die Mutter war an diesem Tag wie erstarrt, Trost brauchte auch sie, ihm fiel nichts anderes ein, als ihr Tapferkeit vorzuspielen.

Er zieht sich mit Mühe aus, hier schmerzt ein Gelenk, dort ein anderes, er hängt die Kleider über die Stuhllehne, schlüpft mit noch größerer Mühe in seinen blaugestreiften Pyjama, englischer Flanell für die kalten Tage, seit einiger Zeit muss er sich dabei abstützen. Dieser bockige Körper. Er knipst das

Licht aus, tappt in der Dunkelheit, in der nur das Fenster-viereck ein wenig heller ist, zum Bett zurück, legt sich hin-ein, deckt sich zu. Die Füße sind kalt wie immer, er hat vergessen, die Bettsocken anzuziehen. Die Glocken der Hof-kirche schlagen vier Uhr. Wie die Zeit vergeht, sich dehnt, wie sie lastet und manchmal verschwindet: das ist eines der Rätsel, die er nicht mehr lösen wird. In jeder Sekunde kann ein ganzes Leben enthalten sein.

14

Ich bin jetzt verwitwet, lieber Bruder, niemand ist mit mir zusammen als Gott und meine drei Kinder. Vor dreizehn Jahren starb mein Gatte. Ich wünschte nie, mich wieder zu verheiraten. Ich lebe mit den Kindern in der großen Stadt Berlin, wo der Kaiser und seine Familie ihren Sitz haben. Ich setze mein Vertrauen in Gott und dann in Dich, mein Bruder.

Jena, den 26. Mai 1943

Lieber Said (oder willst Du unbedingt Rudolph sein?),

das wird ein langer Brief, und ich kann bloß hoffen, dass Du ihn irgendwann bekommst. Ich weiß ja gar nicht, ob Du noch am Leben bist, aber Du gehst mir momentan nicht aus dem Kopf, ebenso wenig wie unsere Mutter, die – zu ihrem Glück – schon lange nicht mehr lebt.

Wer anders als Du in Deutschland geblieben ist, muss sich Sorgen machen. Das Schicksal hat sich gewendet. Über Berlin und Hamburg fallen die Bomben der Alliierten, und nun kommt auch unser Jena mit seinen Zeißwerken an die Reihe. Selber schuld, wirst Du sagen, diese Misere hast Du ohnehin vorausgesehen.

Wir haben uns, Du und ich, über viele Jahre auseinandergelebt. Du standest ohnehin Tony immer näher. Wobei ich annehme, dass Du mit ihr, angesichts der Umstände, auch keinen Kontakt mehr hast. Aber es ist seltsam, gerade in dieser Zeit der wachsenden Gefahr wird die Vergangenheit in mir gespenstisch lebendig, und oft denke ich zurück an Mutters Tod und an unseren unglücklichen Versuch, ihr auf dem Friedhof die letzte Ehre zu erweisen.

Ich will mir nun von der Seele schreiben, was mir alles durch den Kopf geht. Umso besser, wenn es mich von den Tagesereignissen ablenkt. Mein Troemer ist übrigens im Februar 1940 gestorben. Ob das bis zu Dir gedrungen ist? Er hat weder die Kapitulation Frankreichs miterlebt noch den Angriff auf Russland. Und auch nicht, in welch unverschämter Weise Goebbels und Konsorten jetzt dauernd den unmittelbar bevorstehenden Endsieg feiern. Hierzulande öffentlich daran zu zweifeln, ist verboten, wie Du wohl weißt. Ich stehe zum Glück immer noch unter dem Schutz des toten Generals; die Behörden, die das deutsche Volk rein erhalten wollen, übersehen geflissentlich, dass auch ich blutsmäßig ein Mischling bin.

Mich zieht es gegenwärtig weiter zurück, zum vorherigen Krieg. Warum wohl? Mag sein, dass ich einiges, was uns betrifft, noch klären möchte. Ob Du das lesen willst oder nicht, ist Deine Sache. Als Mutter im Mai 1914 aus Beirut kam, um uns in der Garnison von Bromberg zu besuchen, ahnte weder mein Mann noch ich, dass ihr Aufenthalt zehn Jahre dauern sollte. Und wie hätten wir voraussehen können, dass sie bei uns in Jena sterben würde? Schicksale lassen sich nicht planen; gerade die Lebenswege, auf die wir drei Geschwister gerieten, sind so unterschiedlich wie rätselhaft.

T. wollte zuerst nicht, dass sie bei uns blieb. Ich habe mich durchgesetzt. Das war damals, in Bromberg, recht anstrengend, er war noch nicht der schweigsam-brummige Alte geworden, zu dem ihn Verdun machte. Mutter schien mir ausgemergelt, gealtert, wortkarger als bei ihrem letzten Besuch. »Ach Gott«, sagte sie, als ich sie auf die endlose Geschichte mit der Erbschaft ansprach, »es hat doch alles keinen Sinn mehr.« Früher hatten sich bei solchen Nachfragen sogleich Tränen in ihren Augen gezeigt, jetzt blieben sie trocken, wenn auch stark gerötet, und so sah sie beim Frühstück trotzdem aus, als habe sie die ganze Nacht geweint. Die Töchter – elf- und zehnjährig damals – waren nett zu ihr, gaben sich mädchenhaft plauderselig, aber die Großmutter, die sie nur alle paar Jahre sahen, war ihnen fremd, und die Fremdheit schien sich dauerhaft zwischen ihnen eingenistet zu haben. Ich weiß kaum noch, wie wir die Tage bis zum 29. Juni verbrachten. Es war ein heißer Frühsommer. Die Kinder gingen morgens zur Schule, T. war in der Garnison, ich erledigte mit dem Dienstmädchen das Notwendige im Haushalt, und Mutter saß meist am Erkerfenster, eine angefangene Strickarbeit auf den Knien (wann hatte sie wohl stricken gelernt?), schaute hinaus ins Grüne, oder sie zupfte verwelkte Blütenblätter vom roten Storchenschnabel auf den Fenstersimsen. An schulfreien Nachmittagen fuhren wir aus, picknickten im Freien, an einem Bach oder einem Waldrand, die Töchter suchten Walderdbeeren, die wir in Bechern zerdrückten, mit Zucker und Milch vermischten. Einmal sagte Emily, dieses Gemisch möge sie beinahe so sehr wie Scherbett mit Pfefferminz- oder Rosengeschmack, und das brachte mir blitzartig in Erinnerung, wie wir damals in Alexandrien, auf der Reise nach Sansibar, zum ersten Mal davon kosteten, oder wie wir es später an vielen Abenden in Beirut, auf der Terrasse unseres Hauses, glasweise löffelten und uns ohne Worte nahe waren, in einer Zukunftslosigkeit, die mir gerade recht war. Erinnerst auch Du Dich daran? Die Jahre mit T. hatten all das fast ganz in mir zugeschüttet, doch Emily brachte es wieder zum Vorschein. Wir lagerten auf Wolldecken, von Sonnen- und Schattenflecken übersät, Mutters Arme waren faltig geworden, sie neben den straffen ihrer Enkelinnen zu sehen, tat weh. Sie hatte die Augen geschlossen, bisweilen zuckte ein Lächeln um ihre Mundwinkel, das war inzwischen selten bei ihr. Man brauchte nicht zu fragen, wohin sie in solchen Momenten ihre Gedanken trugen. Auch ich sehnte mich zuinnerst nach dem anderen Land, dem anderen Licht, den anderen Gerüchen, nun ja, wohl nach der entschwundenen Jugend. Mit dieser Sehnsucht bist Du, mein lieber Bruder, anders umgegangen als ich, waghalsiger. Aber haben Dir Deine Reisen, Deine Aufenthalte im Orient etwas von dem, was Du Dir wünschtest, zurückgebracht?

Du wolltest mit Therese in diesem Sommer 14 nicht extra aus London kommen, um Emily zu sehen. Das nahm sie Euch übel, dabei musste ihr doch klar sein, dass T. und Du einander aus dem Weg gingt. Bei Euren wenigen Begegnungen hattet Ihr ohne viele Worte erkannt, wie weit entfernt Eure politischen Standpunkte waren. Mit dem Polterer Brandeis war es noch schlimmer, Du hattest Dich mit ihm schon verkracht, als Du zu Tonys Hochzeit nach Beirut kamst.

Anfang Juli hatte die Mutter ursprünglich abreisen und noch zwei Wochen in Berlin bei Tony verbringen wollen und leider auch bei Brandeis. Dann wurde Franz Ferdinand in Sarajewo erschossen, die Julikrise hielt uns in Atem. Der Krieg wurde unausweichlich, obwohl Du später behauptet hast, man hätte ihn bis zur letzten Minute verhindern können. Auch in Bromberg, in der Provinz Posen, schrien die Deutschen, die sich auf den Straßen versammelten, ihre Kriegsbegeisterung hinaus. Unter diesen Umständen, sagte ich zu T., wäre es fahrlässig, Emily zurück nach Beirut reisen zu lassen, es drohe ja auch der Seekrieg. »Ein paar Wochen mag sie bleiben«, gab er zur Antwort, »nachher schauen wir weiter.« Er glaubte an einen kurzen Feldzug, an die klare Überlegenheit der deutschen Waffen (genau so, wie es 1940 auch wieder der Fall war). Die Heere wurden in Marsch gesetzt, T. musste sein Artillerieregiment nach Osten, an die russische Grenze, führen. Begeisterung las ich nicht aus seiner steinernen Miene, aber Kampfeswillen bis zum Äußersten. Ich bekam zum Abschied zwei Wangenküsse, die Mädchen weinten.

»Es wird sich schon geben«, sagte Mutter, die danebenstand; ich hatte meine Zweifel und behielt sie in der aufgeputschten Atmosphäre lieber für mich.

Sie blieb bei uns. Der Krieg weitete sich aus und zog sich in die Länge. An der Ostfront – das schrieb mir T. mit Stolz – erzielten die deutschen Armeen zwar beachtliche Erfolge, doch an der Westfront bissen sich die Feinde aneinander fest. Das Osmanische Reich wurde, auf der Seite der Mittelmächte, im November in den Krieg hineingezogen. Mutter, im Herzen trotz allem eine Araberin, sehnte sich zurück nach Beirut, sie studierte jeden Tag die Frontberichte in der Zeitung, um herauszufinden, ob es nicht doch einen sicheren

Weg dorthin gäbe, zu Land oder zu Wasser, möglicherweise um ganz Afrika herum. Aber es war nicht mehr möglich, ohne Lebensgefahr durch den Suezkanal zu reisen, der nun von osmanischen Truppen bedrängt, von britisch-ägyptischen verteidigt wurde. Widerwillig sah Mutter das ein.

Die Feldpost funktionierte nur unregelmäßig. In einem Brief machte ich T. klar, dass ich es als meine Tochterpflicht erachtete, die Mutter bei uns zu behalten. Nach drei Wochen kam seine geharnischte Reaktion, ein paar hingekritzelte Zeilen nur: Warum Emily nicht zu Tony reise oder in die Schweiz, wo sich Said verstecke, unter Geschwistern solle man die Lasten aufteilen. Eine Last – das Wort erboste mich – war Mutter nicht für mich, eine Herausforderung allerdings schon. Sie wäre es auch für Dich, für Euch gewesen, aber Du fandest immer einleuchtende Gründe, weshalb es ungünstig sei, sie für längere Zeit bei Euch zu haben. Und es stimmt ja auch, dass sie mit Deiner Therese ihre Mühe hatte. Ich fragte sie, bei welchem der drei Kinder sie am liebsten bleiben würde oder ob sie so etwas wie eine Rotation von Kind zu Kind vorziehe. Mutter entgegnete, sie wolle bei uns wohnen, sie könne sich nicht dauernd umgewöhnen, und ich sei doch das liebevollste und geduldigste ihrer Kinder. Ihre Stimme klang erstickt, als sie dies gestand, mir kamen die Tränen, das hätte ich nicht geglaubt.

Ich schrieb T., inzwischen Brigadekommandant, dass ich seine Schwiegermutter nicht wegschicken würde, sie könne ihr Zimmer bei uns so lange behalten, wie sie es wünsche und wie es notwendig sei. Er werde mich zu nichts zwingen, war seine Antwort, doch er sei nach wie vor dagegen, und er fügte an, vielleicht freue es mich ja zu vernehmen, dass er, trotz der nächtelangen Beschießung durch den Feind, bisher unverletzt geblieben sei. Ich grübelte, weshalb Emily ihm so zuwider war. Offen hatte er es ja nie gezeigt, so wie ich ihn nie offen danach fragte. Lag es an ihrer arabischen Herkunft, an ihrer Art, ihn skeptisch zu mustern, daran, dass sie ihm nicht überaus herzlich begegnete? Das Verhältnis der Töchter zu ihr hatte sich inzwischen, vielleicht gerade, weil T. abwesend war, merklich erwärmt, sie hörten der Großmutter auf dem Kanapee, links und rechts von ihr, gerne zu, wenn sie ihnen abends aus *Tausendundeiner Nacht* vorlas. Am liebsten mochten sie *Sindbad der Seefahrer,* der nach der Legende mehrmals auf Sansibar gelandet war. Bertha getraute sich sogar, beim Zuhören den Kopf an die Schulter der Großmutter zu legen. Das tat ihre Schwester, die kleine Emily, nicht, sie war ein sehr gefasstes und sprödes Kind, vermied auch später jeden Gefühlsüberschwang, genauso wie ihr Vater.

Mutter blieb bei uns. Sie wurde ein Teil der Rumpffamilie, die T. alle zwei, drei Monate für ein paar Urlaubstage wieder vervollständigte. Aber die neuen Gewohnheiten zwischen ihr und uns hatten eine Vertrautheit geschaffen, die ihn ausschloss. Bevor er nach Verdun geschickt wurde, dauerte der Urlaub länger, ganze drei Wochen. Schon da hatte sich sein Gemüt verfinstert, er mochte nichts erzählen von seinen Erfahrungen, zeigte mir nur einmal eine Liste mit den Gefallenen seiner Brigade. Auch im Urlaub schrieb er täglich ein paar Beileidskarten für die trauernden Angehörigen. Nach seiner endgültigen Heimkehr war er wortkarger denn je.

Mitte 1917, das weiß ich noch genau, meldetest Du überraschend Deinen Besuch an. Du würdest wichtige Gespräche in unserer Nähe führen, schriebst Du, das sei doch eine Gelegenheit, uns wiederzusehen. Ich teilte viele Deiner Ansichten nicht, wir hatten uns lange nicht getroffen, ich kannte nicht einmal Deine Tochter Olga, die nun schon zur Schule ging. Als ich nach einem Abendessen allein mit T. war, sprach ich ihn darauf an. Auch Emily drang auf Deinen Besuch; wahrscheinlich hatte ja ohnehin sie hintenherum dieses Treffen eingefädelt. Ihre Beziehung zu Dir blieb undurchschaubar, lange warst Du ihr Liebling gewesen, ein richtiges Muttersöhnchen. Es brachte sie beinahe um, als sie Dich in die Kadettenanstalt verbannen musste. Natürlich merkte sie später, dass Du Distanz zu ihr suchtest und Dich darauf beschränkt hast, ihr in der Erbschaftsangelegenheit beizustehen.

Was dann geschah, habe ich Dir bisher vorenthalten. T. fuhr in seinem Lesesessel auf, als hätte ich ihm einen Faustschlag versetzt.

»Auf keinen Fall!«, schrie er mich an; es war ein Ausbruch ohne jede Vorbereitung. »Dieser Mann kommt mir nicht ins Haus!«

Seine Kommandostimme erschreckte mich, doch ich hielt ihr stand. »Was immer er vertritt«, sagte ich und suchte seinen flackernden Blick festzuhalten, »er ist und bleibt mein Bruder.«

Um seinen Zorn zu zügeln, knetete T. die Hände, seine Bauernhände. »Ein Schwächling ist er, ein Drückeberger! Das weißt du so gut wie ich. In einer Zeit, da sich in Deutschland die Reihen schließen, in einer Zeit, da sich unsere jungen Männer für den Fortbestand der Nation opfern, hat er sich verkrümelt, der Herr Premier-Leutnant außer Dienst. Abgehauen ist er, in ein Land, das sein Deutschtum verrät wie er seines. Dort ist er in sicherer Hut, ach ja. Dass man ihn überhaupt bei uns noch einreisen lässt! Und warum musste er ausgerechnet eine Jüdin heiraten? Das ist doch die reinste Provokation!« Er schwieg und nagte so intensiv an der Unterlippe, dass sie zu bluten begann; diese Unart glaubte ich ihm eigentlich abgewöhnt zu haben.

Seine Schimpftirade weckte meinen schwesterlichen Instinkt. »Es ist alles komplizierter, als du es haben willst. Said ist ein gescheiter Kopf, ein eigensinniger dazu, seine Meinungen sind unbequem, aber nie polemisch, im Gegensatz zu deinen jetzt gerade. Und vielleicht müsstest du ihm sogar in einigen Punkten recht geben. Bloß erlaubst du dir das nicht.«

Es hielt ihn nicht länger in seinem Sessel, er stand auf, ging mit fuchtelnden Armen hin und her. »Ein himmeltrauriger Pazifist ist er, dein Bruder! Man hat mir zugetragen, dass er deutschfeindliche Leserbriefe an ein Schweizer Blatt schickt. Er hat die Stirn, fürs Nachgeben zu plädieren, während unsere Feinde uns zu überrennen drohen! Wir sollten England nicht länger hassen, fordert er, schlimmer noch: er will, dass wir unsere Schutzgebiete preisgeben!« T. trat so heftig auf, dass mir schien, er tue seinem schwer gewordenen Körper Gewalt an. Plötzlich blieb er vor mir stehen und fauchte mich an, dass ich an die Wand zurückwich. »Weißt du, was das ist? Landesverrat! Ich lasse ihn verhaften, wenn er hier auftauchen sollte, glattweg verhaften!«

»Das steht wohl außerhalb deiner Kompetenz«, sagte ich und reichte ihm ein Taschentuch, ein altväterisch kariertes, er wollte keine anderen in unserem Haushalt. Ich wies auf seinen Mund. »Wisch dir das Blut ab, bitte.«

Er zwinkerte, in seinem Gesicht war eine Röte, die mich mehr erschreckte als seine Verwünschungen. Er nahm das Taschentuch, wischte sich flüchtig über den Mund, was aber das Blut, das aufs Kinn getropft war, noch weiter verschmierte.

In diesem Moment hörte ich in meinem Rücken Emilys Stimme; sie war lautlos ins Esszimmer getreten und hatte uns vermutlich schon eine Weile zugehört. »Ich will keinen Streit in diesem Haus!« Sie wirkte kühl, sogar ein wenig arrogant, nur ihre Heiserkeit und die verschliffenen Vokale verrieten ihre Anspannung. Zu T. sagte sie: »Du kannst dich beruhigen, Said wird uns hier nicht besuchen, ich werde zu ihm nach Luzern fahren. Die Bahnlinien in die Schweiz sind ja intakt.«

»Das ist doch eine unnötige Auslage«, wollte ich erwidern. Aber ich stockte nach den ersten Worten; um Emilys Mundwinkel hatten sich tiefe Falten gebildet. Diese Miene konnte ich seit meiner Kindheit deuten. Es war ihr ernst, sie wollte nicht, dass sich die Mitglieder ihrer Familie gegeneinanderstellten, zumindest nicht mit offenem Visier.

»Dann fahr eben zu ihm«, sagte T., erstaunlich leise, froh wohl, den Kampf gewonnen zu haben; er ging zu seinem Sessel zurück und plumpste so schwerfällig hinein, dass die Federn quietschten.

»Eine Mutter«, wandte sich Emily an mich, »hat das Recht, ihren Sohn und ihre Enkelkinder in die Arme zu schließen.«

»Ungefährlich ist es nicht, in diesen Zeiten so weit zu

reisen«, antwortete ich. »Die Züge sind überfüllt mit Soldaten. Sie fahren nicht nach Fahrplan. Und du bist auch nicht mehr die Jüngste.«

Jetzt gönnte sie mir sogar ein Lächeln, ihre Verkrampfung hatte sich gelöst. »Nein, das bin ich nicht. Ich habe warten gelernt in meinem Leben. Und ich werde warten, bis der Krieg zu Ende ist. Bald, denke ich. Aber dann reise ich. Allein.«

»Bald«, murmelte T. vor sich hin, legte die Hand aufs Brustbein, danach – ich redete mit Mutter noch im Sitzen weiter – kam kein Wort mehr von ihm. Überhaupt sackte er nach dieser Episode wieder zurück in sein Schweigen. Es war ein letztes Aufbäumen des T. von einst gewesen. Ein paar Minuten hatte er Verdun vielleicht aus seiner Erfahrung getilgt, aber es war in ihm, es zersetzte seinen Geist, es fraß ihn auf. Kannst Du ermessen, wovon Du, lieber Bruder, verschont geblieben bist? Bist Du wenigstens dankbar dafür, dass Du nicht in morastigen Gräben über Leichen klettern musstest?

Wir tranken zusammen an diesem Abend noch Kaffee, den schwachen mit viel Milch, den Mutter »Brühe« genannt hatte. T. verließ sogar seinen Sessel, um sich zu uns zu setzen. Die Töchter kamen herunter, sie nahmen sich ein paar Biskuits, schauten scheu in die Runde. Später fragte mich die Ältere, warum wir so laut gewesen seien. Ich gab eine ausweichende Antwort. Ach, unsere auseinandergefallene Familie! Den Onkel Said, um den es gegangen war, kannten sie sowieso kaum, mit Antonie verband uns, wegen Brandeis, auch nicht viel. Ohnehin war sie, seit dem Erfolg ihres Kochbuchs, mir gegenüber ziemlich hochnäsig geworden, als wäre ich die Einzige der drei Geschwister, die es zu nichts gebracht hätte. Kein Mensch wusste – auch Du nicht –, in welchem Ausmaß ich Mutter beim Verfassen ihrer Memoiren geholfen hatte. Ich hatte ihr geschworen, es niemandem zu sagen, ich sage es erst jetzt, lange nach ihrem Tod, und ich schreibe es Dir, ohne zu wissen, ob Du es je lesen wirst. Damals, nach unserer ersten Sansibar-Reise, fing sie an, ihre Kindheitserinnerungen aufzuschreiben, nicht nur wir, auch Bekannte ringsum hatten sie mehrfach dazu aufgefordert. Wir wohnten in Berlin, an der Genthinerstraße (wo Du, der Kadett, nur selten warst). Ich ging noch zur Schule, Antonie lebte auf Schloss Steinhöfel, als Gesellschafterin der Baronin Massow. Eines Abends bat mich Mutter, den Anfang des unfertigen Manuskripts durchzulesen. Ich war knapp sechzehn, verfügte aber über ein gutes Sprachgefühl und einen großen Wortschatz, ich war sattelfest in Orthographie und Grammatik. Mutters Vertrauen machte mich stolz, ich ging abends mit größter Sorgfalt die Seiten durch, die sie mir gab. Ich staunte, wie passabel Mutter inzwischen Deutsch beherrschte, dennoch gebrauchte sie häufig falsche Artikel, verwechselte die Fälle, machte Fehler in der Rechtschreibung. Ich korrigierte dies alles, und als sie mir mehr zu lesen gab, diskutierte ich mit ihr auch über den Inhalt. Ich drängte sie dazu, das eine oder andere noch plastischer und farbiger zu beschreiben. In den Ruinen von Beit il Mtoni waren wir ja, im Jahr zuvor, gemeinsam gewesen, da hatte Mutter um das Verlorene getrauert und wenig erzählt. Nun aber kamen so viele Einzelheiten zum Vorschein, dass ich mich in das Hofleben hineinversetzen konnte, als wäre ich selbst ein Kind gewesen, das dort aufwuchs. So verstand ich besser, welch radikaler Bruch es war, als aus Salme Emily wurde. Und wieder hätte ich gerne – in beklommener Neugier – mehr gewusst über die Liebe zwischen ihr und Heinrich, doch da blieb sie diskret, geradezu schamhaft. Es gehöre sich nicht, sagte sie, eine solche Liebe breitzuschlagen. Das korrigierte Manuskript schrieb sie noch einmal ab. Wir kamen feierlich überein, meine Mitarbeit zu verschweigen. Der Verlag war über eine Mittelsperson erstaunlich rasch gefunden, der Text wurde ein weiteres Mal lektoriert, dann ging das Buch in Druck und hatte Erfolg; Mutter war eine Weile sogar berühmt, was ihr allerdings nicht behagte. Auf der andern Seite wusste sie es zu schätzen, dass ihr die *Memoiren einer arabischen Prinzessin* unerwartete Einkünfte bescherten.

Doch ich kehre zurück zu Mutters letzten Jahren. Das Leben wurde härter im Kriegswinter 1917/18, die Vorräte gingen zur Neige, immer häufiger standen gekochte Rüben auf unserem Tisch. T. hoffte nach dem Frieden mit dem revolutionären Russland auf die letzten deutschen Offensiven im Westen, er wurde noch vergrämter, als sie scheiterten. Über den Waffenstillstand im November, der einer Kapitulation gleichkam, schüttelte er den Kopf, sagte aber einmal, mit einer Spur von Genugtuung: »Jetzt hört das Töten endlich auf.« Danach legte er den Kopf auf die Zeitung, die er gerade las, und schloss die Augen, ein alter Mann mit zerfurchtem Gesicht und doch erst sechsundfünfzig Jahre alt. Brandeis und er waren sich, in ihrer maßlosen Enttäuschung, vielleicht näher, als sie je wahrhaben wollten.

Anfang Dezember 1918 fuhr Emily in der Tat zu Dir nach Luzern, wo Du mit der Familie noch ein halbes Jahr bliebst.

Sie schickte eine Karte vom Vierwaldstättersee, Du und Therese hattet darauf unterschrieben, auch Olga, unbekannterweise, mit krakeliger Schrift. Am Rand hattest Du, winzig klein und nahezu unleserlich, hingeschrieben: Lasse auch Martin grüßen! Fast, als wolltest Du fragen, ob nun der General eines Besseren belehrt worden sei. T. nahm den Gruß zur Kenntnis, sagte aber nichts dazu.

Es war anzunehmen, dass bei den Friedensverhandlungen auf Kosten Deutschlands der polnische Staat wiederauferstehen und unser Bromberg dazugehören würde. So zogen wir Anfang 1919 nach Jena, ins Haus von T.s Eltern, das er geerbt hatte. In diesem Haus weichte er allmählich auf, verlor viel von seiner Härte. Das Kopfschütteln verging ihm nicht, jetzt galt es den politischen Entwicklungen in der Weimarer Republik, deren Stabilität er nicht über den Weg traute. Ich lernte die eigentümliche Kindlichkeit in T. wieder lieben, ein wenig zumindest. Dass meine Mutter nach einem zweiten Aufenthalt in Luzern erneut zu uns kam, schien jetzt auch für ihn selbstverständlich zu sein. Ihr Zimmer im oberen Stock war das kleinste im Haus, sie wollte kein größeres. Mir kam es vor, als habe sie ihre Lebenssphäre freiwillig immer weiter schrumpfen lassen. Sie und T. spielten an manchen Abenden inzwischen Eile mit Weile, ich sah sie beide lachen, und das hätte ich lange Zeit für unmöglich gehalten.

Eines Abends vertraute sie mir an, sie habe nach ihren Memoiren einen Bericht über ihre erste Zeit in Deutschland verfasst, heimlich, ja, und in Form von Briefen an eine ehemalige Gefährtin in Sansibar, ohne Absicht, sie je abzuschicken, schon nur deshalb, weil sie sich auf Deutsch ausdrücke. Sie schreibe bisweilen an diesem Bericht weiter oder ergänze ihn, es tue ihr gut, sich Rechenschaft abzulegen über ihre damalige Hilflosigkeit. Ich war bewegt und fragte, ob ich das neue Manuskript lesen dürfe, ob sie an eine Veröffentlichung denke. Sie schüttelte den Kopf: Nein, das wolle niemand lesen, es sei zu traurig, auch brauche sie keine Korrektorin mehr, Deutsch sei ihr nunmehr so geläufig wie das Arabische. Aber wir Kinder sollen nach ihrem Ableben erfahren, was sie vor allem in Hamburg durchgemacht habe; so würden wir vielleicht auch ihre düsteren Gemütszustände besser verstehen. Was wir dann mit den Heften anstellen würden, sei unsere Sache.

»Ach, Mutter«, sagte ich. »Sprich doch nicht davon. Du lebst noch lange.«

Sie berührte sanft meinen Arm und schwieg. Dann zeigte sie mir, wo sie in ihrer Kommode die Hefte verwahrte, in derselben Schublade, in der auch das Säckchen mit Sand lag, das sie aus Sansibar mitgebracht hatte. Ich versprach ihr, mich an ihre Anweisungen zu halten. Ein einziges Mal – sie war auf Besuch bei Dir – konnte ich der Versuchung nicht widerstehen, eines der Hefte hervorzunehmen und darin zu blättern. Ich brach die Lektüre bald ab, es ging um Heinrichs Unfall und Tod, und ich ertrug es nicht, mich in ihre damalige Lage hineinzuversetzen. So legte ich das Heft tränenblind zu den anderen zurück und fragte mich erst nachträglich, weshalb ihr Deutsch nun tatsächlich fast makellos geworden war. Keine Durchstreichungen, keine Korrekturen auf diesen Seiten. War es eine Abschrift? Der Verdacht lag nahe, dass ihr auch hier jemand geholfen hatte. Das konnte eigentlich nicht sein, ich hätte es doch gemerkt. Ob es so war oder nicht, ist mir noch heute ein Rätsel, sie hat es, wie andere auch, mit ins Grab genommen.

Sie wurde schwächer in den nächsten Jahren, trotz ihrer erstaunlichen Zähigkeit, sie verlor weiter an Gewicht. Die Öffentlichkeit hatte die Prinzessin von Oman und Sansibar nahezu vergessen. Einige Male besuchte sie Antonie, die sich inzwischen von Brandeis getrennt hatte und nach Hamburg, in unsere Geburtsstadt, gezogen war. Noch einmal traf sie sich, im Sommer 1923, mit Dir in Lindau am Bodensee. Kurz vorher hatte die Regierung von Sansibar der einstigen Prinzessin eine jährliche Zuwendung von hundert Pfund bewilligt. Das war – ich rechne es Dir hoch an – hauptsächlich Deiner Hilfe, das heißt Deinen Vorstößen und Eingaben ans Sultanat und an die britische Regierung zu verdanken, und Du warst es auch, der ihr das Zugeständnis abrang, auf alles Übrige, was sie sich von Sansibar erhofft hatte, endgültig zu verzichten. Die Zeit dafür war reif, aber vielleicht nahm es ihr auch den letzten Lebensmut, die letzte Kampfenergie, die sie noch aufrecht hielt. Nach ihrer Rückkehr vom Bodensee wurde sie beinahe so schweigsam wie mein Mann. Wir waren nur noch zu dritt im Haus, die Töchter studierten in München, wir führten als Ehepaar eine Art Schattenleben. Ich schließe nicht aus, dass wir uns einfach vor den bürgerkriegsähnlichen Ereignissen in Deutschland verstecken wollten.

Einmal äußerte Emily die Idee, doch noch – zum Sterben, wie sie mit großer Sachlichkeit sagte – in den Orient zurückzukehren; sie kam nicht mehr darauf zurück. Ihr leuchtete wohl ein, was ich dagegen einwandte: dass sie die Pflege, die sie unter Umständen benötigen würde, hier leichter bekäme als in Beirut oder in Sansibar, und zwar von mir.

Ich bin müde, lieber Bruder, das Licht ist schlecht, eine alte Petroleumlampe tut flackernd ihren Dienst für mich alte Frau, Strom haben wir seit Tagen keinen mehr, von ferne jetzt Explosionen. Manchmal bete ich, dass unser Haus verschont wird. Im unteren Stock lebt eine Familie von Ausgebombten, freundliche Leute, ich höre kaum etwas von ihnen. Morgen fahre ich mit diesem Brief fort. Ich werde ihn an Deine alte Luzerner Adresse schicken. Nach London würde er ohnehin nicht befördert.

15

Meine Adresse in deutscher Sprache und Schrift notiere ich für Dich auf einem separaten Briefbogen. Tag und Nacht werde ich auf Deine Antwort warten. Und noch einmal, mein Bruder, verhärte Dich nicht länger gegen mich. Das Unglück, das mich getroffen hat, lastet schwer auf mir. Wenn Du mir vergibst, wird der Weltenlenker zufrieden mit Dir sein.

Sonntagnachmittag. Er war bei Therese gewesen und hatte sie unverändert vorgefunden, schwach und bleich, trotzdem gesprächig. Sie werde bald gesund sein, hatte er ihr und sich eingeredet, und sie hatte ihm, mit übergeworfenem Morgenmantel, vorgeführt, dass sie nun schon wieder ein paar Schritte gehen konnte, sie waren sogar im Korridor eine Weile auf und ab gegangen, und er hatte zu überhören versucht, wie hastig und flach sie atmete.

Auf dem kleinen Besuchersofa neben dem Treppenabsatz ruhten sie sich eine Weile aus, so schwer ließ sich Therese fallen, dass vom Polster eine kleine Staubwolke aufstieg. Sie sprach über ihre Temperatur, die am Abend meist höher war, über Olga und ihr fortdauerndes Schweigen, er erzählte, dass er nun doch, angesichts der Pläne, einen jüdischen Staat zu errichten, einen Essay über die prekäre Lage der Araber in Palästina plane, sie zählte auf, wer aus ihrer Verwandtschaft noch immer vermisst werde. Auf Umwegen – so geschah es häufig – kehrten sie zurück zu ihren Londoner Jahren, die zunehmend von den Ereignissen in Deutschland überschattet worden waren. Was dort geschah, entzog sich Rudolphs Verständnis. Wie konnte eine Volksmehrheit einem Scharlatan, einem grotesken Wichtigtuer folgen, der durch eine Verkettung ungünstiger Umstände Reichskanzler geworden war? Diesem Deutschland, in dem er als Landes-verräter gebrandmarkt worden war, entfremdete er sich von Monat zu Monat mehr. Wollte er unter diesen Umständen noch als Deutscher gelten? Mit einer arabischen Mutter und einer Jüdin als Ehefrau war er ohnehin kein ganzer Arier. Dennoch kostete es ihn Überwindung, die britische Staatsbürgerschaft zu beantragen, und als er, im November 1934, tatsächlich Brite wurde, fühlte er sich keineswegs glücklich, sondern, vor allem Thereses wegen, erleichtert. Dass er danach seinen deutschen Pass zurückgeben musste, schmerzte ihn mehr, als er gedacht hätte. In seinen Fotoalben suchte er nach der Aufnahme des eben graduierten Leutnants, sieghaft stand er da, in der Haltung und mit dem Schnurrbart Wilhelms II.; alle jungen Offiziere wollten damals aussehen wie der Kaiser. Wie stolz war er, der Halbaraber, auf sein Deutschtum gewesen! Erste Haarrisse hatte es allerdings schon gegeben in dieser nationalistischen Überlegenheitshaltung. Aber dass sein ganzer Stolz nach und nach zerbröckeln würde, hätte er nicht für möglich gehalten.

Sie kamen, dicht nebeneinandersitzend, auf die Jahre zu sprechen, als die Lage für die Juden im Dritten Reich immer schwieriger wurde und erste erschreckende Nachrichten über die Lager zu ihnen durchsickerten. Obwohl er es gar nicht wollte, griff er wieder den Fall von Hedwig Klein auf. Sie hatte sich, im Frühling 1938, an ihn um Rat und Hilfe gewandt. Sie war eine Jüdin, die in Hamburg Islamwissenschaften studierte. Ihre Dissertation über die Geschichte des Sultanats von Oman war von ihrem Professor mit *summa cum laude* bewertet worden; der Dekan aber hatte sich geweigert, einer Jüdin das Doktordiplom zu verleihen. Sie versuchte nun, ein Ausreisevisum zu bekommen und irgendwo im Ausland eine Stelle anzutreten. Rudolph schrieb ihretwegen Empfehlungsbriefe an ihm bekannte Orientalisten in Holland, in England, in den USA, er bekam freundliche Absagen. Er schickte Kopien ihrer Dissertation an die Sultane von Oman und Sansibar. Vielleicht gab es dort eine Möglichkeit, in Archiven, in der Stammbaumforschung tätig zu sein? Nein, leider nicht.

Hedwig Klein wollte zumindest ihre Forschungen fortsetzen, hatte aber aufgrund der Rassegesetze keinen Zugang mehr zu den Universitätsbibliotheken. Rudolph plante von London aus, ihr seine eigenen Bücher zur Verfügung zu stellen. Doch Buchpakete ließ der deutsche Zoll nicht mehr durch. Schließlich schrieb sie, auch eine Stelle als Nanny oder Haushaltshilfe würde sie annehmen, nur weg aus Deutschland wolle sie. Rudolph fand nichts für sie.

Der Ton ihrer Briefe wurde nach ein paar Monaten dringlicher. Große Erleichterung war in ihren Sätzen spürbar, als sich ihr die Chance bot, nach Bombay auszureisen und Sekretärin eines Professors für Orientalistik zu werden. Sie war schon unterwegs, da brach der Krieg aus, das Schiff musste umkehren, sie saß wieder in Hamburg fest. Nur noch vereinzelte Briefe gelangten nach London, dann blieben sie aus. Man musste annehmen, dass sie in ein Lager transportiert worden war.

»Ach, Therese«, sagte Rudolph und lehnte sich unmerklich an ihre Schulter. »Ich habe zu wenig für sie getan, ich habe versagt, in so vielem habe ich versagt.«

»Was hättest du denn noch tun können?«, fragte Therese und streichelte seine Hand.

»Wir hätten sie bei uns aufnehmen sollen«, erwiderte Rudolph. »Vielleicht hätte sie wirklich ein Ausreisevisum bekommen, wir hätten ja auch etwas Geld für sie sammeln können. Sie war begabt, sie wäre eine gute Sekretärin gewesen.«

»Ja, und wer noch? Tausende waren in ihrer Situation, gerade auch junge Leute aus meiner Familie. Du weißt doch, wie beschränkt unser Platz nach den Bombenangriffen und unserem Umzug war, Geld hatten wir auch nicht zum Verschleudern. Und vergiss nicht: Wir haben für Dutzende, denen die Ausreise gelang, Wohnraum in London organisiert. Und einigen hast du sogar Stellen verschafft.«

»Das stimmt«, sagte Rudolph bedrückt, »aber das tröstet mich nicht.« Er verstummte, sie saßen noch eine Weile da, während die eine oder andere Pflegerin grüßend vorbeiging. Dann kehrten sie ins Zimmer zurück. Rudolph half Therese, sich wieder hinzulegen, und geriet dabei selbst außer Atem.

Das kurze Gespräch über Hedwig Klein hatte ihn aufgewühlt, sie ließ ihn nicht los, seit acht Jahren nicht. Zeitweise verblasste die Erinnerung, dann wurde sie wieder quälend deutlich, es war, als hätte sie Fäden nach ihm ausgeworfen und ihn an ihre Existenz gebunden. Im Hotelzimmer suchte er nach ihrem Bild. Ihm fiel ein, dass es zwischen den Seiten ihrer Dissertation lag, die er aus London mitgenommen hatte, vielleicht weil er annahm, er könne daraus für einen Aufsatz zitieren. Er durchblätterte die zusammengehefteten Seiten, er schüttelte sie, das Bild rutschte heraus, ein Passfoto mit fein gezacktem, schon vergilbtem Rand. Er hob es auf, glättete es zwischen zwei Fingern. Sie hatte ihm das Foto im Glauben geschickt, er werde es einem Antragsformular für eine Assistentenstelle beifügen, sie war nach vagen Versprechungen von seiner Seite sicher gewesen, dass er ihr eine solche Stelle, selbst wenn sie miserabel bezahlt wäre, verschaffen würde. Kein typisch jüdisches Gesicht, dachte er und schalt sich selbst für diesen Gedanken. Schwarzes glänzendes Haar, kurz geschnitten, ein offener, leicht skeptischer Blick, ein halbes Lächeln. Sie war ein Jahr jünger als Olga, in Antwerpen geboren; ein Mädchen, in dem irgendwann, aus was für Gründen auch immer, ein leidenschaftliches Interesse für den Islam und das Sultanat Oman erwacht war, und so hatten sich ihre Wege gekreuzt, die schriftlichen zumindest. Ja, sie hätte seine Tochter sein können, und er hatte ihr nicht zu helfen vermocht. Das ging ihm seltsamerweise näher als die – noch unbestätigte – Vermutung, dass Thereses Cousinen deportiert worden waren. Die hatte er nur wenige Male gesehen, an ihre Gesichter konnte er sich kaum erinnern. Hedwig Klein hingegen hatte sich, über den Ärmelkanal hinweg, an ihn gewandt; ihre bittenden, ihre flehenden Worte, in zierlicher Schrift nebeneinandergesetzt, klangen noch heute in ihm nach.

Mit Emily hatte die Doktorandin Klein, oberflächlich gesehen, nichts zu schaffen. Und doch gab es auch hier Verbindungsfäden, die sich in sein Gewissen schnitten. Es war ihm recht gewesen, dass die Mutter bei Rosa lebte, er hatte die Treffen mit ihr immer stärker eingeschränkt. Ihrem Unglück, ihren Anfällen von Traurigkeit war er nicht gewachsen. Wenn er sich zu sehr darauf einließ, zog sie ihn hinein ins schwarze Elend; auch er sah sein Leben oft genug als misslungen, als fehlgeleitet an. Alle seine Bestrebungen, dem Frieden zu dienen, hatten nichts genützt. Und im Kleinen ihr zu dienen, der alternden Mutter, war ihm nicht möglich gewesen. Zu vieles in ihm sträubte sich dagegen. Das hatte gewiss auch mit dem zerrütteten Verhältnis zwischen Emily und Therese zu tun; er, der überall sonst für Versöhnung einstand, war zu feige gewesen, eine Aussprache zwischen den beiden zu erzwingen. Sie hatten geschwiegen, alle drei; jahrelang waren sie sich, wenn überhaupt, mit verkrampftem Lächeln begegnet, eine Jüdin und eine Araberin, und er, der sich für einen Weltbürger hielt, zwischendrin.

Er erinnerte sich an die Wochen, die Emily, Anfang 1919, mit ihnen in Luzern verbracht hatte. Dieses behutsame und zugleich frostige Aneinander-Vorbeischleichen der beiden Frauen. Überdeutlich ein Bild: Auf dem Esstisch gedünsteter Blumenkohl, mit gebräunter Butter übergossen, mit gehacktem Ei und Petersilie bestreut, Therese hat ihn nach jüdischer Tradition zubereitet. Sie will die Schwiegermutter bedienen. Emily hält die Hand über ihren Teller, wendet sich an Rudolph: »Ich mag doch Blumenkohl gar nicht.«

Therese errötet: »Ich hatte es vergessen, entschuldige. Soll ich eine Bouillon für dich machen?«

»Ich habe keinen Hunger«, wehrt Emily ab, »ein Stück Brot, das reicht.«

Die kleine Olga schiebt ihren Teller von sich weg und quengelt: »Ich mag auch keinen Blumenkohl!«

Rudolph sollte sie tadeln und tut es nicht, der Mund ist ihm wie zugenäht. Therese steht auf, trägt den Blumenkohl weg, stellt Brot, Butter und selbstgemachte Himbeerkonfitüre auf den Tisch. Emily schaut vor sich nieder.

»Sie will ja eigentlich nur immer Reis«, sagt Therese, die Schwiegermutter übergehend, zu ihrem Mann, »dabei gibt es im Winter nichts Gesünderes als Gemüse.«

Rudolph nickt, er wendet sich an Olga: »Wenigstens ein paar Bissen hättest du probieren müssen.« Er sieht, dass auch Therese nickt, während Emily die Luft scharf durch die Nase zieht.

Oft hatte er das Gefühl, ein einziges falsches Wort genüge, um zwischen den beiden Frauen einen schlimmen Streit zu entfachen. Vielleicht wäre es besser gewesen, sie hätten sich angeschrien; aber alle drei hatten es bis zur Selbstaufgabe zu verhindern gewusst.

Noch immer hielt er das leicht gewellte Foto von Hedwig Klein in der Hand. Er legte es zwischen die Seiten der Dissertation zurück, entschloss sich aber dann, es in ein Buch zu schieben, in dem es wieder glatt gepresst würde. Der Band auf dem kleinen Gestell, nach dem er griff, waren die *Memoiren einer arabischen Prinzessin,* veröffentlicht vor sechzig Jahren. Es reiste immer mit, wie der Koran und die Bibel; er hatte es mindestens ein Dutzend Mal gelesen. Einige Passagen am Anfang kannte er nahezu auswendig, und bei jeder neuen Lektüre stolperte er wieder über den Abstand zwischen dem übermütigen Kind, das auf den ersten Seiten durch den Palast tollte, und der erwachsenen Frau, die diesem Kind so gar nicht mehr glich. Warum nun plötzlich das Foto der Jüdin Hedwig Klein und das Erinnerungsbuch seiner Mutter zusammenpassen sollten, wusste er nicht. Vielleicht weil beide gekämpft und gelitten hatten in ihrem Leben? Er zögerte und ließ das Foto auf der Kommode liegen. Mit dem Buch aber setzte er sich in den Lesesessel am Fenster, das am späten Nachmittag gerade noch genug Helligkeit hereinließ. Es war nun gut zehn Jahre her, dass er es das letzte Mal aufgeschlagen hatte. Er tauchte ins erste Kapitel ein, das Salmes Kindheit in Beit il Mtoni beschrieb, den Palast, den er bloß als Ruine gesehen hatte, und wieder stiegen die Bilder dieser versunkenen Welt in ihm auf. So viel Lebendigkeit sprach aus Salmes Erinnerungen, so viel Frohmut. Ein sorglos spielendes Kind, noch an Mutters Totenbett war es ihm eingefallen, der kleine Irrwisch mit seinen Streichen, die Reiterin auf dem weißen Esel. Über ihre starrsinnige Verteidigung der Sklaverei musste er hinwegsehen; er hatte diese Passagen nie verstanden. Sie schützte sich damit vor Gewissensbissen; ihr Vater, sie selbst hatten ja viele Sklaven besessen. Und obgleich es wohl stimmte, dass es dem Industrieproletariat in Europa schlechter ging als den Sklaven auf Sansibar, so verkannte sie das schreiende Unrecht, das darin bestand, Menschen als Ware zu behandeln und zu verschachern. Ihre paar rechtfertigenden Seiten hatte er einst, wie ein zorniger Zensor, durchgestrichen, mit einem stumpfen Bleistift regelrecht schraffiert und eingeschwärzt. Und doch hatte er selbst in seinem Büchlein über seinen Großvater Said ibn Sultan das Unrecht der Sklaverei weitgehend verschwiegen. Er sah sich die malträtierten Seiten jetzt wieder an, während draußen der Abend kam, er lächelte über den eigenen Eifer, die eigenen Widersprüche. Ach, Bibi, du hast dich in vielem getäuscht. Das habe ich auch getan. Irgendwann sollten wir zu unseren Irrtümern stehen. Ich habe gehofft, die Welt verändern zu können. Aber vielleicht ist es wichtiger, dass wir mit denen, die wir lieben, Momente von Glück erleben und sie nicht vergessen.

Das Essen ist vorbei. Die Tischgesellschaft, seit zwei Wochen unverändert, langweilt ihn. Man befürchtet, in Streit zu geraten, und beschränkt sich auf Small Talk. Weizmann schweigt meistens, Frau Bloch riecht nach einem süßlichen Parfüm, Peacock, der Amerikaner, rühmt sich und sein Land in schlechtem Deutsch, Sarasin kaschiert seine tief konservativen Ansichten. Und er, Rudolph? Was sollte er sagen? Hat er denn, nach allem, was geschehen ist, überhaupt noch eine klar umrissene Haltung? Ist sie ihm nicht schon lange abhandengekommen?

Wieder in seinem Zimmer, legt er sich gleich ins Bett, um zu schlafen. Aber da ist Salme, da ist Emily. Welche Ruhe plötzlich, als sie dalag, ein lebloser Körper, statuenhaft, mit jeder Minute wurde sie ihm fremder, es kostete Überwindung, einen Kuss auf ihre Stirn zu drücken. Man musste es tun, Sohnespflicht. Doch da ist auch Bewegung, da sind Kinderstimmen. Die letzten Worte, die er von ihr vernahm: »Hört ihr die Kinder lachen?«

Das Durcheinander der Sprachen im großen Palasthof, die Farbenpracht der Gewänder, die unterschiedlichen Hautfarben. Arabisch wird gesprochen, Persisch, Türkisch, Suaheli, Nubisch, Abessinisch, Hindi, von allem schnappst du ein paar Wörter auf. Pfauen stolzieren im Hof herum, Flamingos gibt es, Strauße, du fütterst gerne Gazellen, spielst Verstecken mit deinen Halbschwestern. Wenn ihr ein Straußenei findet, bringt ihr es dem Oberkoch, bekommt dafür eine Handvoll Zuckerzeug, das ihr untereinander teilt. Deine Haare sind in Zöpfchen geflochten, über deinem Rücken hängt ein schwerer Goldschmuck, den dir der Vater geschenkt hat, von seinen Reisen kommt er nie ohne Geschenke zurück. Ihm näherst du dich mit Ehrfurcht, aber ohne Angst, er nimmt dich für eine kurze Weile auf den Schoß, streichelt deine Wangen, seine Hände riechen nach Pferd, nach Sandelholz, nach Zimt, ein unverwechselbarer Geruch.

Die Schule: auch dies ein klares Bild. Sechs- und Siebenjährige auf dem Boden sitzend, sie lernen lesen unter den strengen Blicken der Lehrerin, das Lehrbuch ist der Koran. Wer will, bringt seine Sklaven mit, sie dürfen mitlernen, in deutlichem Abstand zu den Kindern des Sultans. Manchmal, wenn die Lehrerin den Rohrstock einzusetzen droht, versteckt ihr euch vor ihr, klettert auf die blühenden Orangenbäume, die entlang der Badehäuser stehen. Vergnügtes Gelächter von dort oben, der Duft nimmt einem den Atem. Und die Strafe für Unbotmäßigkeit erträgt man, ohne zu mucken.

Einem angriffswütigen Pfau reißt ihr zu fünft ein paar Schwanzfedern aus, danach lässt er euch in Ruhe. Einmal kletterst du ohne Fußstrick auf eine Kokospalme, rufst von oben Vorübergehende an, es leben ja über tausend Leute in Beit il Mtoni. Du freust dich, dass sie erschrecken, dich deiner Kühnheit wegen ausschimpfen, du kommst erst herunter, als du deiner Mutter, die man alarmiert hat, gehorchen musst.

Deine unbezähmbare Neugier! Das Schreiben ist für Mädchen nicht vorgesehen, aber du bringst es dir selbst bei, ritzt heimlich die Schriftzeichen der ersten Sure mit einer Nadel auf das ausgebleichte Schulterblatt eines Kamels. Der Reitunterricht bei einem Eunuchen. Jede Prinzessin bekommt einen weißen Esel, sein Schwanz ist mit Henna eingefärbt, das Zaumzeug glänzt von Gold- und Silberplättchen. Viele Male purzelst du in den Sand, bevor du verlässlich auf dem Sattel sitzt. Das macht dir nichts aus, und wenn dann der Esel losgaloppiert, jauchzt du vor Freude, so hast du's beschrieben, nie habe ich dich zu deinen Lebzeiten jauchzen gehört. Schneeweiß hast du später, in Deutschland, die Reitesel genannt. Den Schnee hast du erst bei uns kennengelernt und also mit diesem einen Wort beide Lebenssphären verschmolzen. So ist dir wenigstens hier gelungen, was dir sonst so schwerfiel, nein, was letztlich unmöglich war.

Besonders geliebt hast du die Ausflüge zu den Plantagen. Tagelang dauern die Vorbereitungen. Nach dem ersten Morgengebet, kurz vor Sonnenaufgang, bricht die Kolonne auf, ein paar Dutzend Leute, Mütter, Kinder, Sklaven, Eunuchen, geordnet zuerst, solange man die Stadt durchquert, dann in fröhlicher Auflösung. Schwarze tragen die Essvorräte in Körben auf dem Kopf, weichen den Kindern aus, die ihre Esel antreiben, andere schützen ihre Herrin mit Schirmen vor der Sonne. Der festliche Empfang dann auf der Plantage, das Gelage, die Waschung vor dem Nachmittagsgebet. Abends lassen Inder Feuerwerk explodieren, die Schwarzen führen ihre Stampftänze vor, man legt sich unter Mond und Sternen hin auf mitgebrachten Matten, flüstert und kichert mit den Nachbarn, bis die Augen zufallen.

Dies alles leuchtet Rudolph in den Halbschlaf. Ein Kind wie Salme wäre er selbst gerne gewesen, Sultanssohn in einem der Inselpaläste. Nein, kein Herrscher, nur Sohn, ein geliebter Sohn. Und bei großer Hitze gibt es den Schatten der mächtigen Mangobäume, in dem sich träumen lässt und hinausstaunen aufs Meer. Eine Idylle? Er weiß ja, dass dies nur die halbe Wahrheit ist, man findet das Elend außerhalb des Palasts. Die Bilder verdüstern sich ohnehin. Salmes Vater stirbt unerwartet, als sie elf ist, auf dem Schiff zwischen Oman und Sansibar. Das Klagegeschrei hallt tagelang durch die weiten Räume. Der Machtkampf zwischen den Söhnen beginnt, das Sultanat wird aufgeteilt, Majid besteigt in Sansibar den Thron, nur knapp geduldet von seinem Bruder Bargash, der schon bald einen Putsch plant, um selber Sultan zu werden. Salmes Lieblingsschwester Chole steht auf seiner Seite, sie überredet Salme, bei der Vorbereitung des Umsturzes mitzuwirken. Sie will Choles Zuneigung um keinen Preis verlieren und ist bereit, Bargashs Briefpost für die Mitverschwörer zu erledigen, sie wird zur Protokollantin der heimlichen Treffen, zur Botin. Aber Majid erfährt von Bargashs Plänen, die Häuser der Verschwörer werden umstellt, der Putsch misslingt, zur Bestürzung der Schwestern. Bargash, dem sie zur Flucht in Frauenkleidern verhelfen, wird gefasst und verbannt, Salme mit Hausarrest bestraft. Gerade dass sich Majid so versöhnlich zeigt, beschämt sie am meisten.

Da ist etwas in dir zerbrochen, durch eigene Schuld. Vielleicht hast du deshalb nach anderen Lebensmöglichkeiten Ausschau gehalten, vielleicht haben dich deshalb die Europäer derart fasziniert. Im Stadthaus, das du nun bewohnst, treibt es dich unausweichlich auf Heinrich zu, ins Glück, ins Verhängnis hinein. Dem Fremden willst du folgen, in einem unbekannten Land willst du vergessen, was du getan hast, und den Bruch ganz vollziehen. Oder war es anders, Mutter? Du musstest die Maske aus goldbesticktem Atlas tragen, nachdem du fünfzehn geworden warst. Diese Maske habe ich nie gesehen, und doch hast du sie stets angelegt, wenn ich erfahren wollte, wie es in dir aussah. Wer warst du, Mutter? Wer warst du im Innersten? Ich habe es erst erfahren, als ich die nachgelassenen Briefe las. Es war zu spät, einander zu erkennen.

16

Ich wünsche mir, mein Bruder, dass Du das, was ich Dir über die Engländer anvertraut habe, für Dich behältst. Ich habe Dir dies nur mitgeteilt, weil ich Dich liebe und Dir beistehen möchte. Die Fotos, die ich mit dem Brief sende, zeigen meinen Sohn Said. Und wenn Du auch ein Bild von meinen beiden Töchtern sehen möchest, braucht es nur ein Zeichen von Dir, und ich schicke es Dir in der kürzestmöglichen Zeit.

Jena, den 27. Mai 1943

Ich fahre fort, lieber Said, ich erzähle Dir, was Du größtenteils schon weißt, aber ich erzähle es aus meiner Sicht. Sei mir deswegen nicht böse, vielleicht bist Du jetzt bereit zu ertragen, dass ich manches anders sehe als Du.

Mitte Februar 1924, nach einer Reihe sehr kalter Tage, begann Mutter immer stärker zu husten. Sie schluckte zunächst die üblichen Mittel, die allerdings nichts nützten, und weigerte sich tagelang, einen Arzt beizuziehen. Das sei eine simple Erkältung, murrte sie; noch einmal erlebten wir ihren schier unüberwindbaren Eigensinn, der womöglich auf Scham beruhte oder auf Angst. Als sie fiebrig wurde, Schleim spuckte und über Brustschmerzen klagte, nötigte ich sie, sich endlich von Doktor Schwarz, unserem Hausarzt, untersuchen zu lassen. Er machte, als er ihr Zimmer verließ, eine bedenkliche Miene. Aufgrund der Atemgeräusche, der beginnenden Atemnot und aller übrigen Symptome vermute er eine Lungenentzündung, flüsterte er mir zu. Ja, es könnte schlimm enden. Konsequente Bettruhe, Luftbefeuchtung, Fußwickel, Inhalationen. Den Auswurf fördern mit schleimlösendem Tee, man dürfe der Patientin auch energisch auf den Rücken klopfen. Er ging die Treppe hinunter wie ein Somnambuler, kein Arzt gibt gerne zu, dass er letztlich hilflos ist. Noch am selben Abend telegrafierte ich nach Hamburg und London, informierte Antonie und Dich: unsere Mutter sei schwer krank, ihr müsstet euch beeilen, wenn ihr sie noch lebend antreffen wolltet. Ihr meldet beide zurück, dass Ihr so schnell wie möglich kommen würdet. T. sagte ich, nun müsse er es wohl oder übel akzeptieren, dass Said unser Haus betrete; einem Sohn könne er nicht verwehren, von der sterbenden Mutter Abschied zu nehmen, und überhaupt sei es Zeit, den alten Streit zu begraben. T. saß wie gewohnt in seinem Sessel und schaute mich zweiflerisch an, er war schon ein wenig schwerhörig geworden, und ich wusste nicht, ob er mich richtig verstanden hatte. Dann aber nickte er, sogar ein kleines Lächeln glitt über sein Gesicht. »Nu ja«, sagte er ganz sanft, »so mag er eben kommen. Man sagt doch auch: Die Zeit heilt Wunden.«

Bei seinem nächsten Besuch diagnostizierte Dr. Schwarz eine doppelseitige Lungenentzündung, er verschrieb Morphium, tropfenweise bei Bedarf, und stellte verklausuliert in Aussicht, dass Emily noch eine Woche oder zwei zu leben hätte, länger kaum. Sie ins Krankenhaus zu transportieren, sei sinnlos, man könne sie dort nicht anders behandeln und nicht besser pflegen als hier.

Antonie traf früher ein als Du (ich erkannte Dich kaum, Du warst merklich in die Breite gegangen); aber Emilys letzte fünf Tage verbrachten wir zusammen im Haus. Ich nehme an, auch Du hast das nicht vergessen. Es war eine seltsame Zeit, traurig und manchmal paradoxerweise feierlich hochgestimmt. Seit dem Jahr in Beirut waren wir uns nicht mehr auf diese Weise nahe gewesen. Eine Geschichte ging zu Ende, das schien uns Geschwistern einen neuen Anfang zu schenken. Für T. war es anders. Er begrüßte zwar Schwager und Schwägerin, etwas knurrig, freundlich für seine Verhältnisse, aber danach sonderte er sich von uns ab, er trug den Lesesessel aus dem Salon hinüber in sein Arbeitszimmer. Um uns nicht zu stören, behauptete er.

Emily lag da, sehr still, ich glaube nicht, dass sie übermäßig litt, obwohl ihr das Atmen schwerfiel. Du wirst Dich erinnern: Wir saßen manchmal zu dritt an ihrem schmalen Bett, sie erkannte uns, bekundete Freude, uns zusammen zu sehen. »Meine Kinder«, sagte sie einmal. »Wie groß ihr geworden seid!« Dann wieder hielt nur eines von uns Wache bei ihr. Ich strich ihr gerne ihre silbergrauen Strähnen aus der Stirn, betrachtete deren schöne Wölbung, mich rührten auch ihre kindlich mageren Handgelenke. Die unangenehmen Pflegedienste übernahm ich, obwohl sich auch Antonie anbot, ich sorgte dafür, dass ständig frische Betttücher und Nachthemden vorhanden waren, lüftete häufig, um die schlechten Gerüche zu vertreiben.

Mutter, so kam es mir vor, war in diesen letzten Tagen

dankbar für alles, was wir für sie taten. Du flößtest ihr Tee ein, essen wollte sie nicht mehr. Tony maß das Fieber, putzte ihr den Schleim vom Mund, ich fragte sie, ob wir ihr aus der Bibel vorlesen sollten. Das wollte sie nicht, auch den Besuch des Gemeindepastors lehnte sie ab. Wir mussten ihr aber versprechen, dass die Urne mit ihrer Asche neben der von Heinrich beigesetzt werde. Wenn Mutter tief genug schlief, ließen wir oben die Tür offen und setzten uns an den Esstisch. Tonys Züge waren hart geworden, sie redete in einem Ton, als müsse sie sich dauernd verteidigen. In ihrem blauen Faltenrock und mit der Kurzhaarfrisur sah sie ältlich aus, gar nicht mehr adrett wie früher; die Trennung von Brandeis war für sie gewiss schwieriger gewesen, als sie zugeben mochte. Du hattest einen kummervollen Blick, die Rolle des Besserwissers schien Dir nicht mehr zu liegen. Hingegen wiesest Du uns mehrmals darauf hin, dass Du nun bald als männlicher Nachkomme der Al-Bu-Dynastie anerkannt würdest und wir alle drei damit rechnen dürften, in den offiziellen Stammbaum aufgenommen zu werden. Ich muss gestehen, dass mir das weniger wichtig war als Dir. Mutter allerdings, sagtest Du in traurigem Groll, nehme das Zerwürfnis mit ins Grab, trotz der hundert Pfund Sterling pro Jahr, die ihr als Almosen gewährt worden seien. Lebendig am Tisch wurde es, wenn wir in Erinnerungen abtauchten, die sich aber bei uns dreien in unterschiedlichen Facetten zeigten. Rudolstadt wurde wieder gegenwärtig, der Moment, als sich offenbarte, dass unsere Mutter eine Prinzessin war, die Baronin von Tettau mit ihren Goldkettchen und den Naschereien aus der Konditorei, die sie mitbrachte. Die Zeit in Köln, als Du in die Kadettenanstalt kamst, die traurigen Sonntagabende, wenn Dein Urlaub zu Ende war. Und vor allem die lange Reise nach Sansibar, das Unwahrscheinliche, das bestürzend Neue, das auf der Insel über uns hereinbrach. Es konnte geschehen, dass wir uns in eine plötzliche Heiterkeit steigerten, miteinander lachten, bis T. wie ein mahnender Geist in den Raum trat und den Finger auf den Mund legte. Ja, wir waren ihr Rücksicht schuldig, wir hatten es mit einer Sterbenden zu tun und wollten doch nach ihrem Tod weiterleben. Wir verstummten, T. schlurfte zurück in seine selbst geschaffene Zelle, die er zweimal wöchentlich zur immer gleichen Uhrzeit für den Stammtisch mit vier Kriegskameraden verließ. Konflikte zwischen uns Geschwistern zeigten sich nur ansatzweise, am ehesten, als wir darüber redeten, was mit Emilys Hinterlassenschaft geschehen sollte. Es gebe ein Testament, teiltest Du uns mit, Du kanntest offenbar den Inhalt. Hattest Du es für sie verfasst und beglaubigt? Wo und wann? In Lindau? Es war besser, darüber hinwegzugehen.

Was folgt, weißt Du ja. Aber es tut mir gut, es Dir und mir selbst aus großem Abstand zu erzählen. Unsere Mutter starb am Abend des 29. Februar. Wir waren zu dritt bei ihr, seit dem Vortag war sie nicht mehr ansprechbar gewesen, sie hatte zuletzt noch etwas Unverständliches gemurmelt, wohl auf Arabisch. Dr. Schwarz hatte einen immer schwächer werdenden Puls festgestellt und sich kleinlaut verabschiedet. Die letzte Stunde war hart, sie atmete immer schwerer, ihre Finger krampften sich in die Bettdecke, sie grimassierte, wir konnten nichts lindern, nichts tun. Dann ein letztes Aufseufzen, ein Aushauchen, der verkrampfte Körper entspannte sich. Das Gesicht plötzlich eingefallen, aber friedlich. Ich legte ihr die Kinnbinde an, die Augen brauchten wir ihr nicht zuzudrücken. Ich dachte daran, wie es für sie gewesen sein musste, als Heinrich starb, und erst jetzt kamen mir die Tränen. Ich hörte Tony leise schluchzen, sie griff sogar nach meiner Hand. Du hast keinen Laut von Dir gegeben, aber geschwankt, als Du aufgestanden bist. Wir mussten Dr. Schwarz noch einmal herkommen lassen, damit er den Totenschein ausfertigte. Mit ihm trat auch T. ins Sterbezimmer, in dem nun beinahe ein Gedränge herrschte. Er stand mit gefalteten Händen vor der Toten, er neigte seinen kahlen Kopf und sagte: »Es war doch immerhin ein friedliches Sterben.« Du mochtest gar nicht wirklich hinhören; der unausgesprochene Vorwurf, dass Du im Grunde ein Deserteur seist, hing ständig zwischen Euch beiden, und es mag ja sein, dass Du Dich deswegen geschämt hast. Als ich später im Schlafzimmer mit T. allein war, tat er etwas, das ich schon fast vergessen hatte: Er umarmte mich und strich mir begütigend über den Rücken, das versöhnte mich mit seiner gespielten Gefühllosigkeit. Eigentlich ist es zum Staunen, dass die Verbundenheit zwischen uns, auch wenn sie manchmal nur noch an wenigen Fäden hing, nie ganz abriss.

Wir beschlossen, in der Stadtkirche St. Michael eine Trauer- und Gedenkfeier für Emily abzuhalten und uns zwei Wochen später, nur wir Geschwister, auf dem Hamburger Friedhof Ohlsdorf zu treffen, um die Urne im Familiengrab der Ruetes beizusetzen.

Noch vor der Trauerfeier sichteten wir Emilys Nachlass. Das Testament musste im Beisein eines Amtsgerichtsvertreters eröffnet werden. Die Mutter hatte Dich als Testamentsvollstrecker bestimmt, das gab mir einen Stich, mehr noch, ich fühlte mich ein Stück weit geprellt, hatte doch ich mich am meisten von uns dreien um sie gekümmert. Das wenige Geld, das noch auf ihren Konten lag, ging zu gleichen Teilen an uns, was mit dem Rest geschehen sollte, blieb ungeregelt. Kein Wort über ihre Memoiren und die möglichen Erträge bei Neuauflagen, kein Wort über das unveröffentlichte Briefmanuskript, von dem ich als Einzige wusste. Ich setzte Euch darüber ins Bild, Ihr fandet, ich solle die Hefte als Erste lesen. Ich tat es in der Nacht vor der Trauerfeier. Tony war als Nächste an der Reihe; Du, lieber Bruder, scheutest vor der Lektüre zurück, nahmst die Hefte mit nach London, versprachst, sie zur Beisetzung wieder mitzubringen. Ich entschied für mich, das Sandsäckchen aus Sansibar mit der Urne ins Grab zu legen.

Wir trafen uns, alle dunkel gekleidet, an diesem windigen und kalten Märznachmittag in der Halle des Hamburger Hauptbahnhofs. Immerhin regnete es nicht. Tony war von Fuhlsbüttel gekommen, Du aus London, ich aus Jena. Meinen Töchtern, die mich ursprünglich begleiten wollten, hatte ich klargemacht, dass dies eine Angelegenheit unter uns Geschwistern war. Die Urne mit der Asche trug ich bei mir, in einer schwarzen Leinentasche, in der auch das Sandsäckchen lag. Du hattest einen eng gerollten dunkelblauen Herrenschirm bei Dir. Wir bemühten uns um gedämpfte Herzlichkeit bei der Begrüßung, fuhren dann mit der Elektrischen hinaus nach Ohlsdorf. Die kurze Strecke zum Friedhofseingang legten wir schweigend zurück. Auf die Bestellung eines Pastors hatten wir verzichtet. Aber der Totengräber und ein Friedhofsbeamter warteten auf uns und führten uns auf gewundenem Weg, an kahlen Weiden und Hunderten von Grabsteinen vorbei, zur Grabstätte der Familie Ruete, deren Mitglieder nach einigem Hin und Her erlaubt hatten, Emilys Asche neben Heinrichs Grab beizusetzen. Die kleine Grube war schon ausgehoben, nasse Erdklumpen bildeten einen unansehnlichen Haufen daneben. Die Grabplatte, von Dir in Auftrag gegeben, lehnte an einem Rhododendron. Darauf eingraviert waren Name und Lebensdaten der Toten und ein Satz, den Du eigenmächtig ausgewählt hattest: »Der ist in tiefster Seele treu, der die Heimat liebt wie du.« Schon damals konnte ich mich mit diesem Satz – er stammt von Fontane – nur schwer anfreunden, er scheint mir doppeldeutig in Bezug auf unsere Mutter, die ja zwischen zwei Heimaten stand, was einen guten Teil ihres Unglücks ausmachte. Aber ich mochte, zunächst jedenfalls, darüber nicht streiten. Du hattest stets die intellektuelle Oberhoheit in unserer Familie beansprucht, am besten ließ man sie Dir. Ich versenkte, flankiert von euch, die Urne in der Grube und legte das Säckchen dazu. Was das sei?, flüsterte Tony mir zu. Sand aus Sansibar, antwortete ich, es entspreche bestimmt Mutters Wunsch, ihn ihr mitzugeben. Sie nickte mit versteinerter Miene. Wir standen still da, die Hände gefaltet, während der Totengräber Erde in die Grube schaufelte. Er und der Beamte legten die Grabplatte über die Öffnung; sie war so schwer, dass Du ihnen helfen musstest. Dabei glittest Du aus, fielst auf die Knie und versuchtest unwillig, die Erdspuren mit einem Taschentuch von der Hose zu reiben. Der Schirm lag am Boden. Es war ein grotesker Moment; verzeih, dass ich das so hinschreibe. Der Beamte, ein kleiner und zarter Mann, bat Dich, nachher im Verwaltungsgebäude vorbeizukommen und das Protokoll zu unterzeichnen. Er räusperte sich, zog sich, zusammen mit dem Totengräber, diskret zurück. Wir waren allein, tiefhängende Wolken über uns. Sollten wir beten? Ich zweifelte, ob dies Mutter, die sich wegwerfend als halbe Christin bezeichnet hatte, angemessen war. Doch Du murmeltest etwas; vielleicht war es das Vaterunser oder sogar ein Koranvers, Du konntest ja, als Einziger von uns, einigermaßen geläufig Arabisch.

Da fragte Tony halblaut: »Warum habe ich von diesem Sandsäckchen nichts gewusst?«

Ich erschrak. »Sie hat eine Handvoll Sand von Mtoni mitgenommen und in ihr Taschentuch eingeknotet. Du warst doch dabei.«

»Ich erinnere mich nicht«, entgegnete Tony scharf. »Ich finde nur, du hättest uns darauf vorbereiten können.«

»Ich hatte das Säckchen auch vergessen«, sagte ich. »Es kam zum Vorschein, als ich Mutters Kommode aufräumte.«

Tony stieß einen Laut aus, der beinahe ein Schluchzer war. »Mit anderen Worten: Du hast, ohne unser Beisein, ihre Sachen durchsucht.« Ihr Ton wurde aggressiver. »Meinst du eigentlich, du hast ein Monopol auf sie, bloß, weil sie bei euch gewohnt hat?«

»Nein«, wehrte ich ab. »Dass sie bei uns blieb, war ihr Wunsch, das weißt du doch.«

»Ach!«, fuhr sie mich an, und nun klang ihre Stimme gequält. »Du hast sie dazu überredet, du hast ihr geschmeichelt, du wolltest immer ihr Liebling sein, das gute Hausmütterchen.«

Ihr Angriff machte mich fassungslos, ich suchte nach Worten. »Wie kommst du darauf? Ich habe einfach getan, was ich für meine Pflicht hielt.«

Sie trat einen Schritt auf mich zu, als wolle sie mich körperlich bedrohen. »Du hast sie doch ferngehalten von mir. Immer hatte sie eine Ausrede, wenn ich sie zu mir einlud.«

Ihre Behauptungen brachten mich auf. »Wenn es so war, liegt es wohl auch an dir und deinem Eheleben«, gab ich zurück, lauter, als nötig gewesen wäre. »Kannst du dir vorstellen, dass sie sich einfach wohler fühlte bei uns?«

»Mein Gott«, mischtest Du Dich ein. »Was soll das? Beherrscht euch! Wir stehen hier am Grab unserer Mutter. Ich bitte um Pietät.«

Tony drehte sich zu Dir um; ihre Stimme zitterte. »Ja, lieber Bruder, pietätvoll warst du immer. Aber wenn es darum ging, zur Stelle zu sein, hast du dich oft genug gedrückt.«

Du strafftest Dich, in Dir erwachte, so empfand ich es, der ehemalige Offizier. »Ich bitte dich! Das ist eine böswillige Unterstellung! Ich habe auf meine Weise ebenso viel für Mutter getan wie ihr.«

»Ach so, auf *deine* Weise!« Diese Formulierung löste auch meine Zunge; aus mir brach ein Zorn hervor, den ich lange unterdrückt hatte. »Ein paar Tage habt ihr sie jeweils bei euch beherbergt und dann wieder zurückgeschickt. Du warst ja sowieso immer auf Reisen, unabkömmlich, wenn man dich gebraucht hätte. Und Therese hat nie gelernt, sich mit Mutter zu vertragen.«

Hier trübt sich meine Erinnerung schon ein wenig. Ich glaube, Deine Stimme klang rauh, gepresst. »Da waren gegenseitige Ressentiments im Spiel. Die beiden haben sich zumindest respektiert. Ist es an mir gelegen, sie zu guten Freundinnen zu machen? Du vergisst, dass ich mich mit allen Mitteln für Mutters Erbschaft eingesetzt habe. Weißt du, wie viele Eingaben ich geschrieben, wie viele Gespräche ich ihretwegen geführt habe?«

Nun fühlte sich auch Tony von ihm provoziert. »Und wir Schwestern haben einfach die Hände in den Schoß gelegt, wie? O nein, Bruderherz, du wurdest bloß aktiv, sobald es ums Geld ging. Da sollte auch etwas für dich abfallen, oder nicht?«

»Wenn schon, dann für alle drei!« Du wurdest bleich, Deine Worte gerieten zu einer Art Bellen. »Ich habe ihr, nur damit das einmal gesagt ist, regelmäßig von unserem Geld überwiesen. Therese und ich haben mit ihr geteilt.«

»Bei euch ist ja genug vorhanden«, gab Tony zurück. »Du hast eine Frau aus reichem Haus geheiratet, und die hatte zum Glück einen noch reicheren Erbonkel, da braucht man sich in der Tat keine Sorgen zu machen.«

Sie hatte recht, ich hätte es bloß nicht so offen auszusprechen gewagt. Es ging weiter, Anschuldigungen flogen hin und her, unzensiert, zeitweise redeten wir durcheinander, sehr laut, dem Schreien nahe. Du seist nichts anderes als ein Drückeberger, das warfen wir beide Dir vor, ja, ein Verräter. Aus mir sprach in diesem Moment General Troemer, darüber schämte ich mich hinterher am meisten. Und wir? Mutlose Mitläuferinnen, das kam von Dir, blind gemacht vom nationalen Überschwang, blind gegenüber deutschem Unrecht, unterwürfig gegenüber unseren Männern. Was sonst noch alles an die Oberfläche geriet, weiß ich nicht mehr, ich habe mir wohl auch das Vorherige zurechtgelegt, täusche eine Genauigkeit der Erinnerung vor, die ein solcher Gefühlswirrwarr gar nicht zulässt.

Irgendwann – da bin ich mir sicher – riefst Du so etwas wie »Schluss jetzt! Schluss!« Du hattest gemerkt, wie unvorteilhaft wir uns alle drei ausnahmen, Du versuchtest Dich zu mäßigen, strichst Dir fahrig über den Schnurrbart. »Wenn ihr unbedingt diskutieren wollt, dann bitte schön. Aber nicht hier, nicht an ihrem Grab.« Dein »diskutieren« klang so abfällig wie »schmutzige Wäsche waschen«. Du bücktest Dich nach dem Schirm, drehtest Dich abrupt um, als gehorchtest Du dem Kommando eines Vorgesetzten, und stiefeltest über den schmalen Weg davon. Obwohl Du fest auftratst, wirkte Dein Gang unsicher, Du setztest den Schirm ein wie einen Gehstock. Tony und ich zögerten, folgten Dir dann. Wir schwiegen. Was war bloß in uns gefahren? Der Wind blies jetzt stärker, uns direkt ins Gesicht, die kahlen Buchenzweige am Wegrand wogten auf und ab, ließen Tropfen fallen. Einige liefen in meinen Mantelkragen hinein und trieben mir einen Schauer über den Rücken.

Du hast bei einer Wegkreuzung gewartet, wo eine Ruhebank stand. Du hast stumm darauf gedeutet, wir nahmen nebeneinander Platz, vermieden es aber, uns zu berühren. Der Schirm war zwischen Deine Knie geklemmt. Wir starrten auf die Zypressen gegenüber, ich fröstelte. Eine Familie ging an uns vorbei, jemand trug einen Topf mit blühenden Veilchen mit sich.

»Wir hätten auch für etwas Blumenschmuck sorgen sollen«, sagte ich. »Man vergisst immer so viel.«

»Ich übernehme das«, erwiderte Tony, mit gedämpfter Stimme wie ich.

»Was ich sagen wollte«, setztest Du an, »das wenige Geld, das übrigbleibt, geht zu gleichen Teilen an uns. Das ist euch ja bekannt.« Du räuspertest Dich umständlich. »Ihr beide könnt Mutters nachgelassene Sachen unter euch aufteilen. Sie wünscht sich im Testament, dass ihr euch gütlich einigt. Ich selbst will nichts.«

»Ihre Briefe«, sagte Tony unvermittelt, zu mir gewandt. »Ich habe sie gelesen. Sie hat mehr gelitten, als ich mir je vorstellen konnte.«

»Wir waren doch ihr Ein und Alles«, murmeltest Du mit einem kleinen unglücklichen Lachen. Und nach einer Pause: »Ich finde, man sollte in Deutschland wissen, wie es einer Frau ergeht, die sich in einer völlig fremden Welt zurechtfinden muss.«

Tony reckte ihr Kinn. »Du meinst, wir sollten die Briefe publizieren? Als Gegenstück zu den Memoiren?«

Du nicktest zögernd. »Das Buch würde von vielen gelesen, davon bin ich überzeugt.«

»Du meinst, es brächte uns Einnahmen?« Gleich war wieder eine verletzende Spitze in Tonys Bemerkung.

Die Briefe seien viel zu intim, sagte ich, Mutters Trauer dürfe nicht öffentlich werden, sie gehöre allein ihr und uns, ihren Kindern. Tony stimmte mir zu.

»Zwei gegen einen«, hieltest Du fest, mehr für Dich als für uns Schwestern. »Das ist somit klargestellt.«

»Es sei denn«, sagte Tony zu meiner Überraschung, »ihr traut mir zu, eine Lebensgeschichte unserer Mutter zu schreiben und alles Kompromittierende wegzulassen. Ich bin ja publizistisch erfahren genug und …«

»Ich auch«, schnittest Du ihr das Wort ab.

Ich auch, hätte ich sagen können, ich habe ihre Memoiren korrigiert. Aber das wusstet Ihr gar nicht.

»Wir lassen es besser«, fügtest Du hinzu. »Wir haben zu wenig Distanz zu dieser Geschichte.«

Ich spürte, wie Tony sich an meiner Seite versteifte und fürchtete schon, der Streit werde erneut aufflammen. Ich gab Dir aber in diesem Punkt recht, so gelang es mir, die Gemüter zu beruhigen.

Das Schweigen zwischen uns dauerte lange, es war schwer zu ertragen. Dann sagtest Du tonlos: »Sie wollte eigentlich zum Sterben zurück in den Orient. Es zog sie dorthin, sie wusste, dass ihre Seele nicht hierher gehörte.«

Das wusste ich auch. Aber es war seltsam, Tony und ich begannen gleichzeitig zu weinen, und Deine Atemgeräusche verrieten mir, dass auch Du mit den Tränen kämpftest.

»Ich frage mich manchmal«, sagte Tony, »wohin wir drei eigentlich gehören.« Wir schwiegen erneut. Dann sagte Tony: »Falls ihr mich überlebt, möchte auch ich hier begraben werden. Sorgt dafür, ich bitte darum.«

Ich glaube, Du und ich nickten stumm. Wohin es Tony inzwischen verschlagen hat, weiß ich nicht; ich nehme an, dass sie noch lebt, wir sind ein zähes Geschlecht.

Der Himmel hatte sich inzwischen vollständig bedeckt, es tröpfelte, und der Wind trieb welke Blätter über den Weg, als wäre es Herbst und nicht Vorfrühling. Ich hätte gerne die Hände nach den Euren ausgestreckt. Ich tat es nicht. Wir standen auf, gingen in einigem Abstand nebeneinander her zum Ausgang. Du hättest den Schirm aufspannen können, Tony und ich hätten darunter Platz gefunden, aber es regnete ohnehin nur schwach. Auf der Rückfahrt wechselten wir bloß noch unverbindliche Sätze. Der Abschied war kurz, sehr sachlich, wir tranken nicht einmal mehr einen Kaffee zusammen.

So unterschiedliche Wege waren wir in unserem Leben gegangen, so weit auseinander hatten sie uns geführt, dass es danach kaum noch Kreuzungspunkte gab. Geschäftsmäßiges konnte auch schriftlich erledigt werden, mit floskelhaften Grüßen. Das Briefmanuskript behieltest Du bei Dir, Du überließest es später zu treuen Händen einem niederländischen Orientalisten, mit dem Du seit Jahren korrespondiert hattest; dorthin kam auch Deine Bibliothek. Wer sollte sich heute noch dafür interessieren?

Die von unserem Zank überschattete Urnenbeisetzung verfolgte mich jahrelang in meinen Träumen. In einem besonders schlimmen Traum ließ ich die Urne fallen. Sie zerbrach, die Asche rieselte über meine Schuhe, sie war feucht und klebte an ihnen fest.

T. und den Töchtern erzählte ich nie etwas von dieser unschönen Episode. Auch Du hast sie vermutlich für Dich behalten. Als ich wieder zu Hause war, fragte mich T., ob alles gutgegangen sei.

»Ja«, antwortete ich. »Wenn man das so nennen kann.«

»Sie ist doch in Frieden von uns geschieden«, sagte er. »In Frieden.«

Und dann legte er, ein wenig täppisch, seine Hand auf meine Wange, seine kühle Hand mit den breiten Fingerkuppen, und ich begann wieder zu weinen wie auf der Friedhofsbank. Deine Hand auf meiner Wange, lieber Bruder, hätte mich auch getröstet, ich weiß nicht, wie sie sich anfühlt. Tony und ich waren, lange ist's her, Deine Beschützerinnen. Erinnerst Du Dich? Du warst oft so bedürftig, so hilflos, so empfänglich für unsere Zuwendung. Wir waren einander so eng verbunden. Warum haben sich die Bande gelöst? Wer ist schuld daran? Das Schicksal? Wir selbst?

Ich grüße Dich und denke an Dich.
Deine Schwester Rose

17

Mein Bruder, ich grüße Dich liebevoll nach allem, was ich nun geschrieben habe, und bleibe Deine Schwester Salme bint Said ibn Sultan. Mein Sohn und seine Schwestern grüßen Dich ebenfalls. Viele, viele Grüße.

Das Frühstück an diesem regnerischen Tag, dem 31. März 1946, nahm er im Speisesaal ein, nicht auf dem Zimmer. Erst Madame Bloch saß am Tisch, an ihrem gewohnten Platz, sie stocherte in ihrem Rührei und sagte, sie habe heute keinen Appetit.

»Ich auch nicht«, erwiderte Rudolph und bestellte eine Scheibe Toast mit Butter und Marmelade, dazu Schwarztee. »Bitte starken!« Das sagte er jeden Morgen, aber so stark, so aromatisch wie in Beirut oder in Kairo war er nie.

»Was macht die Gesundheit?«, fragte Madame Bloch.

Er zuckte mit den Achseln. »Die üblichen Wehwehchen.« Er legte die Hand auf die Herzgegend. »Die Pumpe ist nicht mehr so zuverlässig wie früher. Das Alter, wie wir beide wissen.«

»Und wie geht es Ihrer Frau?«

»Auf und ab. Es könnte aber sein, dass man sie bald entlässt.«

»Das wäre doch schön für Sie. Wenn man so lange zusammen war, muss man froh sein über die gemeinsame Zeit, die einem bleibt.« Sie verzog ein wenig den Mund wie ein trauriges Kind, schob die Perlenkette zurecht, die in ihren Ausschnitt zu rutschen drohte. Sie war Witwe seit zehn Jahren und fand sich immer noch nicht damit ab. Nun würde sie ihm, falls er sie nicht stoppen konnte, die Leidensgeschichte ihres Mannes erzählen, der an den Komplikationen einer Zahnvereiterung gestorben war. Der Krankheitsverlauf war ihm bekannt, er wollte sich keine neue Version anhören.

Er deutete auf die Fensterwand, hinter der sich, über dem See, die Wolken ineinanderschoben. »Kein Ausflugswetter«, sagte er. »Und ich hatte doch geplant, wieder einmal mit dem Schiff nach Weggis oder sogar bis Flüelen zu fahren.«

Ihr Gesicht hellte sich auf. »Das mag ich auch, wenn es regnet. Wissen Sie, da fühle ich mich im Salon richtig geborgen. Wir könnten gemeinsam fahren, was meinen Sie?«

Die Aussicht, mit Madame Bloch den halben Nachmittag zu verbringen, reizte Rudolph nicht übermäßig, doch er nickte aus Höflichkeit. Ein weiterer Gast erschien, Peacock, der Besatzungsoffizier auf Urlaub, er war guter Laune und willigte geradezu enthusiastisch ein, als ihm Madame Bloch die Schifffahrt vorschlug. Auch Dr. Weizmann, der zusammen mit Sarasin den Speisesaal betrat, wollte mit von der Partie sein. Sarasin gab zuerst vor, aus geschäftlichen Gründen unabkömmlich zu sein, und ließ sich dann von den anderen umstimmen.

Als Rudolph wieder im Zimmer war, überlegte er, wie er

sein überhastetes Einverständnis rückgängig machen könnte; aber dann dachte er, die frische Luft würde die Beengung in der Brust, die ihm wieder zu schaffen machte, ein wenig lindern. Madame Bloch hatte die Réception beauftragt, fünf Plätze im Nachmittagsschiff zu reservieren. Er nahm die telefonische Mitteilung, das Schiff, die ›Uri‹, werde um 13 Uhr 40 ablegen, ohne Widerspruch entgegen.

Am frühen Nachmittag riss das Gewölk bei heftigem Wind hier und dort auf; grell schien dann minutenlang die Sonne, wie in einer Operninszenierung mit starken Scheinwerfern.

Sie saßen im kunstvoll getäfelten Salon des alten Raddampfers, es hatte sich die gleiche Sitzordnung ergeben wie im Schweizerhof. Das Stampfen der Maschinen, das Rauschen des sich drehenden Rads drang zu ihnen und übertönte zeitweise das Stimmengewirr der wenigen Passagiere. Wenn der Himmel sich wieder verdüsterte, kam es Rudolph eigenartig vor, wie dunkel die Bergkette war, auf die das Schiff zuhielt; kaum zu glauben, dass es in diesem abweisenden Massiv grüne Weiden gab, Kuhherden, Alphütten. Eine Idylle, er hatte sie mit Therese und Werner an der Hand durchwandert. Man weiß manchmal erst hinterher, wie glücklich man in bestimmten Momenten gewesen ist.

Die Fahrt ging über Weggis und Vitznau nach Flüelen und dann zurück nach Luzern, sie würde fünfeinhalb Stunden dauern, Zeit genug für eine Flasche Côtes-du-Rhône und dann noch eine zweite, die Peacock unbedingt auf seine Rechnung nehmen wollte; dazu gab es Aufschnitt, Cornichons und Brot, das, wie Madame Bloch bemängelte, leider schon ein wenig hart war. Sie trug eine Pelzstola, die sie in einem Versuch von Koketterie hin und wieder neu drapierte. Das Gespräch plätscherte dahin, doch dann lenkte Herr Sarasin es unvermutet auf Churchills Rede an der Universität Zürich, über die an diesem Tag die Zeitungen berichteten. Denkwürdiges habe der alte Löwe gesagt, meinte Sarasin, ausgerechnet er, der Bezwinger Hitlers, rufe zur Versöhnung auf, zur Versöhnung vor allem zwischen Frankreich und Deutschland, er plädiere sogar dafür, dass sich die Staaten Europas zusammenschlössen, um künftige Kriege zu vermeiden. Die Vereinigen Staaten von Europa, prosperierend und friedlich? Eine schöne Vision ohne Zweifel, aber doch sehr fern von der Realität, die einen zerstörten Kontinent zeige, Millionen ohne Obdach, Millionen Hungernde, dazu der Griff Moskaus nach dem Westen. Er wisse nicht, welche Art von Kinderglauben in Churchill gefahren sei.

Sie glaube auch nicht an diese Vereinigungsidee, sagte Madame Bloch, über Jahrhunderte hinweg hätten sich die europäischen Mächte gegenseitig zerfleischt. Homo homini lupus. Der Mensch sei des Menschen Wolf und werde es bleiben.

Dr. Weizmann fuhr sich mit der Serviette über den Mund, als mache er den Weg frei für eine Replik. Peacock schaute fragend in die Runde, und Rudolph, der neben ihm saß, übersetzte halblaut, was auf Deutsch gesagt worden war.

»Man muss doch etwas wagen«, ergriff Weizmann das Wort. »Die Waffen werden immer zerstörerischer. Hiroshima muss uns zur Einsicht zwingen, oder nicht? Warum sollen Erzfeinde nicht zu Brüdern werden? Wir wünschen uns doch, dass dies für Deutsche und Franzosen möglich wird, ebenso wie für Juden und Araber.«

Rudolph vergaß das Übersetzen. »Dieser Meinung bin ich auch«, mischte er sich ein, und sein Ton war hitziger, als er wollte. »Realpolitik ist das eine. Überzeugende Ideen sind das andere. Der Weltfrieden ist keine Phantasterei. Ihn anzustreben, ist die einzige Strategie, die im zwanzigsten Jahrhundert unser Überleben sichert. Ich will an ein vereinigtes Europa glauben, ich glaube auch daran, dass die Vereinten Nationen, die nun ihre Arbeit aufgenommen haben, einen Schutzschild bilden können, unter dem solche Zusammenschlüsse möglich werden.«

Sarasin schüttelte heftig den Kopf. »Entschuldigung, meine Herren Idealisten, das ist Wunschdenken. Staaten, vor allem die großen, lassen sich nie von Friedensideen leiten, sondern ganz simpel von ihren Interessen, ihren Einflussmöglichkeiten, ihrem Machttrieb. Ich sage Ihnen voraus, dass die Vereinten Nationen nie etwas anderes sein werden als ein Papiertiger. Erinnern Sie sich noch, wie schmählich der Völkerbund versagte, als Italien Abessinien überfiel? Und Sie glauben, die Neuauflage einer solchen Vereinigung werde wirksamer sein? Sie glauben, Moskau werde es zulassen, dass in seiner Nachbarschaft ein bedrohliches europäisches Staatengebilde entsteht? Sie glauben ernsthaft, die jahrhundertealten Feindschaften könnten begraben und überwunden werden?« Sarasin hatte sich in einen erstaunlichen Zorn hineingeredet; er war so laut geworden, dass Gespräche und Geräusche an den Nebentischen verstummten und man irritiert zu ihm schaute.

»Ich bitte Sie!« Auch Rudolphs Zurückhaltung war dahin, er konnte nicht verhindern, dass er bei den Zischlauten anstieß wie ein kleiner Junge. »Natürlich sind überall Machtinteressen im Spiel. Aber es ist ja gerade die wichtigste Aufgabe einer friedfertigen Politik, Interessen auszugleichen. Das verlangt nach dauernder Feinabstimmung. Darin besteht die hohe Kunst der Politik.«

Frau Blochs Atem war schwer geworden. »Und wie wollen Sie«, fuhr sie Rudolph über den Mund, »einen skrupellosen Diktator wie Hitler zu einem Interessenausgleich bringen? So einer giert nach Dominanz, nach nichts anderem. Chamberlain hat Ihr Rezept befolgt, Herr Said-Ruete, und es leider Gottes bitter gebüßt.«

Rudolph spürte sein Herz bis in die Schläfen, bis in die Fingerspitzen hämmern. »Sehen Sie? Jetzt graben wir uns ein in unseren Ansichten und fangen an, uns gegenseitig zu beschießen. Wollen wir das? Man kann idealistisch sein und dennoch das Augenscheinliche erkennen. Es gibt den richtigen Moment für die Versöhnungsbereitschaft, fürs Nachgeben, und es gibt den falschen. Man darf sich auch als friedfertiger Unterhändler nicht über den Tisch ziehen lassen. Chamberlain war naiv, mit Blindheit geschlagen.«

»So unrecht hat Herr Said-Ruete nicht«, ließ sich Dr. Weizmann vernehmen. »Ich schlage vor, wir stoßen auf den großen Winston Churchill an und gönnen ihm nach seiner kämpferischen Laufbahn den Versöhnungswillen.« Er hob das Glas, das eben nachgefüllt worden war, und blickte auffordernd in die Runde.

Peacock, der unbehaglich, ohne genau zu verstehen, dem Streit gefolgt war, folgte wie die anderen Weizmanns Beispiel und verkündigte mit seinem breiten Akzent: »Einverstanden! Wir haben die verdammte Pflicht, uns eine bessere Zukunft zu wünschen!«

Für eine Weile blieb es in der Runde ruhig, man schaute verlegen vor sich auf den Tisch. Madame Bloch murmelte etwas, das niemand verstand, Weizmann zündete sich eine Zigarre an.

Rudolph brauchte Luft, er hatte den Drang, sich eine Weile auf dem Oberdeck Wind und Wetter auszusetzen. Ganz allein, mit hochgeschlagenem Mantelkragen und tief in die Stirn gedrücktem Hut, stand er droben am Geländer. Der Wind blies ihm ins Gesicht, wehte manchmal einen Schauer von Regentropfen herbei, die auf der Haut ein prickelndes Gefühl erzeugten. Die Wellen waren nun höher als in der Bucht von Luzern, das Schiff, über das vom Kamin her die lange Rauchfahne strich, schwankte stärker, als er's gewohnt war, und doch war es ein stetes Gleiten, man kam voran, man wurde getragen. Zwischendurch der Halt an einer Schiffstation, man hörte das Rasseln der Ketten, wenn der Steg vom Ufer aufs Schiff geschoben wurde, die lauten Anweisungen des Kapitäns, die Stimmen zusteigender Passagiere.

Die Diskussion hallte mit höhnischen Echos in ihm nach. Warum hatte er sich vom Seidenhändler Sarasin derart provozieren lassen? Ein Kinderglaube, wenn man an den Frieden glaubte? Ja, wieso denn nicht! Es war ein trauriger Trotz, der ihn dazu bewog, gegen allen Anschein an diesem Kinderglauben festzuhalten, ihn zu beschützen wie eine schwache Kerzenflamme vor dem Wind. So waren doch die alten Überzeugungen wieder in ihm aufgebrochen, und er wusste nicht, ob er darüber froh sein sollte.

Das Schaukeln wurde stärker, er kämpfte gegen einen Schwindel an und dachte mit Wehmut an die Fahrt auf der

›Adler‹, an dieses ganz andere, unendlich ruhige Gleiten durch den Suezkanal. Der Sturm dann vor Sansibar. Es war eine Fahrt in eine unbekannte Zukunft gewesen, alles schien möglich damals. So jung zu sein bedeutete, dass die Hoffnungen ihm zuflogen wie die Vogelschwärme bei Ismailia. Eine andere Überfahrt stieg als unscharfe Erinnerung aus dem Halbvergessenen. Bei Theben hatte er in einer Fähre über den Nil gesetzt, der Fährmann war jung, er hatte einen Kopf, der mit seinen scharfen Zügen wie gemeißelt wirkte; der Sohn eines Pharao, dachte Said. Am westlichen Ufer befanden sich die Grabkammern der Könige. Zu ihnen wollte er. Er würde hinuntersteigen ins Dunkle, die Gegenwart, die Hitze hinter sich lassen. Die Petroleumlampe des Guides würde die Wandmalereien, die Hieroglyphen, die leeren Sarkophage beleuchten. Es war eine Reise durch Jahrtausende. War ihm deswegen so bange?

Eine Weile schaute er, übers Geländer gebeugt, den großen Rädern zu, aus deren hochsteigenden Schaufeln schäumend das Wasser floss. Er hielt sich fest, der Boden bebte unter seinen Füßen. Jemand sprach ihn an; Dr. Weizmann war gekommen, um ihn in den Salon zurückzuholen. »Sie werden sich erkälten, Herr Said-Ruete«, sagte er. »Sie zittern ja.« Und nach einem Zögern fügte er hinzu: »Erlauben Sie mir die Bemerkung: Sie sollten sich nicht so aufregen.« Rudolph folgte ihm die steile Treppe hinunter und war nahe daran, gegen diese Bevormundung zu protestieren. Er ließ es bleiben, die Besorgnis der Tischrunde schmeichelte ihm sogar ein wenig. Über eine Stunde, hielt ihm Madame Bloch vor, habe er auf dem zugigen Oberdeck verbracht, er solle sich jetzt aufwärmen, am besten mit einem Grog.

»So kalt ist es doch gar nicht«, murmelte er und spürte, dass sich seine Stirn mit Schweiß bedeckte. Am Grog, der vor ihn hingestellt wurde, nippte er vorsichtig, Madame Bloch zuliebe, er schmeckte ihm nicht, brachte ihn sogar zum Husten.

Peacock klopfte ihm auf die Schultern. »He da, übertreiben Sie nicht, es gibt Stärkeres.«

Rudolph versuchte zu lachen, dämpfte das Husten hinter der vorgehaltenen Hand.

Es dämmerte, als sie in Luzern ankamen. Der Regen hatte aufgehört, im Schweizerhof brannten die Lichter. Erleuchtete Fensterreihen auch anderswo, die Lichterreihen überlagert von den Lichtkreisen der Straßenlampen.

Die Strecke vom Schiffsteg zum Hotel kam ihm länger vor als sonst, Peacock nahm für einige Schritte seinen Arm, als fürchte er, Rudolph würde stolpern. Man verabschiedete sich knapp voneinander, man würde sich ja schon zum Dîner um sieben wieder treffen.

Allein im Zimmer, im Lesesessel, das wievielte Mal schon? Die Gegenstände schwimmen durchs Dämmerlicht, er will, dass es dunkel wird. Wolken und See als wogende Einheit, das Auge sucht den Haltepunkt, die Lichter auf der Rigi, und findet ihn nicht. Sehr müde jetzt, ausgelaugt, hätte er früher gesagt, Schmerzen in der Brust, sie sind erträglich. Das Klopfen überrascht ihn nicht. Es kommt später als die vorigen Male; wer ihn heute besucht, hat die Zeit der Dämmerung schon verpasst. Sein »Herein« unterbleibt, er weiß, dass sich die Tür trotzdem öffnen wird. Er hört Schritte, dieses Mal aber das Schleifen eines Rocks über das Parkett.

Oder ist es etwas anderes? Jemand setzt sich neben ihn, jemand atmet, man kann auch die Art, den Rhythmus eines Atems wiedererkennen.

»Dich habe ich nicht erwartet«, sagt er, ohne den Blick von den Fenstern abzuwenden.

Keine Antwort, nur ein Laut, der vielleicht ein Lachen andeutet oder selbst eine Frage ist.

»Das ist nicht wahr«, verbessert er sich. »Eigentlich habe ich jeden Tag auf dich gewartet. Als ich klein war. Als ich älter wurde. Jeden Tag.«

Es schlägt sechs Uhr von der Hofkirche, lange, hallende Schläge.

»Es gib so vieles«, sagt er, »was ich erfahren müsste, um wirklich dein Sohn zu sein, dir nahe, wie sich das ein Sohn doch wünscht.«

Er spürt den Druck auf seiner Brust, den rascheren Herzschlag. »Sag mir eines: Wie ist es möglich, einen Menschen so zu lieben, dass man sein altes Leben für ihn wegwirft?« Er krampft seine Hände ineinander, drückt sie zwischen die Oberschenkel. »Ich hätte das nicht gekonnt. Ich habe mich mit einer Liebe auf kleinerer Flamme begnügt. Hast du Therese deshalb nie richtig ins Herz geschlossen?«

Sie schweigt, sie bewegt sich sachte auf ihrem Stuhl. Ein kleines Knarren, von draußen Motorenlärm, der sich rasch entfernt, dann gedämpfte Stimmen vom Gang her.

Er würde gerne nach ihrer Hand greifen, er weiß, dass er es nicht tun darf, er hätte Angst, dass die Hand kalt wäre, trocken und kalt, und dass seine Finger die Falten ertasten würden, die lose Haut, die spitzen Knöchel. Es ist ja die alte Emily, die ihn besucht, nicht die junge. Oder verwandelt sie sich von der einen in die andere wie in der Schachtel mit den Familienfotos?

»Ich bin dir manchmal böse gewesen«, sagt er. »Schnee-weiße Esel für die Prinzessinnen, mein Gott! Von Sklaven geführt! Die schwarzen Nelkenpflücker auf ihren schwankenden Leitern. Und dein Starrsinn!« Er bricht ab, zwingt sich zu einem neuen Anlauf: »Oft, schon als Junge, habe ich mich gefragt, ob du wirklich anwesend bist. Einmal stellte ich mir vor, du seist eine menschengroße Handpuppe, die ein unsichtbarer Riese bewegt. Das war schrecklich. Und als ich krank war und du an mein Bett kamst, fragte ich mich: Wer ist es jetzt, der mich berührt? Bist du das?«

Das Gespräch, das ja keines ist, geht zu weit, er spürt es, er wischt sich mit dem Ärmel über die Augen, ignoriert den pochenden Schmerz in der Brust, der in den Oberarm ausstrahlt. »Ich weiß, ich bin ungerecht, Mutter. Du hast gelitten, du wolltest nicht die sein, zu der du wurdest. Aber du hast doch die Richtung, die dein Schicksal nahm, selber gewählt. Und ich? Ich wurde in meinen Zwiespalt hineingeboren. Ich hatte keine Wahl.« Er verliert den Faden, findet ihn wieder. »Oder hatte ich sie doch? Ich hätte Offizier bleiben können. Ich hätte nicht Therese zur Frau wählen müssen. Ich hätte in Deutschland bleiben können. Ich hätte schweigen können, statt meine Stimme gegen den Krieg zu erheben … Ach ja, ich hätte mir so vieles ersparen können … «

Es schüttelt ihn wie einmal im Nildelta, als er glaubte, die Malaria habe ihn gepackt. Mit großer Anstrengung unterdrückt er das Gliederzittern, das Zähneklappern. »Geh jetzt wieder, Mutter, geh, wohin du willst, was sollen wir uns noch sagen?«

Das Rücken des Stuhls, kaum hörbar ihre Schritte. Es scheint ihm, ein Luftzug streiche über seine Stirn oder die Kuppe eines Fingers. Ein Duft bleibt eine kurze Weile hängen. Das Meer, Sandelholz, Kokos. Leichtfüßig verlässt sie ihn, die alte Frau. Die Tür geht auf und zu. Er schließt die Augen.

Durch die Wüste auf einem Kamel, Schaukelgang über sanfte Dünen; so ist er nicht oft geritten, aber er tut es nun in der Erinnerung, im Traum. Oder reitet er doch auf einem schneeweißen Esel? Das Meer, die Ruinen eines Palasts, dort spielen Kinder, sie ist dabei, Salme, ein schönes Mädchen, leichtfüßig rennt sie hin und her, Mutter kann er sie nicht nennen, sie ist viel zu jung dafür. Da steht noch eine große Mauer mit Balkon. An dessen Brüstung lehnt sich der Vater, er winkt, er sagt etwas. Ist es wirklich Heinrich? Ist es der Sultan? Die Szene verschwimmt. Er blickt zu einem geschwellten Segel hoch. Der Leutnant Dombrowski steht neben ihm, auch er hat früh den Vater verloren, sie umarmen sich in Uniform, das ist ein Trost, ein verbotener.

Er hält den Schmerz aus, der sich jetzt verschlimmert. Er ist gefasst darauf, dass gleich wieder jemand klopft.

Nachbemerkung

Die meisten Personen in diesem Roman haben gelebt. Die Fakten, die über sie bekannt sind, habe ich in die Handlungsstränge eingebaut. Aber die biographischen Lücken gewährten mir den Freiraum, meiner Imagination zu folgen und zu erfinden, was mir wahrscheinlich schien. Natürlich interpretiere ich dabei die Ereignisse und Charakterbilder auf meine subjektive Weise. Und das heißt: Die Romanfiguren sind von den realen Personen inspiriert, aber nicht mit ihnen identisch. Die Umrisse stimmen; in ihrer Ausgestaltung sind sie zu meinem eigenen Bild geworden.

Die kursiven Passagen am Anfang der Kapitel stammen aus einem Brief in arabischer Sprache, den Emily Ruete 1883 ihrem Halbbruder, Sultan Bargash, schickte. Er ist als Faksimile abgedruckt in *An Arabian Princess between two Worlds*, einem Band mit sämtlichen Schriften Emily Ruetes, herausgegeben und kommentiert von Emery van Donzel. Den Brief hat Sir John Kirk ins Englische übersetzt, davon ausgehend habe ich die deutsche Fassung geschrieben.

Lukas Hartmann

Zeittafel

10. 3. 1839	Geburt von Rudolph Heinrich Ruete in Hamburg, Sohn des Dr. phil. Adolph Hermann Ruete und seiner ersten Ehefrau Franziska Rosalie geb. Fölsch.
30. 8. 1844	Geburt von Salme bint Said, Tochter des Said ibn Sultan, Herrscher von Oman und Sansibar, und seiner tscherkessischen Nebenfrau Djilfidan in Beit il Mtoni.
1855	Heinrich Ruete tritt als Lehrling in die Firma Hansing & Co. ein und wird schon bald deren Agent in Aden.
1856	Salmes Vater stirbt, ihr Halbbruder Majid wird Sultan. Sie verwaltet als Halbwüchsige mehrere Plantagen, die sie geerbt hat, und wird in die Intrige eines anderen Halbbruders, Bargash, verwickelt, der Majid stürzen will. Der Umsturzversuch misslingt.
1866	Heinrich wird nach Sansibar versetzt, lernt auf mysteriöse Weise Prinzessin Salme kennen und verliebt sich in sie.
24. 8. 1866	Salme, im vierten Monat schwanger, flieht im britischen Kriegsschiff ›Highflyer‹ nach Aden, um ihrer Hinrichtung zu entgehen. In Aden wartet sie monatelang auf Heinrich.
7. 12. 1866	Geburt von Salmes Sohn Heinrich, der später auf der Reise nach Hamburg stirbt.
30. 5. 1867	Heinrich Ruete trifft in Aden ein. Am selben Tag konvertiert Salme zum Christentum, nimmt den Taufnamen Emily an und heiratet Heinrich Ruete. Abreise nach Hamburg.
24. 3. 1868	Geburt der Tochter Antonie Thawka in Hamburg.

13. 4. 1869	Geburt des Sohnes Rudolph Said.
16. 4. 1870	Geburt der Tochter Rosalie Ghaza.
6. 8. 1870	Heinrich Ruete stirbt an den Folgen eines schweren Unfalls.
	Die Hamburger Behörden stellen Emily unter Vormundschaft.
7. 10. 1870	Sultan Majid stirbt in Sansibar, sein Nachfolger wird Bargash, der Salmes/Emilys Erbansprüche negiert.
1870/71	*Deutsch-Französischer Krieg, er endet mit der Kapitulation Frankreichs. Im Spiegelsaal von Versailles wird am 19. Januar 1871 das Deutsche Reich gegründet und Wilhelm I., bisher preußischer König, zum deutschen Kaiser gekrönt. Otto von Bismarck wird Reichskanzler.*
1872	Emily Ruete zieht mit ihren drei Kindern nach Dresden.
1875	Emily reist nach London, wo Bargash auf Staatsbesuch weilt. Ihre Absicht, sich mit ihm zu versöhnen, wird von den Briten vereitelt. Sie kehrt tief enttäuscht nach Deutschland zurück.
1877	Umzug der Familie nach Rudolstadt, der tieferen Lebenskosten wegen. Emily versucht, mit Arabischunterricht etwas zu verdienen. Sie wird von Gönnern aus Adelskreisen unterstützt.
1879	Umzug nach Berlin.
1880 – ca. 1900	*Wettlauf der europäischen Mächte um die Kolonien in Afrika. Auch das junge Deutsche Reich mischt sich ein, strebt nach Kolonialbesitz in Südwest- und in Ostafrika, wetteifert mit Großbritannien um den größeren Einfluss und um Handelsvorteile in Sansibar.*
1882	Said tritt in die Kadettenanstalt Bensberg bei Köln ein.
1885	Emily reist, unter dem Schutz der deutschen Kriegsflotte, mit ihren Kindern nach Sansibar. Bismarck setzt Emily und vor allem Said als Druckmittel ein, um Bargash zur Unterzeichnung eines Vertrags zu bewe-

gen, der Deutschland die Vorherrschaft über ostafrika-
nische Küstengebiete zusichert. Der Sultan fügt sich
angesichts der Kanonenboote dem deutschen Anspruch, weigert sich aber, Emily zu empfangen, und
bleibt unversöhnlich. Emily durchschaut, dass sie als
Figur im politischen Ränkespiel eingesetzt worden ist.
Der Plan, Said zum Sultan zu machen, war ohnehin
nicht durchsetzbar.

1886   Emily Ruetes *Memoiren einer arabischen Prinzessin* erscheinen im Verlag Friedrich Luckhardt, Berlin, und
erregen in Deutschland beträchtliches Aufsehen. Das
Buch wird in mehrere Sprachen übersetzt.

1888   Nachdem Bargash gestorben ist, strebt Emily die Versöhnung mit seinem Nachfolger Khalifa an. Sie reist
zum zweiten Mal nach Sansibar, dieses Mal nur mit Rosalie. Doch alle ihre Versuche, den Sultan für sich zu
gewinnen, scheitern. Zudem fühlt sie sich vom abweisenden Verhalten der Deutschen in Sansibar gedemütigt. Sie beschließt, nicht mehr nach Deutschland
zurückzukehren, und lässt sich, zusammen mit den
Töchtern, im Nahen Osten nieder, zuerst in Jaffa und
Jerusalem, dann in Beirut.

1888–1890   *Kaiser Wilhelm I. stirbt 1888. Sein Nachfolger, Fried-*
rich III., erliegt schon nach 99 Tagen einem Krebsleiden.
Kaiser wird nun mit 29 Jahren dessen Sohn Wilhelm II.,
der von Anfang an, gegen den Willen Bismarcks, eine
expansive Außenpolitik betreibt.
Im März 1890 wird Bismarck vom Kaiser aus dem Amt
gedrängt.

1. 7. 1890   *Unterzeichnung des Helgoland-Sansibar-Vertrags zwi-*
schen dem Deutschen Reich und dem Vereinigten Kö-
nigreich von Großbritannien und Irland. Deutsch-
land anerkennt die Schutzherrschaft Großbritanniens
über Sansibar und Pemba. Großbritannien tritt dafür
die Insel Helgoland an Deutschland ab. Damit ist end-

gültig klar, dass Emily Ruete von deutscher Seite keine Unterstützung mehr erwarten kann.

1893 Said, nunmehr Leutnant in der Garnison von Torgau, hofft, durch Vermittlung Bismarcks der Mutter trotz aller Hindernisse zu ihrem sansibarischen Erbe zu verhelfen, und möchte zugleich nach Beirut, ans deutsche Konsulat, versetzt werden. Er erreicht eine Audienz beim Ex-Kanzler.

1894 Said ist in Beirut Militärattaché unter Konsul Schröder, er lebt ein Jahr bei der Mutter und den Schwestern.

1898 – 1900 Said nimmt nach zehnjähriger Dienstzeit seinen Abschied als Premier-Leutnant. Er wird überraschend Generalinspektor der Eisenbahnen in Ägypten.

30. 4. 1898 Antonie heiratet in Beirut den Kolonialbeamten Eugen Brandeis (1846 – 1930), der zum Gouverneur der Marshall-Inseln ernannt worden ist. Sie reist mit ihm in die Südsee.

6. 9. 1900 Geburt von Antonies Tochter Marie Margaretha, genannt Gretchen, in Jaluit.

16. 9. 1901 Said heiratet in Berlin Maria-Theresia (Therese) Mathias (1872 – 1947), die aus einer begüterten jüdischen Familie stammt. Ihr Onkel ist Ludwig Mond (1839 – 1909), der in England florierende Sodafabriken gegründet hat und sich auch als Kunstmäzen einen Namen macht.

22. 5. 1902 Geburt von Saids Sohn Werner Heinrich Mathissen in Berlin.

9. 12. 1902 Rosalie heiratet in Berlin den Artillerieoffizier Martin Troemer aus Jena (1862 – 1940), der es bis zum Generalmajor bringen wird.

6. 10. 1903 Geburt von Rosalies Tochter Emily in Berlin.

10. 8. 1904 Geburt von Antonies Tochter Julie Johanna in Jaluit.

18. 9. 1904 Geburt von Rosalies Tochter Bertha in Berlin.

1905 Antonie Brandeis-Ruete kommt mit ihrem Mann aus

der Südsee zurück. Sie betätigt sich führend im Frauenbund der Deutschen Kolonialgesellschaft und gehört zu den Gründerinnen der Frauenkolonialschule in Rendsburg.

Sie publiziert 1907 ein *Kochbuch für die Tropen,* das für das Leben in den deutschen Kolonien eine gesunde Ernährung propagiert.

1906 – 1910 Said bekommt vom Hamburger Senat die Erlaubnis, sich künftig Rudolph Said-Ruete zu nennen. Er wird in Kairo für vier Jahre Direktor der Deutschen Orientbank. Nach seinem Rücktritt führt er abwechselnd in London und Luzern ein Leben als Privatier und Philanthrop und setzt sich vor allem für die Völkerverständigung ein. Im Besonderen möchte er zwischen Juden und Arabern im Nahen Osten vermitteln; er beschäftigt sich mit den Ideen Theodor Herzls, der eine Heimstatt für die Juden in Palästina fordert.

8. 5. 1910 Geburt von Rudolphs/Saids Tochter Olga Salme Mathilde in London.

Frühling 1914 Emily gibt den Wohnsitz in Beirut auf und lässt sich bei Rosalie in Bromberg, Provinz Posen (heute Bydgosc in Polen), nieder. Sie wird nicht mehr in den Nahen Osten zurückkehren.

27. 6. 1914 *Ermordung des österreichischen Thronfolgers Franz Ferdinand in Sarajewo. Das Attentat löst durch die Verkettung von unvermeidlich scheinenden Mobilisierungen den Ersten Weltkrieg aus, der über neun Millionen Tote fordert und mit dem Zusammenbruch des deutschen Kaiserreichs endet. Zudem verliert Deutschland seine Kolonien; das Osmanische Reich, zu dem auch Beirut gehörte, verschwindet von der Landkarte.*

1914 – 1918 Während des Kriegs schreibt Rudolph Said-Ruete immer wieder Leserbriefe an die *Neue Zürcher Zeitung* und plädiert leidenschaftlich für einen raschen Friedensschluss zwischen den »Kulturnationen«, vor allem zwischen Deutschland und England. Das trägt ihm in deutschnationalen Kreisen den Ruf eines Landesverräters ein. Er ist aber, als Deutscher, in London unerwünscht und lebt während der Kriegsjahre mit der Familie in Luzern.

1920   Antonie Brandeis-Ruete trennt sich von ihrem Mann, der noch zehn Jahre in Säckingen lebt.

29. 2. 1924   Emily Ruete stirbt in Jena, im Haus der Troemers, an doppelter Lungenentzündung. Ihre Urne wird im Familiengrab der Ruetes auf dem Friedhof Ohlsdorf bei Hamburg beigesetzt.

12. 10. 1929   Emily Troemer, selbst Dr. iur, heiratet in Berlin den Juristen Erich Schwinge (1903 – 1994), der später maßgeblich das Militärstrafrecht im Dritten Reich prägt und als Richter Deserteure zum Tod verurteilt.

30. 1. 1933   *Ernennung Hitlers zum deutschen Reichskanzler. Die Nationalsozialisten beginnen mit der systematischen Verfolgung der nichtarischen, vor allem der jüdischen Bevölkerung.*

1934   Rudolph Said-Ruete wird britischer Staatsbürger; seine deutsche Staatsbürgerschaft erlischt.

1. 9. 1939   *Ausbruch des Zweiten Weltkriegs. Hitlers Truppen überfallen Polen; Frankreich und England erklären Deutschland den Krieg. Die deutschen Truppen erzielen in den nächsten Monaten, bis zur Kapitulation Frankreichs, enorme Erfolge.*

1939 – 1945   Während des Zweiten Weltkriegs lebt die Familie Said-Ruete hauptsächlich in London. Rudolph und Therese versuchen, deutschen Emigranten zu helfen.

24. 4. 1945   Antonie Brandeis-Ruete kommt bei einem Bombardement durch britische Flugzeuge in Bad Oldesloe bei Hamburg ums Leben.

31. 3. 1946   Rudolph Said-Ruete stirbt im Hotel Schweizerhof, Luzern.

Schriftliche Quellen (Auswahl)

Rita Bake (Hrsg.): *Hamburg – Sansibar, Sansibar – Hamburg*, Hamburgs Verbindungen zu Ostafrika seit Mitte des 19. Jahrhundert, Landeszentrale für politische Bildung Hamburg, Hamburg 2009

Antonie Brandeis: *Kochbuch für die Tropen*, 4. Auflage, Verlag Dietrich Reimer, Berlin 1939

Georg Carlen und Monika Twerenbold: *Das Hotel Schweizerhof in Luzern*, Die Baugeschichte von der Gründung bis heute, Sonderdruck aus »Jahrbuch der Historischen Gesellschaft Luzern«, Band 18, Luzern 2000

Antoni Folkers u. a.: *Mtoni, Palace, Sultan & Princess of Zanzibar*, ArchiAfrika, Utrecht 2010

Jahrbuch für den Kreis Stormarn 2003, enthält: Max Wegener: *Bad Oldesloe im Luftkrieg 1939 – 1945*, Husum Druck- und Verlagsgesellschaft, Husum 2002

Leonore Niessen-Dieters: *Die deutsche Frau im Auslande und in den Schutzgebieten*, Nach Originalberichten aus fünf Erdteilen, Egon Fleischel & Co., Berlin 1913

Emily Ruete geb. Prinzessin Salme von Oman und Sansibar: *Memoiren einer arabischen Prinzessin*, Verlag Friedrich Luckhardt, Berlin 1886

Emily Ruete geb. Prinzessin Salme von Oman und Sansibar: *Briefe nach der Heimat*, herausgegeben und mit einem Nachwort von Heinz Schneppen, Philo Verlagsgesellschaft, Berlin 1999

Sayyida Salme / Emily Ruete: *An Arabian Princess Between Two Worlds*, Memoirs, Letters Home, Sequels to the Memoirs, Syrian Customs & Usages, Edited with an Introduction by E. van Donzel, E. J. Brill, Leiden – New York – Köln 1993

Rudolph Said-Ruete: *Politische Korrespondenzen und friedfertige Kriegsaufsätze 1914 – 1918*, Orell-Füssli, Zürich 1919

Rudolph Said-Ruete: *Said bin Sultan (1791 – 1856), Ruler of Oman and Zanzibar*, Alexander Ousely, London 1929

Rudolph Said-Ruete: *Eine auto-biographische Teilskizze,* C.J. Bucher, Luzern 1932

Heinz Schneppen: *Sansibar und die Deutschen,* Ein besonderes Verhältnis 1844 – 1966, LIT Verlag, Münster – Hamburg – London 2003

Wolfgang G. Schwanitz: *Gold, Bankiers und Diplomaten,* Zur Geschichte der Deutschen Orientbank 1906 – 1946, trafo-Verlag, Berlin 2002

Erich Schwinge: *Ein Juristenleben im 20. Jahrhundert,* herausgegeben von Ursula Schwinge Stumpf, Societäts-Verlag, Frankfurt a. M. 1997

Dirk H. R. Spennemann: *An Officer, yes, but a Gentleman?,* Eugen Brandeis, Military Adviser, Imperial Judge and Administrator in the German Colonial Service in the South Pacific, Centre for South Pacific Studies, Sydney 1998

Justus Strandes: *Erinnerungen an Ostafrika 1865 – 1889,* Verlag Hanseatischer Merkur, Hamburg 2004

Julius Waldschmidt: *Kaiser, Kanzler und Prinzessin,* Ein Frauenschicksal zwischen Orient und Okzident, trafo-Verlag, Berlin 2005

Paul Wietzorek: *Das historische Hamburg,* Michael Imhof Verlag, Petersberg 2008

Lora Wildental: *German Women for Empire,* 1884 – 1945, Duke University Press, Durban & London 2001

Hans Zache (Hrsg.): *Das deutsche Kolonialbuch,* Wilhelm Andermann Verlag, Berlin und Leipzig 1925

Literarische Werke, die sich mit Emily Ruete oder ihrer Zeit beschäftigen

Hans Christoph Buch: *Sansibar Blues oder Wie ich Livingstone fand,* Roman, Die andere Bibliothek, Eichborn, Frankfurt a. M. 2008

Mary M. Kaye: *Insel im Sturm,* Roman, Krüger, Frankfurt a. M. 1982

Ernst von Salomon: *Die Kadetten,* Roman, rororo Taschenbuch, Hamburg 1957

Nicole C. Vosseler: *Sterne über Sansibar,* Roman, Bastei Lübbe, Köln 2010

Dokumentarfilm

Tink Diaz: *Die Prinzessin von Sansibar,* NDR/arte 2008

Weblink

Sayyida Salme Foundation:
www.sayyidasalmefoundation.org

Folgenden Personen danke ich herzlich dafür,
dass sie mir mit Auskünften weiterhalfen:

Tink Diaz, Dokumentarfilmerin
Joachim Duester, Deutsche Botschaft, London
Patrick Hauser, Hotel Schweizerhof, Luzern
Sabine Keppele, Cengage Learning, München
Cornelia Kruppik, Historisches Archiv der Commerzbank AG
Constanze Mann, Stadtarchiv Jena
Anett Rauer, Militärhistorisches Archiv der Bundeswehr, Dresden
Heinz Schneppen, ehemaliger Botschafter Deutschlands in Tansania
Daniela Walker, Stadtarchiv Luzern
Dr. Sylvina Zander, Stadtarchiv Bad Oldesloe

Lukas Hartmann
im Diogenes Verlag

Pestalozzis Berg
Roman

Johann Heinrich Pestalozzi, der große Pädagoge, an
einem Wendepunkt seines Lebens.
1798 baut Pestalozzi in Stans im Schweizer Kanton
Nidwalden, das von der französischen Revolutionsar-
mee verwüstet worden ist, eine Anstalt für Kriegswaisen
auf. In einem baufälligen Flügel des Kapuzinerinnen-
Klosters hat er zeitweise bis zu achtzig Kinder zu ver-
sorgen: ein nicht enden wollender Kampf gegen Kälte,
Hunger und Verwahrlosung.
Da muss er das Kloster räumen: Es wird in ein Mili-
tärlazarett umgewandelt, Pestalozzi wird Unfähigkeit
als Erzieher vorgeworfen. Er bricht zusammen.
Lukas Hartmann schildert den großen Erzieher als lei-
denschaftlichen, widersprüchlichen Menschen: seine
Überzeugung, dass Bildung das Volk aus sozialem
Elend befreien wird, seinen aufopfernden Einsatz für
Arme und Schwache; aber auch sein heftiges Gemüt,
seine Nöte, seine Schwächen.

»Gerade in der Darstellung der Ambivalenz von Pesta-
lozzis Persönlichkeit liegt die Qualität dieses vorzüg-
lichen Romans.« *Stuttgarter Zeitung*

Die Seuche
Roman

Ein Dorf im 14. Jahrhundert. Seit Wochen kursieren
Gerüchte über eine schreckliche Krankheit. Dann er-
reicht sie das Dorf. Mit Glauben, Aberglauben und
Magie versuchen die hilflosen Menschen dem Sterben
Einhalt zu gebieten. Niemand weiß, warum so viele
sterben und einige wenige überleben. Die junge Hanna

und ihr Bruder Mathis begraben ihre Großmutter und fliehen verbotenerweise in den Wald. Unterwegs treffen sie einen ›Geißlerzug‹, Mathis schließt sich den religiösen Fanatikern an, Hanna flieht weiter. Sie kommt bei einem alten stummen Fischer unter, für den sie Fische auf dem Markt verkauft. Dort sieht sie immer wieder ein Kind, das ihr zulächelt. Schon bald hat sie das Gefühl, diesem geheimnisvollen Kind folgen zu müssen...

»Die Pest im 14. Jahrhundert. Eine scheinbar entlegene Zeit gerät ›zum fernen Spiegel‹: Ein großes, ein hinreißendes Buch ist anzuzeigen.«
Charles Linsmayer / Der Bund, Bern

Bis ans Ende der Meere
Roman

London 1781. Der Maler John Webber überbringt der Witwe von James Cook im Auftrag der Admiralität ein Porträt ihres Mannes. Doch die Witwe weist das Geschenk empört zurück: Sie erkenne ihren Mann darauf nicht. Webber ist schockiert, doch kann er die Frau verstehen. Schon bei der Rückkehr des Schiffes ›Resolution‹ verhängte die Admiralität ein absolutes Redeverbot über die näheren Umstände des tragischen Todes von Cook. Und auch das Porträt verfolgt nur einen Zweck: Das Andenken des großen Kapitäns muss ein heroisches bleiben, als nobler Entdecker für England sollte er in die Geschichte eingehen. Doch Webber kennt die Wahrheit dieser vierjährigen dritten und letzten Weltumsegelung Cooks, und all die quälenden Bilder, die er nicht zeichnen durfte, werden ihn zeit seines Lebens verfolgen.

»Die Sprache federleicht, aber auch mit einer großen philosophischen und menschlichen Tiefe. *Bis ans Ende der Meere* ist ein so gewaltiger wie leiser und intimer

Roman, schlicht gesagt ein Meisterstück – ein Roman, in den man sich verliebt.«
Lutz Bunk / Deutschlandradio Kultur, Berlin

Finsteres Glück
Roman

Das Leben des achtjährigen Yves wird in einer einzigen Sekunde brutal entzweigerissen, in ein Vorher und Nachher. Die Psychologin Eliane Hess, die ihm über den Verlust der Eltern hinwegzuhelfen versucht, ist gleichzeitig erschüttert und fasziniert von dem traumatisierten Jungen. Sein Schicksal geht ihr nahe – es leuchtet hinein in ihre eigene Vergangenheit. Nach der Begegnung mit Yves kann auch Elianes Leben und das ihrer beiden Töchter nicht mehr dasselbe sein.
Ein berührender Roman über Geborgenheit und Verlust; über die Familienbande, die wir nicht lösen können, und diejenigen, die wir selbst knüpfen.

»Wenn unser Dasein aus vergänglichen Stoffen wie Sehnsucht, Liebe, Angst besteht, bietet dieser Familienthriller unvergängliche Bilder dazu.«
Evelyn Finger / Die Zeit, Hamburg

»*Finsteres Glück* ist ein starker Roman. Er packt den Leser mit voller Wucht.«
Andreas Tobler / Tages-Anzeiger, Zürich

Räuberleben
Roman

Unter den Räubern, die Ende des 18. Jahrhunderts Angst und Schrecken verbreiten, ist Hannikel einer der gefürchtetsten. Vor seinem Namen zittert im Schwarzwald und im Elsass jedes Kind.
Nun ist er auf der Flucht, mit seinen loyalsten Männern, mit Frauen und Kindern. Wo soll er für seine Sippe einen sicheren Ort finden?

Jacob Schäffer, der Oberamtmann von Sulz, ist besessen von einer Mission: Räubern, Jaunern und Zigeunern das Handwerk zu legen. Nach einem Ehrenmord ist er Hannikel endlich auf der Spur – in Chur, in Graubünden, wurde er gesichtet. Wilhelm Grau, Schäffers Schreiber, ist bei der Jagd auf die Hannikel-Bande von Anfang an dabei. Immer schwerer fällt es ihm jedoch, diese Menschen bloß als Verbrecher zu sehen – besonders Dieterle, Hannikels elfjährigen Sohn.

Ein lebenspraller historischer Roman, der von den Zigeunerlagern in den Tiefen des Schwarzwalds bis in die Privatgemächer von Herzog Karl Eugen und seiner Franziska führt.

»Lukas Hartmann benutzt die historischen Fakten wie einen alten, fleckigen Spiegel, in dem wir nicht die Szenen von damals sehen, sondern immer nur uns, wie wir hineinblicken. Auf der Suche danach, wie wir wurden, was wir sind.«
Brigitte Neumann / NDR *Kultur, Hannover*

Außerdem erschienen:

Anna annA
Roman für Kinder

So eine lange Nase
Roman für Kinder

All die verschwundenen Dinge
Eine Geschichte von Lukas Hartmann
Mit Bildern von Tatjana Hauptmann

Alfred Andersch
Sansibar
oder der letzte Grund

Roman

1937 findet in dem Ostseestädtchen Rerik eine Gruppe
von Leuten zusammen: der kommunistische Funktio-
när Gregor, die Jüdin Judith, der Fischer Knudsen, sein
von Sansibar träumender Schiffsjunge und der Pfarrer
Helander. Jeder für sich und gemeinsam für die be-
drohte Skulptur »Der lesende Klosterschüler« von
Ernst Barlach haben sie nur ein einziges Ziel: Deutschland zu verlassen. *Sansibar oder der letzte Grund*, 1957
als erster Roman Anderschs erschienen, ist ein moder-
ner Klassiker.

»Das Buch ist eine Ode an die Freiheit des Individu-
ums, sich auch in politischen und gesellschaftlichen
Nöten neu zu erfinden.« *Die Welt, Berlin*

»Einer der bedeutendsten Romane der deutschen litera-
rischen Nachkriegsproduktion.« *Beda Allemann*

»Ein wunderbares Buch.« *Wolfgang Koeppen*

Auch als Diogenes Hörbuch erschienen,
gelesen von Hans Korte